LA VIE DES FRANÇAIS SOUS L'OCCUPATION
(Tome 1)

Henri Amouroux, journaliste, membre de l'Institut, est né le 1er juillet 1920 à Périgueux (Dordogne). Etudes : collège Saint-Joseph à Périgueux.
Carrière : secrétaire général de la rédaction (1959), rédacteur en chef adjoint (1963), rédacteur en chef (1966), puis directeur général (1968-1974) du journal *Sud-Ouest*, directeur de l'hebdomadaire *Les Années 40* (depuis 1970), directeur du quotidien *France-Soir* (1974-1975), codirecteur du journal *Rhône-Alpes* (1977)
Vice-président du prix Albert-Londres (depuis 1972), membre des jurys du prix Théophraste-Renaudot et du prix littéraire de la ville de Bordeaux, membre du Conseil supérieur des lettres et du comité de direction du Centre national des lettres (depuis 1974), membre de la Commission de développement économique régional (Coder) d'Aquitaine (1968-1973), membre de l'Académie des sciences morales et politiques, élu le 27 novembre 1978 au siège de Jacques Chastenet. Œuvres : grands reportages sur le Vietnam, les Indes, le Canada, l'U.R.S.S., la Yougoslavie, Israël, la Jordanie, etc. Ouvrages : *Israël, Israël* (1951), *Croix sur l'Indochine* (1955), *Le Monde de long en large* (1957), *Une fille de Tel-Aviv* (roman), *J'ai vu vivre Israël* (1958), *La Vie des Français sous l'Occupation* (1961), *Le 18 juin 1940, Quatre années d'histoire de France (1940-1944)* (1966), *Pétain avant Vichy* (1967), *Le Ghetto de la victoire* (1969), *La Bataille de Bordeaux* (1970, en collaboration avec Pierre Sainderichin), *La Grande Histoire des Français sous l'Occupation* (tome I : *Le Peuple du désastre*, 1976; tome II : *Quarante Millions de pétainistes*, 1977; tome III : *Les Beaux Jours des collabos*, 1978; tome IV : *Les Passions et les Haines*, 1981). Décoration : Croix de guerre 39-45. Distinctions : grand prix littéraire de la ville de Bordeaux (1962), second prix Gobert de l'Académie française (1962) pour *La Vie des Français sous l'Occupation*, prix Pierre-Mille (1974). Secrétaire général de la Société des amis de François Mauriac (depuis 1973), membre de l'Académie nationale des sciences, belles-lettres et arts de Bordeaux.

ŒUVRES DE HENRI AMOUROUX

Histoire :

LA GRANDE HISTOIRE DES FRANÇAIS SOUS L'OCCUPATION :
1. Le peuple du désastre (Robert Laffont).
2. Quarante millions de pétainistes (Robert Laffont).
3. Les beaux jours des collabos (Robert Laffont).
4. Le peuple réveillé (Robert Laffont).
5. Les passions et les haines (Robert Laffont).

LA VIE DES FRANÇAIS SOUS L'OCCUPATION (Fayard).
LE 18 JUIN 1940 (Fayard).
PÉTAIN AVANT VICHY (Fayard).

Romans :

UNE FILLE DE TEL-AVIV (Del Duca).
LE GHETTO DE LA VICTOIRE (Grasset).

Reportages :

ISRAËL... ISRAËL (Domat).
CROIX SUR L'INDOCHINE (Domat).
LE MONDE DE LONG EN LARGE (Domat).
J'AI VU VIVRE ISRAËL (Fayard).

Critique littéraire :

LOUIS EMIÉ (Seghers)
(en collaboration avec Albert Loranquin).

Albums :

QUATRE ANS D'HISTOIRE DE FRANCE (Hachette).
AQUITAINE (Réalités, Hachette).

HENRI AMOUROUX

La vie des Français sous l'occupation

Tome I

FAYARD

Pour Lotty et pour mes parents.

AVANT-PROPOS

LES *années d'occupation ont suscité de nombreux livres de qualité.*

Ils étudient le gouvernement de Vichy, les rapports franco-allemands, les querelles franco-anglaises, ils racontent les combats pour la Libération, les exploits des meilleurs résistants, ou se penchent longuement sur la psychologie du maréchal Pétain et de Pierre Laval.

Mais la plupart de ces ouvrages ne s'inquiètent pas de la vie quotidienne, de la vie difficile de l'homme de la rue, du Français « occupé ».

Ce sont des livres d'Histoire. Et l'Histoire est peuplée, on le sait, de plus de ministres, de généraux, de financiers, d'explorateurs que de boutiquiers, de bouchers, de cousettes, de cheminots, de ménagères et d'enfants pâles.

La tentation était grande, cependant, de se faire exclusivement l'historien de quarante millions d'anonymes. Pourquoi ne pas raconter non seulement les aventures sanglantes des Français sur les routes de l'exode mais aussi leurs difficultés à se procurer le pain quotidien, leurs ruses face aux contrôleurs du ravitaillement, leurs expéditions et leurs batailles dans les campagnes nourricières ?

Pourquoi ne pas dire les ersatz, le faux tabac, le faux café, le faux savon, les faux témoins, les divertissements, d'une époque qui n'a pas été « noire » pour tout le monde, mais aussi les souffrances des femmes des prisonniers de guerre, le martyre de tous ceux que la Gestapo traque et arrête ?

Pourquoi ne pas évoquer les nuits d'alerte, les lendemains de bombardement, le climat de ces villes, dont les rafles et le couvre-feu dépeuplent les rues, l'écoute de la radio anglaise dans l'odeur des rutabagas, la vie des maquisards, pour qui le combat n'est qu'une brève lumière dans la suite des jours ternes et dangereux ?

L'auteur de ce livre a cédé à la tentation, découvrant, chaque jour davantage, la difficulté d'une tâche que l'abondance des documents non officiels rendait plus périlleuse encore. Documents dont beaucoup ont la chaleur de la vie et l'intensité du roman.

Le roman de la vie quotidienne, en somme...

Que ce mot de roman n'abuse d'ailleurs pas.

Il n'y a rien d'inventé dans ce livre, naturellement imparfait, incomplet, mais fondé sur de nombreux témoignages souvent inédits, sur une documentation patiemment recueillie, pendant trois ans, dans toutes les régions de France.

Un tel travail eût été, cependant, impossible sans un réseau d'amitiés efficaces.

A ces amitiés il doit en grande partie, aujourd'hui, son existence.

LA VALEUR DE LA MONNAIE

On trouvera, à la fin de cet ouvrage, la bibliographie et la liste des témoignages recueillis, mais il nous a semblé intéressant — d'assez nombreux prix de détail étant cités au fil des pages — de donner immédiatement un tableau utile au lecteur soucieux de comparaisons.

		Francs 1980
1940	10 Francs	8,60
1941	10 Francs	7,60
1942	10 Francs	6,19
1943	10 Francs	5,00
1944	10 Francs	4,00

CHAPITRE PREMIER

LES ROUTES DE L'EXODE

UNE foule. Toute la France qui coule sur les routes. De jour et de nuit, une foule protégée par deux épaisseurs de matelas, couronnée de valises et de cages à oiseaux. Une foule qui n'a jamais fini de passer, toujours aussi épaisse, toujours renouvelée et qui abandonne dans les fossés ses voitures et ses morts.

Ceux qui fuient pour échapper à la guerre.

Ceux qui fuient dans l'espoir d'être mobilisés un jour.

On se bat pour un litre d'essence.

On achète un verre d'eau.

« Allez, sortez la monnaie ! Dix sous le verre, deux francs la bouteille ! »

On confie des enfants aimés à des inconnus en camion.

« Prenez-le, prenez-le.

— Je m'appelle... »

Ils ne sauront jamais comment s'appelle l'inconnu charitable et, quelques jours plus tard, les journaux de Bordeaux, de Lyon, de Marseille, de tous ces terminus de l'exode, feront leur plein de dramatiques petites annonces.

« *Mme Gentil, Hôtel Mercier, à Montmorillon (Vienne), demande nouvelles de ses filles Camille et Ghislaine laissées à Evreux le 10 juin.* »

« *Recherchons Marie-José Philippe, 6 ans, perdue Bourges 16 juin. Ecrire...* »

« *Mme Cissé, réfugiée à Loupiac-de-Cadillac, recherche ses trois enfants : Hélène, Simone et Jean perdus à Saint-Pierre-des-Corps le* 15 *juin.* »

Les camions militaires transportent des vieilles dames fatiguées et des enfants malades.

Des civils sauvent des drapeaux.

Les chars d'assaut et les corbillards pleins de gosses roulent côte à côte.

Les bennes à ordures véhiculent des tonnes d'archives inutiles. Les autocars de *Paris la Nuit* transportent des petites vieilles et des bonnes sœurs. Des chiens sont attelés à des charrettes chargées de toutes les richesses du foyer : édredons, postes de T.S.F., poupées, habits du dimanche.

Des valises changent de main. Des autos aussi. Tandis que son conducteur est à la recherche d'un peu d'essence, deux artilleurs s'emparent de la camionnette 1977 ED 8, dans laquelle la mairie de Boulogne-Billancourt évacuait ses bureaux, et s'enfuient vers Sully-sur-Loire avec cent registres de délibérations du Conseil municipal, tous les arrêtés du maire, une montagne de cartons verts et une machine duplicatrice « Edison ».

Des bandes de pillards, parfaitement organisées (eux seuls le sont dans ce désastre), fouillent les voitures abandonnées, frappent aux portes des maisons en criant :

« Les Boches arrivent, les Boches arrivent, vous allez être bombardés ! »

Ils s'installent dans les demeures désertées depuis un instant et les déménagent consciencieusement.

Des soldats se font tuer derrière de ridicules barricades en armoires Lévitan et charrettes de fermes, tout juste bonnes à ralentir le flot des réfugiés.

Ailleurs, c'est la population qui supplie les officiers de cesser le feu. A des artilleurs qui tentent de mettre une pièce en batterie, la foule sur laquelle les Allemands tiraillent en même temps que sur les soldats, la foule crie :

« Allez-vous-en ! Allez-vous-en ! Vous êtes des lâches [1]. »

Au Blanc, les anciens combattants éteignent les mèches et empêchent le pont de sauter. A Poitiers, la population menace d'abattre les barricades dressées par les hommes du 274e R.I. et le maire marche vers les Allemands, un drapeau blanc à la main.

★

Les villages que l'exode n'a pas encore atteints regardent passer les réfugiés. Sur le pas de leurs portes, les habitants disposent, au début, des seaux d'eau, des bouteilles de lait, des vivres. Les femmes hébergent des passants épuisés qui s'en vont parfois, le lendemain, en dérobant l'argenterie.

Dans une grande maison d'Argenton-sur-Creuse, les réfugiés se retrouvent bientôt près de quarante. De fugitifs, les voilà sédentaires lorsque sautent

1. Rapporté par Léon Werth et cité par Saint-Exupéry dans *Pilote de guerre*.

les ponts et qu'ils ne peuvent plus ni avancer ni reculer. Une demoiselle des P.T.T. et sa mère sont logées dans l'écurie, sur de la paille ; dans le jardin, campe une famille de cinq personnes ; au rez-de-chaussée, car l'étage est inhabitable depuis la destruction des ponts, dorment une vingtaine de personnes.

Chaque soir, a lieu une distribution de soupe à base de pommes de terre du jardin. Muni de son assiette ou de sa gamelle, chacun vient chercher une portion de chaleur et d'amitié. De petits groupes se forment. Les uns pique-niquent dans la serre, la famille Biry, de Maubeuge, se retire dans l'atelier, la famille Dutronc, de Dijon, sous un grand sapin, d'autres dans leur voiture [1] !

Exilés, ils se demandent à chaque instant s'ils n'ont pas eu tort de partir.

Mais leur exemple semble contagieux.

Ceux qui ont de l'argent l'ont retiré en hâte des Caisses d'Epargne pour aller se le faire voler plus tard par des compagnons de route qu'un excès de malheur rend plus aisément malhonnêtes [2].

Ceux qui ont un lit l'ont abandonné pour une botte de paille déjà souillée d'excréments. Ceux qui ont des provisions en ont chargé des sacs à dos qui scient les épaules, retardent la marche et finiront dans les fossés de l'exode.

Un balayeur à 400 francs par mois brûle vingt-cinq millions sous les yeux des directeurs du ministère des Finances réfugiés à Avoine-Beaumont.

Mais le préfet du Nord réclame au gouvernement de l'argent pour son département encerclé

1. Témoignage de Mme Baucheron.

2. En juin 1940, les Français retireront 1 212 millions de francs des Caisses d'Epargne. Dans le mois, il n'y eut que 158 millions de versements. En juillet 1940, les versements tombèrent à 107 millions et les retraits à 326.

par l'avance allemande. On entasse plusieurs millions dans deux avions Glenn-Martin qui s'éloignent en direction de Lille. Ils approchent, ils vont atterrir, lorsque la D.C.A. anglaise les prend violemment à partie, les abat, cependant que des milliers de billets de banque se répandent dans toute la campagne [1].

Sur la route, des fous se mêlent à la foule sans qu'il soit possible de les distinguer de la foule apeurée.

La ville de Troyes est abandonnée par les hommes valides aux malades, aux infirmes, aux vieillards rassemblés à l'hôtel-Dieu.

Un curé transporte dans une brouette sa gouvernante, une vieille demoiselle de quatre-vingts ans.

C'est à peine si l'on prend le temps d'enterrer les morts et de planter une croix dans la terre fraîche. A cheval sur la croix, parfois, un ours en peluche. Sur la croix, un casque.

« Les Boches arrivent. Dépêchons. »

La vedette de cinéma Corinne Luchaire, qui se repose dans une maison campagnarde isolée, non loin de Mantes, a la surprise de découvrir, le 10 juin, les villages d'Ile-de-France abandonnés par les épiciers, les boulangers, les laboureurs. Pour boire un peu de lait, et en offrir à une section de zouaves épuisés et désarmés, elle doit traire des bêtes errantes.

A Saint-Benoît-sur-Loire, M. Max Jacob, poète, catholique, juif et breton, répond au curé qui lui dit, le 15 juin :

1. La confusion de la D.C.A. anglaise s'explique par la récente introduction (avril) de ces appareils américains sur le théâtre des opérations. Un seul des six aviateurs français réussit à sauter en parachute. Des millions dispersés. M. Carles, préfet du Nord, ne recueillit que 240 000 francs.

« On évacue l'hôpital, les enfants et les vieillards, il faut partir.

— Je ne suis ni enfant ni vieillard, je resterai. Les tirs d'artillerie sont très précis. On n'a pas de raison de viser Saint-Benoît qui n'a ni pont ni usines. J'aime en tout cas mieux mourir dans mon lit que sur une route d'exil. C'est plus beau ! Non, c'est plus prudent. »

Le 8 juin, les trains quittant Paris vers l'ouest circulent normalement ; le 10 juin, ils n'arrivent plus à Rennes qu'avec dix-huit heures de retard ; le 11, il n'y a plus de trains, mais la masse humaine n'en déferle pas moins à pied, à bicyclette ou en voiture.

Dans l'espoir de prendre d'assaut un wagon surpeuplé, à la marche toujours lente et incertaine, des réfugiés font parfois cent kilomètres à pied (de Charleville à Soissons par exemple), souvent près de cinquante (de Dreux à Chartres).

En juin 1940, il faut sept jours aux réfugiés pour aller par le train de Lille à Morlaix, cinq jours du Havre à Brest, cinq jours de Reims à Nantes.

★

Pendant un mois, la moitié de la France se vide d'hommes. Il y a eu les Belges et les Hollandais que l'on regardait avec pitié mais sans se croire directement intéressé. Puis les gens du Pas-de-Calais, du Nord, de la Somme. Ceux de l'Aisne, de la Marne. Ceux des Ardennes, qui sont partis des premiers avec leurs lourds chariots, sur lesquels sont assis les femmes âgées et les infirmes, sur lesquels sont entassés les sacs d'avoine pour les bêtes, tandis que les hommes, montés sur des bicyclettes, vont et viennent, recherchent des cantonnements, des vivres, de l'eau.

A chaque arrêt, il faut descendre les vieillards

du chariot, puis les remonter. Certains, ne comprenant rien à cette guerre, parlent sans cesse de retourner chez eux et cherchent à s'enfuir.

Longues journées sous le soleil, sous la menace des avions.

Les paysans songent au bétail qu'ils ont dû abandonner dans les champs.

« Les vaches, ce qu'elles doivent souffrir ! »

Songent aux champs non moissonnés, s'inquiètent de la santé des poulains qui les accompagnent dans leur marche, des maisons ouvertes.

« Je leur ai dit, à nos soldats, de tout manger et de bien boire, mais les Boches qu'est-ce qu'ils vont faire chez nous ! »

A chaque heure nouvelle, l'ange de l'exode touchait ainsi du doigt un village nouveau.

Après avoir contemplé le long et pittoresque et pitoyable cortège des fuyards, les villageois venaient s'y intégrer docilement. L'exode les aspirait.

On avait vu des scènes semblables au moment de la première Croisade. Des villages entiers se détachaient de leurs bicoques pour prendre la route de Jérusalem. Mais, dans cette croisade à rebours, il ne s'agissait que de gagner les plages des dernières grandes vacances.

★

Les prières dites le 19 mai à Notre-Dame, devant un gouvernement mécréant, ont été impuissantes. Inutile le défilé des reliques de sainte Geneviève et de saint Louis. Il faut évacuer Paris.

Le 11 juin, dans la nuit, le gouvernement, à la demande du général Weygand, qui veut épargner à la ville d'inutiles destructions et des combats qui ne changeraient rien au sort de la guerre, déclare Paris ville ouverte.

L'annonce de cette décision provoque un dernier départ de réfugiés. Tous ceux qui doutaient encore se décident. Ils partent par troupes, entassent sur de vieilles voitures tout ce qui leur tombe sous la main : l'immédiat et non l'indispensable [1].

Ils se mêlent aux convois paysans qui passent boulevard Saint-Germain, boulevard Henri-IV. Troupeaux de vaches, moutons, volailles dans des cages à claire-voie, chevaux trapus, chiens assoiffés, donnent aux places parisiennes l'allure de vastes champs de foire. Paris refait connaissance avec l'odeur du crottin.

Les gens se hâtent. Désireux de rattraper leur retard, ils s'éloignent sans savoir vers quel toit.

« On part... on ne sait pas très bien où... on verra bien... En tout cas, ils ne nous auront pas. »

Des milliers de Parisiens assiègent la gare d'Austerlitz, refluent jusque dans le métro où ils couchent, dans l'espoir de trouver, à l'aube, une place vers le Sud dans un wagon de marchandises.

Dans les rues qu'emprunte l'exode, les convois laissent leur signature : meubles brisés, papiers gras, paille, valises ouvertes, parapluies, vêtements perdus, pneus éclatés.

Des femmes se précipitent dans les dernières pharmacies ouvertes pour faire piquer les bêtes familières qu'elles ne se résignent ni à abandonner ni à entraîner à l'aventure.

Paris achève son déménagement dans le grand vent des bobards.

« Vous ne partez pas, vous avez tort. La Préfecture évacuera de force, rue après rue, tous ceux qui sont restés.

— Vous ne partez pas ? Les Allemands vont

1. Le XIVe arrondissement — composé en majorité de quartiers populaires — ne comptera plus, le 19 juin, que 49 000 personnes (dont seulement 14 800 hommes) contre 178 000 d'habitude.

déporter tous les hommes. Ce sera terrible. Ils brûleront la plante des pieds de ceux qu'ils prendront vivants.

— Vous ne partez pas ? Weygand a rassemblé une armée formidable derrière la Loire. La guerre va durer longtemps, le pays sera coupé en deux, comme en 1914.

— Pourquoi partez-vous ? Nous avons, grâce à des concentrations d'artillerie, détruit 1 000 chars en trois jours [1]. Les Etats-Unis vont déclarer la guerre à l'Allemagne. Tout finira comme en 1914. »

Dans les ambulances qui sortent d'usine, des ouvriers de chez Renault entassent leurs gosses.

A la porte d'Italie, des familles de piétons font de l'auto-stop, se séparent avec déchirement, se donnent des rendez-vous que le hasard et parfois la mort se chargeront d'annuler.

« A la gare de Fontainebleau. C'est ça. Demain soir ou après-demain matin. »

Ceux qui soupçonnent le prodigieux encombrement des routes — il faut de six heures à vingt heures pour aller de Paris à la sortie d'Etampes : cinquante kilomètres — empruntent des chemins détournés, passent par Longjumeau, par Dourdan, mais aboutissent toujours à ces routes nationales, remplies jusqu'aux fossés d'une foule motorisée ou non, dont la fatigue se mesure au teint des visages, à l'abattement, au silence et à la morne résignation.

Dans ce tumulte du dernier jour, il y a des zones de calme, des scènes de paix. Au coin de la rue Saint-Antoine, des marchandes de fruits et de fleurs défraîchies sont postées là, comme chaque jour, dans l'attente du client.

1. Cité par Jacques Bardoux, *Journal d'un Témoin de la Troisième*, à la date du 8 juin.

Mais les ministères, soucieux de leurs archives, réquisitionnent, pour un dernier voyage, les véhicules qui manqueront à l'armée pour ravitailler ses troupes, évacuer son matériel et ses blessés. On abandonne des stocks de cuivre, des stocks de toile d'avion, des freins de 75, mais le Musée de l'Armée obtient deux camions pour sauver des bribes de notre gloire militaire.

Des affectés spéciaux dont les usines ont cessé de produire s'éloignent à pied, avec Marseille pour point de ralliement !

Restaurants et magasins sont fermés, les Parisiens qui restent font, après bien des recherches, de dérisoires provisions. Lucien Daudet achète du chocolat, du pain d'épices et remplit sa baignoire d'eau. Les journaux ne paraissent plus. La radio est imprécise. Des fous proposent à la petite délégation municipale qui couche à l'Hôtel de Ville [1] de déterrer le corps du Soldat Inconnu, afin de le mettre en lieu sûr ! Privés de ravitaillement, privés de nouvelles, mais non de téléphone, ceux qui n'ont pas abandonné Paris regardent, dans le ciel, se rapprocher les fumées du désastre.

Il pleut.

Dans cet inaltérable juin, il pleut enfin ; mais la pluie, tant désirée lorsqu'elle aurait pu ralentir l'avance allemande, gêner les bombardiers, n'est plus d'aucun secours à la patrie défaite. Sur les visages des passants, elle étale la suie des incendies qui retombe lentement.

Dans l'après-midi du 13, le général Dentz, qui a été rappelé du front d'Alsace et a accepté avec résignation la tâche de ne pas défendre Paris, où la peur de la Cinquième Colonne avait déjà conduit

1. Jean Chiappe, Georges Contenot, Maurice de Fontenay, Noël Pinelli.

le gouverneur militaire à faire effectuer dix patrouilles quotidiennes dans les égouts, ordonne en effet de mettre le feu aux réservoirs d'essence du Pecq, de Port-Marly et de Colombes. A l'aube du 14, ceux de Vitry, Villeneuve-le-Roi et Juvisy brûlent à leur tour.

Les Allemands sont aux portes.

★

Depuis la veille, aucune troupe française organisée ne traverse plus Paris, mais des isolés passent encore.

Et toujours ces fuyards qui espèrent, avec leurs vieilles Renault du dimanche, gagner de vitesse les chars allemands et dont le bel élan ira mourir dans les rues embouteillées de Versailles !

Le préfet de police Langeron communique en Touraine, où le gouvernement s'est éparpillé pour peu de jours entre quinze châteaux, des renseignements sur la progression allemande.

— Ils sont à Pierrefitte.

— Ils sont à Bondy.

— Ils sont à Pantin.

Avant d'être privé du téléphone, Roger Langeron parle une dernière fois aux collaborateurs de Reynaud, de Mandel, à Magre, secrétaire général de la présidence de la République.

Pendant ce temps, les Allemands s'arrêtent aux postes de police des plus lointaines banlieues et à 23 h 45 avertissent le gouvernement militaire de Paris que les négociations ne seront possibles que pendant cinq heures encore. Passé ce délai, les Allemands attaqueront la capitale.

Les deux négociateurs français, le commandant Devouges et le lieutenant Holtzer, trouvent devant la mairie de Sarcelles un capitaine allemand qui conduit le commandant Devouges jusqu'à Ecouen où le commandant Brink lui dictera les conditions de l'entrée dans Paris.

« Toute résistance devra cesser avant 9 heures sur le front Saint-Germain-Versailles-Meaux.

— Je n'ai pas qualité pour traiter sur ce point, réplique Devouges [1].

— Communiquez-le au quartier général français. Il faut aussi que l'ordre dans Paris soit garanti par les autorités françaises. Tous les services publics devront fonctionner normalement. Tous les habitants seront consignés chez eux pendant quarante-huit heures.

— S'il en va ainsi, remarque l'officier français, comment voulez-vous que les services publics fonctionnent ? Il faudra donner beaucoup de laissez-passer [2].

— Nous verrons, dit le commandant Brink. Apportez-nous très rapidement la réponse de vos chefs. »

Lorsque l'entretien de Sarcelles a lieu, il y a déjà plus d'une heure qu'un motocycliste allemand solitaire a traversé la place Voltaire.

A 5 h 20, trois voitures arrivent devant les casernes de Saint-Denis.

A 5 h 30, deux camions et six motocyclistes sont à la porte de La Villette. A 5 h 35, des troupes descendent la rue de Flandre en direction des gares du Nord et de l'Est.

Premières vagues de la marée.

Derrière leurs volets, les Parisiens qui n'ont pas quitté leur ville contemplent avec angoisse ces guerriers d'Apocalypse, ces motocyclistes, tout à la

1. En réalité, les troupes françaises se sont déjà retirées de cette ligne.

2. Les Allemands ne maintiendront pas cette clause.

fois raides et souples dans leurs manteaux de cuir, ces troupes que la victoire n'a pas débraillées, ces hommes venus d'un autre monde et qui sont, à l'aube, les seuls spectateurs de leur irréprochable parade.

Dans son bureau de la Préfecture de police, Roger Langeron continue à prendre connaissance des renseignements téléphonés par les commissariats de police.

« 5 *h* 50. — *Trente gardiens de la paix se trouvent prisonniers à Bondy. Ils sont désarmés par les Allemands.*

« 6 *h* 10. — *Cinq ou six voitures se dirigent vers Aubervilliers.*

« 7 *heures.* — *Des troupes allemandes arrivent à la caserne de Saint-Denis, elles désarment un gardien de la paix.*

« 7*h* 15. — *Quelques estafettes motorisées allemandes et une automobile passent quai des Grands-Augustins* [1]. »

Il est huit heures du matin maintenant.

Les soldats allemands passent toujours sans s'arrêter, marée humaine aux mouvements bien réglés par des agents de la police militaire munis d'un disque et postés à tous les carrefours.

Huit heures. De son bureau silencieux des Invalides, Dentz, qui vient de s'entretenir avec le commandant Devouges, voit les masses allemandes franchir le pont Alexandre, traverser l'Esplanade, s'avancer directement sur lui et, comme dans quelque monstrueux gros plan cinématographique, ne se diviser qu'au dernier instant. Des officiers se détachent, qui placent des sentinelles aux portes, font couper les fils téléphoniques et, avant de faire

1. Roger Langeron, *Paris, Juin* 1940.

débarrasser le tombeau de Napoléon des sacs de sable qui le protègent, réclament — ô la mémoire des défaites passées — les drapeaux allemands de la dernière guerre.

Dentz réplique qu'il ignore où ils sont. Puisque les Allemands ont occupé les Invalides, qu'ils cherchent !

Huit heures. Deux officiers allemands entrent à la Préfecture de police et demandent au préfet Langeron de se présenter à onze heures à l'hôtel Crillon pour y rencontrer le général von Stutnitz placé à la tête du Grand Paris. Le lendemain, un autre officier — de la Gestapo celui-là — fera irruption à la Préfecture. Après avoir demandé ironiquement au préfet qui l'a fait attendre quelques minutes « s'il se croyait encore sous les ordres du juif Mandel », il réclame les archives confidentielles des Renseignements Généraux : dossiers d'étrangers, d'espions, de communistes [1].

Drapeaux et dossiers.

Drapeaux. Les Allemands remplacent tous les drapeaux français un peu salis par les poussières de la ville, drapeaux si familiers que l'on ne prêtait plus attention à ce rouge au faîte des palais, à ce bleu contre le bleu du ciel.

Mais lorsque les passants voient les oriflammes allemandes remplacer nos trois couleurs (à l'Arc de Triomphe la cérémonie a lieu à 9 h 45 le 14 juin), bien des larmes coulent [2]. Pour beaucoup de nos

1. Evacués par péniches le 12 juin. Sur le point d'être rattrapés par l'avance allemande, près de Roanne, les inspecteurs coulèrent l'une des deux péniches près du bord, puis la renflouèrent quelques jours plus tard, Roanne étant alors en zone libre. Dans une usine désaffectée, ils firent sécher leurs documents.

2. Le drapeau allemand sera retiré dans la soirée et ne reparaîtra plus sur l'Arc de Triomphe. Beaucoup de drapeaux français avaient été amenés sur l'ordre des autorités le 12 ou 13 juin.

compatriotes, voilà le plus humiliant symbole de l'occupation.

Un peu partout fleurissent rapidement les drapeaux à croix gammée : Chambre des députés, Sénat, ministères, hôtel Crillon, hôtel Lotti, grands hôtels du Centre sont immédiatement « décorés » d'immenses drapeaux rouges à croix gammée.

L'occupation de Paris a été minutieusement préparée et c'est une ville déjà transformée que le docteur Dietrich, chef de la presse du Reich, et le docteur Bömer montreront, dans l'après-midi, aux journalistes étrangers qui suivent l'avance allemande et iront photographier cet Arc de Triomphe qui porte dans sa pierre tant de noms de victoires, tant de noms de villes allemandes assiégées et capturées.

A partir de 9 h 45, les Allemands qui ont posté plusieurs soldats à chacune des bornes entourant l'Arc de Triomphe, qui ont placé quatre automitrailleuses et quatre canons en batterie en direction des Champs-Elysées et des avenues Foch, Victor-Hugo et Marceau, commencent leur défilé sous le regard voilé de larmes de M. Gaudin, mutilé de 1914-1918 et gardien de la Flamme.

Après avoir salué l'Inconnu, plusieurs officiers supérieurs prennent place tandis qu'au son des musiques militaires, groupées entre les avenues Mac-Mahon et Carnot ou près de l'avenue d'Iéna, les troupes débouchent de l'avenue de Wagram, de l'avenue de Friedland, exécutent d'impeccables « tête à droite » ou « tête à gauche » en passant devant l'Arc de Triomphe, la Flamme, les généraux, puis redescendent, soit par l'avenue Kléber, soit par l'avenue de la Grande-Armée.

Les troupes qui passent ont supporté de durs combats sur la Somme et sur l'Oise. Leur équipement et leur visage portent souvent les traces de la bataille et de la fatigue. Les généraux arrêtent un instant, pour le féliciter, le lieutenant Prochaska qui, le 12 juin, à la tête de sa compagnie, a percé près de L'Isle-Adam les défenses françaises. Puis l'officier viennois reprend sa marche vers le Sud. Prochain objectif de cette prodigieuse avance : Versailles et son château, Louis XIV après Napoléon.

Pendant toute la journée, officiers et soldats allemands se succèdent devant le Tombeau de l'Inconnu et se photographient mutuellement.

Vers le milieu de l'après-midi, Edmond Ferrand, membre du Comité de la Flamme, remonte les Champs-Elysées, interroge Gaudin, le gardien de la Flamme.

« On m'a dit, hier, de laisser éteindre la Flamme, affirme Gaudin. Est-ce possible ?

— Non, attendons jusqu'à 18 h 25. Si personne ne vient, nous prendrons une décision. »

Les deux hommes observent les soldats qui se succèdent et ce général allemand qui se découvre, se recueille, se met à genoux, fait le signe de la croix et prie, cependant que des larmes brillent dans ses yeux.

A 18 h 30, aucun autre Français n'a rejoint l'Arc de Triomphe. Alors, en présence d'Allemands, qui se mettent immédiatement au garde-à-vous, Ferrand et Gaudin, la main sur l'épée, accomplissent le geste pieux. Ensuite, sur le registre quotidien, ils apposent leurs signatures :

« 14 *juin* 1940

Ed. Ferrand, membre du Comité de la Flamme

Gaudin, gardien de la Flamme. »

★

Drapeaux et politique. Des soldats jettent aux passants des tracts annonçant l'entrée en guerre de l'Italie.

Ailleurs, des voitures munies de haut-parleurs se font entendre à chaque carrefour. Vers 11 heures du matin, l'une d'entre elles stoppe place Saint-Sulpice. Un soldat allemand annonce au micro que « *Le Haut Commandement allemand ne tolérera aucun acte d'hostilité envers les troupes d'occupation. Toute agression, tout sabotage sera puni de mort.* »

Etrange tambour de ville, la voiture repart pour débiter plus loin son message.

Dans d'autres rues, ce sont des officiers qui interpellent directement les Français qui se rassemblent assez peureusement autour d'eux.

« Vous êtes libres. Nous ne vous voulons aucun mal. Les Anglais vous ont engagés dans une guerre que vous aviez perdue d'avance. Madame, vous réclamez le retour de votre mari, sans doute ?

— Oui.

— Eh bien, ma femme réclame le mien. La paix signée avec vous, nous réglerons l'affaire des Anglais dans quinze jours [1]. »

★

La population ? Quelle est l'attitude de la population devant cette armée allemande qui, avec ses chars, ses canons, ses motocyclistes, ses colonnes, ses drapeaux, ses trophées, ses prisonniers, hélas ! a envahi toute la ville et paraît d'autant plus nombreuse que les Parisiens sont plus rares.

Voici le témoignage du correspondant de guerre

1. Rapporté par Roger Langeron.

allemand Léo Leixner qui accompagne les blindés : « *Nous ne rencontrons que peu de civils, ils paraissent résignés aux événements, ils nous regardent comme s'ils voulaient lire dans nos yeux ce qui va leur arriver. Ils acceptent visiblement avec reconnaissance notre sourire et nos réponses rassurantes à leurs timides questions.*

« *Comme je suis heureuse que le premier soldat allemand soit aussi aimable* », *avoue une femme de banlieue. Encore un court arrêt... Un officier achète des bananes dans un magasin où les mamans cachent peureusement leurs enfants derrière elles. L'officier qui s'en aperçoit revient dans la boutique, achète du chocolat et le répartit entre les huit petits. On aurait pu entendre le soupir de soulagement de la foule apeurée. Un cauchemar disparaît de la ville à partir de ce moment-là. Une femme pleure :* « *Ma pauvre France ! Ce malheur n'est pas de notre faute.* » *Pourtant, la résignation paraît plus grande que la consternation.*

« *Le soldat allemand n'est pas aussi méchant que l'avaient dit les gazettes parisiennes encore avant-hier. Cette constatation paraît adoucir l'amertume de ce jour pour les Parisiens. Par-dessus tout, il y a un grand soulagement que la guerre soit finie*[1]. »

Quant à Otto Abetz, qui a réoccupé très vite l'ambassade de la rue de Lille, où les premiers repas s'improvisent, paraît-il, « dans une atmosphère de pension bourgeoise[2] », il prend plaisir à signaler que des Français applaudissent un grenadier de la division von Briesen qui fait jouer ses biceps en disant : « Or kaput, travail or. Voilà mon or. »

1. Léo Leixner. *Von Lemberg bis Bordeaux.*
2. Oltramare. *Les souvenirs nous vengent.*

★

Les renseignements sur l'attitude de la population le 14 juin et les jours suivants varient d'ailleurs suivant les témoins et le quartier.

Stupeur, honte, terreur, détresse patriotique, haine, curiosité, soulagement, indécence, tout est vrai.

En juillet, le journal *La Gerbe* interrogera plusieurs personnes présentes à Paris le 14 juin. L'ouvrier André Bellier qui a pris son vélo « pour faire un tour » raconte qu'à midi « *on fraternisait avec les Fridolins. Y en avait même qui allaient un peu fort. Rue Lafayette, pendant le défilé, une grosse bonne femme pouvait pas tenir en place. Elle arrêtait pas : « Oh ! qu'y sont beaux ! Et ces chevaux ! Ah ! ils avaient pas mangé depuis dix ans, voyez-moi ça ces beaux hommes ! Et ces canons ! Et ces motos ! Ah ! ils n'avaient pas d'essence ? Et pas de matériel ? On s'est foutu de nous* [1] *!*

« *A la fin, je voyais qu'elle allait applaudir. J'ai été obligé de lui dire :*

— Dites donc, la petite mère, tenez-vous un peu. Y a des gars qui sont morts... »

Le colonel Groussard signale de son côté, qu'un agent de la circulation allemande installé rue de Grenelle fut rapidement entouré par un certain nombre de curieux « *qui ne tardèrent pas à engager la conversation et à plaisanter* ». Et le même officier ajoute que cet état d'esprit amena les Allemands à renoncer à l'interdiction faite aux Pari-

1. En découvrant le matériel et l'équipement de l'armée allemande, les Français, longtemps trompés par la propagande, sont frappés de stupeur, stupeur qui se mue parfois très vite en colère contre leurs dirigeants de la veille. « Pour des gens habillés avec des arêtes de poisson, ils font de l'effet », murmure un titi le 14 juin.

siens de sortir pendant quarante-huit heures et à la remplacer par un couvre-feu fixé à 21 heures.

Quant à Lucien Daudet, qui n'a pas quitté Paris, il remarque que « *les quelques Parisiens sortis de chez eux regardent les troupes d'occupation avec curiosité mais sans aucune animosité* ».

Par contre, le préfet de police Langeron, qui a effectué plusieurs tournées dans les commissariats, est surtout frappé par le calme et le vide des rues, calme relatif, toutes les grandes artères étant envahies par les véhicules allemands : chars, ambulances, voitures hippomobiles, voitures d'états-majors, ainsi que par les nombreux bataillons qui, toute la journée, défilent en chantant.

Mais Roger Langeron note à la date du 16 juin que « *la tenue des passants est d'une dignité parfaite. Ils regardent devant eux comme si les uniformes verts étaient invisibles et transparents... Quelques cinémas ont ouvert, avec l'autorisation ou sur l'inspiration des occupants, mais attirent peu de monde* ».

Qui croire ?

Tout le monde.

Toutes les réactions se sont produites le 14 comme le 15 juin, mais la plupart sont à l'honneur du peuple français. Et si, en plusieurs endroits, on a enregistré des signes de servilité, le suicide du grand chirurgien Thierry de Martel et de quelques autres Français étouffés par la honte de la défaite rachète, s'il ne les efface pas, les premiers actes de collaboration qui ne tardent guère. Dans Paris, privé de moyens d'information, une feuille paraît le 17 juin et son directeur, non content de vanter « la fraternité des hommes et l'internationale des nations » se dit d'accord avec Hitler « avec l'homme, avec le patriote allemand » pour briser les chaînes de Versailles.

Aux quatre coins de Paris on crie donc « La Victoire » ! Etrange titre, bien mal accordé à ce 17 juin 1940. Etrange journal, hâtivement imprimé au recto d'une seule feuille [1], mais dont la manchette porte, avec une stupéfiante inconscience, le refrain des soldats de « Faust » :

Gloire immortelle
De nos aïeux
Sois-nous fidèle
Mourons comme eux !
Et sous ton aile,
Soldats vainqueurs
Dirige nos pas (bis)
Enflamme nos cœurs !

Pendant quatre jours — *La Victoire* du fameux Gustave Hervé cessera ensuite définitivement sa parution — le journal tiendra donc les Parisiens au courant des petits événements qui se produisent dans la ville déserte.

L'Institut Pasteur poursuit sa tâche, ce qui est fort utile car, en banlieue surtout, de nombreux chiens abandonnés ont mordu des enfants. Le cardinal Suhard et le clergé parisien « se tiennent à la disposition des fidèles pour les services spirituels et de tous ordres qu'ils pourraient leur rendre ».

Pour ceux qui meurent (et l'on meurt beaucoup en juin 1940), l'entreprise de pompes funèbres Edouard Schneeberg, 43, rue de la Victoire (encore !), se chargera de « l'organisation de

1. Il s'en excuse par l'encadré d'usage : « Nous prions nos lecteurs de vouloir bien, en raison des circonstances et des difficultés que nous avons rencontrées avant de pouvoir reparaître, nous excuser de la présentation de ce numéro, à l'avenir nous leur présenterons un journal « normal ».

convois de toute nationalité et des cérémonies religieuses de tous cultes ».

Le Jardin des Plantes est ouvert de 7 à 20 heures, le bureau de placement du Syndicat national des Concierges fonctionne normalement, le Théâtre George-VI sollicite des acteurs. Dans ce journal fourre-tout et farfelu, on trouve même, le 20 juin 1940, alors que seuls les avions allemands sillonnent le ciel français, une publicité pour les parachutes AVIOREX « les plus sûrs, les plus robustes, les plus simples, les plus résistants... » !

La nuit tombe.

Sur les vendeurs qui crient *La Victoire*, comme sur les soldats allemands qui l'achètent, après s'être fait photographier devant l'Inconnu sous l'Arc de Triomphe.

Sur Paris.

Sur la France où sept millions de réfugiés et deux millions de soldats marchent toujours.

★

Et maintenant, Paris défilait sur les routes du Loiret.

Le Paris des beaux quartiers, des ministères, le Paris des faubourgs.

En route vers les ponts d'Orléans, ces ponts au-delà desquels s'ouvrait une France encore libre et que l'on croyait, pour toujours, hors de portée de l'ennemi.

Reculant le miracle de rivière en rivière, au fur et à mesure que les rivières étaient franchies par les chars allemands, des millions de Français avaient placé tout leur espoir dans la barrière d'un fleuve presque sans eau. En 1940, la victoire de la Marne serait gagnée sur les rives de la Loire ! Voilà ce que tout un peuple nourri de réminiscences historiques, conscient de la supériorité du « système D », se disant vaguement assuré de quelque mystérieuse protection divine, s'efforce de croire encore malgré la raison et malgré le désastre.

Le flot des Parisiens déferle par toutes les routes, emportant avec lui les citadins — à Chartres, le 15 juin, il ne reste plus que 800 habitants, dont le préfet Jean Moulin, sur 23 000 — emportant les paysans qui, eux, se contentent généralement de gagner les bois proches d'où ils peuvent surveiller leurs champs et leurs bêtes.

Dans le grand désordre provoqué par les réfugiés, l'administration ajoute encore du trouble. N'a-t-elle pas imaginé le 14, le 15 juin, alors que les dés sont jetés, de faire évacuer, non seulement les hommes mobilisables, mais aussi les vieillards et les enfants ?

Comment ce départ d'une moitié de la population n'entraînerait-il pas immédiatement le départ de l'autre moitié ?

Le samedi 15 juin, à 4 heures du matin, le maire de Beaugency reçoit un télégramme qui lui ordonne de faire rallier Orléans-Saint-Marceau (même à pied) à toute la population munie de trois jours de vivres. Les enfants de Paris, réfugiés en Loiret, doivent suivre le mouvement.

Tous les maires du département du Loiret sont alertés par des télégrammes identiques. Lorsque M. Paul Cabanis, député-maire de Beaune-la-Rolande, a déchiffré le sien, il lui faut préparer en quelques heures une évacuation que la rapidité de l'avance allemande rend totalement inutile.

A l'aube, sous la protection de trois religieuses (Sœurs Marie, Françoise et Geneviève), on charge les vieillards de l'hospice dans un autocar conduit par M. Simon. Les enfants de la colonie scolaire de la Seine sont transportés jusqu'à La Ferté-Saint-Aubin par des ambulances militaires.

Privées de gendarmes, de pompiers (partis sur ordre des autorités militaires parmi les premiers), privées de boulangers, d'épiciers, de bureaux et d'usines où travailler, séparées des enfants, entendant chaque jour, amplifiés par la peur, les terribles récits de soldats et de réfugiés qui n'ont parfois rien vu, mais qui donnent toujours quelque horrible prétexte à leur fuite, craignant les bombardements et la famine plus encore que la bataille, pourquoi les populations s'accrocheraient-elles à un sol où plus rien ne les retient ?

Elles partent et aussitôt les maisons vides et soigneusement closes sont occupées, les magasins sont forcés, les jardins dévalisés.

Dans tout le Loiret — pris ici comme département témoin — ce n'est qu'un cri contre « les Parisiens ». Le maire d'une petite commune parle dans une lettre au Préfet des « *réfugiés envoyés de Montreuil, Fontenay, Bagneux ou autres lieux suspects* ».

On tord le cou des poulets.

« Encore un que les Boches n'auront pas ! »

Mais l'on brise aussi les glaces des armoires, on souille les draps, on déchire les robes, on laisse les robinets ouverts après avoir bu trois litres de vin et l'on jette les bibliothèques par les fenêtres.

Lorsque l'instituteur de Boismorand rentrera, il ne trouvera, dans son école occupée, ni tableaux noirs, ni livres, ni cahiers, ni serrures, ni linge de rechange, ni argent. A Andonville où 230 habitants sur 250 ont fui, les pillards ont forcé la porte du tabernacle, jeté les hosties, volé un ciboire... et emporté le drapeau des anciens combattants.

« Encore un que les Boches n'auront pas ! »

Un vent de folie souffle sur la France.

Comment en irait-il autrement dans ce pays soudain privé de chefs civils et militaires et dont l'armée est engluée dans une masse de femmes et d'enfants ?

En ces jours tragiques de juin, on se procure un gîte en fracturant une porte, de la nourriture en cambriolant une épicerie, de l'essence comme on peut, et le plus souvent au détriment du voisin.

L'adjoint au maire de La Bussière décrit les réfugiés « *tuant les poules, les lapins, les bestiaux, emportant les boissons et maints objets ou literies. Ce pillage était impossible à empêcher sans danger et l'adjoint qui a tenté d'intervenir n'a échappé que de justesse à un coup de couteau lâchement préparé dans son dos* ».

Il n'y a rien à faire. Gendarmes et gardes champêtres sont impuissants. Et, d'ailleurs, trop pressés de partir. Quel espoir peut nourrir le maire de Coudroy lorsque, pour arrêter le pillage, il relève le numéro de toutes les autos privées stationnées dans sa commune et invite les réfugiés installés dans les fermes à partir ? Tout est vain de ce qui, d'habitude, était efficace.

Les villages paisibles ont démesurément grossi et sont devenus des villes anonymes et changeantes.

Pour quelques jours, Beaune-la-Rolande passe de 1 700 à 40 000 habitants. Il faut nourrir cette masse humaine. Les bonnes volontés indigènes n'y suffisent pas.

A Briare, où il ne reste plus que 100 personnes, mais où il passe 12 000 réfugiés par vingt-quatre heures, le premier adjoint a fait rassembler tous les animaux errants pour les vendre aux bouchers qui nourrissent la foule.

A Neuville-aux-Bois, où la directrice de l'Ecole libre a créé un centre d'accueil, trois infirmières arrivent dans la soirée du 15 juin. Leur auto sanitaire ne pouvant aller plus loin, Mmes la générale Ecot, Berr et Velle se mettent à la disposition du Centre d'accueil. Et, chaque matin, la générale Ecot va quêter, parmi les réfugiés de la nuit, afin de nourrir les réfugiés de la journée...

★

Dominant cette masse, la survolant, la mitraillant quotidiennement, comme pour la pousser plus vite aux épaules et l'enferrer dans sa panique : les aviateurs allemands.

Ils l'ont vue, sans doute, comme la voit l'aviateur Saint-Exupéry : « *Je survole donc des routes noires de l'interminable sirop qui n'en finit plus de couler. On évacue, dit-on, les populations. Ce n'est déjà plus vrai. Elles s'évacuent d'elles-mêmes... Où vont-ils ? Ils ne savent pas ! Ils marchent vers des escales fantômes, car à peine cette caravane aborde-t-elle une oasis, que déjà il n'est plus d'oasis* [1]. »

Dans cette masse molle et folle, il en est qui trouvent un repos définitif dans la mort. Des anonymes dont on ne saura jamais le nom, et que l'on enterre à la hâte, notamment dans le cimetière de Gien, après que la balle de mitrailleuse ou l'obus les a frappés.

« *Tombe* 76. *Un homme inconnu. Vêtu d'une combinaison bleue, paletot à rayure grise, pardessus réséda, béret basque, jambe droite raide, cheveux châtains, chaussé d'espadrilles à carreaux. Inhumé en bordure route nationale* 140, *près La Gacherie. Objets trouvés : une alliance très usagée,*

1. *Pilote de guerre.*

deux insignes du Sacré-Cœur, une lampe électrique, un briquet, une carte Michelin...

« *Tombe* 19. *Une femme inconnue,* 40 *ans environ, taille* 1 *m* 65, *assez forte corpulence, dont le corps flottait en Loire au lieu-dit* Les Cassons. *Etait vêtue d'une combinaison rose, une ceinture noire avec boucle noire, un ciré noir, une jarretière bleue, un gilet bleu avec manches, souliers de daim noir avec talons en caoutchouc...* »

Que de drames derrière ces notes de fossoyeur.

Qui dira jamais d'où venait l'inconnu de la tombe 84 : « *Homme taille moyenne, les pieds, les bras, le corps ligotés, vêtu d'un pantalon de velours, veston noir, une montre.* »

L'homme ligoté est-il un espion ? Un vrai ou faux parachutiste ? Un prisonnier politique abandonné sur le revers d'un fossé ?

Nul ne s'en inquiète tant est grande la frénésie « d'espionnite ». Vraies ou fausses, d'atroces histoires de cinquième colonne circulent parmi soldats et réfugiés.

— Dans les Ardennes, les parachutistes allemands ont pour signal de reconnaissance le cri de la chouette !

— Près de Landrecies, des civils ont tué deux officiers français qui contrôlaient les réfugiés.

— Ce n'est rien, à Abbeville, une section a été livrée à l'ennemi par un sous-officier de la Légion.

— A Rouen, il a fallu abattre un Allemand déguisé en officier belge ainsi que son chauffeur et une femme, qui voulaient absolument obtenir le passage.

Bonnes sœurs, curés, Belges, sont particulièrement suspects. Un parachutiste prussien déguisé en religieuse, tel est le cauchemar qui hante les nuits des anciens combattants rassemblés par commune en une incertaine et brouillonne « garde civique ».

Le sénateur Jacques Bardoux raconte, le 24 mai, qu'un avion allemand ayant atterri sur le bord d'une route, il en est descendu deux hommes et une femme qui ont épuisé leurs chargeurs sur la foule des réfugiés !

De tels récits ne peuvent qu'amplifier la panique, faire perdre le contrôle d'eux-mêmes aux soldats et aux gardes mobiles. On fusille et on assomme à tort et à travers. Un sous-officier du 4e régiment de cuirassiers donne-t-il un coup de phare, il est immédiatement soupçonné d'espionnage. Un officier de marine qui cherche à rejoindre nos lignes près de Dunkerque est jugé sommairement puis fusillé par les Anglais. De braves gens, énervés ou hébétés par la défaite et qui ne peuvent pas faire de bonnes réponses, sont tués, sans autre forme de procès, par d'autres braves gens que talonne la peur.

★

Qu'une ligne de résistance soit, par miracle, établie, il ne manquera à la France repliée dans le Sud ni les tableaux du Louvre, ni les archives de milliers de petites communes occupées, ni les prisonniers de Fresnes et de la Santé.

On les a évacués au soir du 10 juin, dans deux douzaines d'autobus aux stores baissés, aux plates-formes gardées par des gardes mobiles. On les a évacués aussi — voleurs, assassins et politiques pêle-mêle — dans des voitures cellulaires. Dans chaque placard de cinquante centimètres de côté, dans chaque placard les prisonniers enfermés deux à deux vont d'abord rester dix-huit heures sans bouger.

Le communiste Léon Moussinac, avant de quitter sa cellule de la Santé, a emporté dans un modeste balluchon peigne, savon, brosse, morceaux de sucre et de chocolat. A ces nourritures terrestres, il ajoute *Le Discours de la Méthode* de Descartes et *La Mer* de Michelet. Précautions indispensables : les captifs n'ont presque rien à manger, une cuillerée de riz le matin et une pomme de terre le soir. Pendant les alertes aériennes, on les maintient naturellement prisonniers de leurs autobus obscurs et ils restent plusieurs jours dans un camp sur la rive droite de la Loire, écoutant la bataille qui se rapproche, se querellant avec des gardes de plus en plus nerveux, ne sachant pas très bien si le salut est dans l'évasion ou dans la poursuite de ce voyage infernal.

Pour eux, comme pour tous les autres, l'espoir est de l'autre côté des ponts d'Orléans.

Pendant dix jours, les ponts d'Orléans vont voir passer des millions d'hommes.

Brusquement, le 15 juin, ils sont menacés par l'armée allemande qui veut les saisir, par l'armée française qui va les faire sauter.

★

Le 12 juin, à 8 heures, le lieutenant Albert Marchand et ses hommes se sont présentés au colonel Ginard qui les a chargés de l'étude des destructions des trois ponts d'Orléans : le pont de Vierzon où passe la voie ferrée, le pont George-V et le pont Joffre.

Dans la journée du 12 et celle du 13, les officiers et soldats du génie ont mis au point la rédaction des projets de destruction. Ils prévoient six kilos de pétards de dynamite pour le pont George-V, à la clef de voûte des deuxième et troisième travées.

Autant pour le pont Joffre.

A 6 heures du matin, le 14 juin, les travaux sont entamés par deux équipes de seize hommes dont le travail est sans cesse ralenti par les convois de réfugiés et les colonnes militaires. Par les bombardements aussi. Imprécis, ils n'en obligent pas moins les soldats à s'abriter.

Dans la soirée, le lieutenant Marchand reçoit les explosifs nécessaires à la destruction du pont George-V. Comme les pétards destinés au pont Joffre n'arrivent pas, Marchand partage son lot d'explosifs et attend les événements. A moins d'apparition de l'ennemi, la mise à feu ne pourra être faite que sur ordre écrit de la place d'Orléans. Mais aucun ordre ne sera jamais transmis et Marchand ne dispose même pas d'un cycliste pour assurer ses liaisons. Il est là, guettant l'ennemi, interrogeant les hommes qui passent.

« D'où venez-vous ?

— D'Etampes.

— Ils étaient près ?

— Juste derrière nous, mon lieutenant.

— D'où venez-vous ?

— De Pithiviers.

— D'où venez-vous ?... »

Dans l'après-midi du samedi 15 juin, une foule énorme de réfugiés, de soldats et aussi d'Orléanais se précipite dans la rue Bannier.

« Les ponts vont sauter.

— Dépêchons-nous, les ponts vont sauter. »

La marée humaine frôle Marchand. Poussée par la peur, par l'incendie qui commence à dévorer les premiers morceaux d'Orléans, par le bruit des avions, la foule se rue en direction du pont

George-V. A l'entrée nord d'Orléans apparaissent les dernières arrière-gardes françaises. Eléments disparates qui n'en peuvent plus de fatigue, qui « décrochent » depuis des jours et des jours et qu'épuisent la tension nerveuse et les mitraillages quotidiens. Peu de troupes homogènes, beaucoup d'isolés que plus rien ne lie à cette armée en décomposition.

Sur le pont d'Orléans, passe le lieutenant Crozette du 126e R.I. qui, grièvement blessé au ventre dans la forêt de Compiègne, refuse d'attendre les ambulances allemandes (celle de son unité a été incendiée), marche longtemps soutenu par un camarade, est opéré à Paris, puis trois jours plus tard, n'ayant pour tout vêtement qu'une chemise et une culotte, fuit l'hôpital pour ne pas être capturé !

Il est heureux, Crozette. Dans Orléans en flammes, il a pu récupérer une paire de chaussettes.

Sur les ponts d'Orléans passent les Parisiens qui ont pu encore acheter quelques litres d'essence dans une épicerie de campagne.

« Trouvez-moi de l'essence à n'importe combien.

— Ah ! oui... mon bon monsieur... On pourrait p't-être bien vouer chez mon garçon qu'a p't-être encore quelques litres.

— Je paie n'importe quel prix.

— Vingt francs le litre.

— Oui, oui, vite, vite. »

Sur les ponts d'Orléans passent des cars chargés d'enfants joyeux ou de malades.

Des cars chargés d'archives. Et les Allemands n'auront qu'à se baisser pour ramasser, dans un fossé, des souvenirs napoléoniens précipitamment enlevés des Invalides.

Passent des bonnes sœurs pour la première fois sorties de leur couvent.

Des ouvriers de la banlieue parisienne qui poussent des voitures à bras recouvertes de rideaux et de sacs, des ouvriers qui sont partis avec un litre de coco, un broc, une gamelle. Les infirmes, les vieillards, les éclopés sont transportés dans des charrettes, des voitures d'enfants, parfois des brouettes.

Lorsque le maire d'Auvilliers (Loiret), qui a entassé dans son auto ses quatre enfants, sa femme, sa belle-mère paralysée, tous les registres d'état civil de 1838 à 1940, les matrices cadastrales, le registre des délibérations et deux cachets de la mairie, tombe en panne d'essence quelques kilomètres avant Gien, c'est avec une brouette qu'il poursuit sa route ! Une route faite de plus de piétinements que de pas. Ailleurs, mais toujours face à la Loire, un convoi militaire met vingt-cinq heures pour aller de Sully à Gien : 25 kilomètres !

Sur le pont d'Orléans passent des infirmières de l'hôpital d'Orsay qui, pour ne pas abandonner les intransportables aux mains des Allemands, viennent de tuer six grands malades.

Parmi toutes les histoires affreuses de ce mois de juin, c'est l'une des plus affreuses.

Comment en sont-elles arrivées là, ces filles jusqu'alors bien notées et dévouées ? Dans les taxis G. 7 qui les emportent, Madeleine A..., Yvonne T..., Jeanne R..., Viviane B..., revivent-elles les heures tragiques qui les ont conduites au meurtre ?

★

Depuis plusieurs jours, l'hôpital d'Orsay est privé de médecin.

Sept infirmières épuisées, mangeant à peine, ne dormant que deux ou trois heures par nuit, soignent quatre-vingts malades et vieillards. C'est leur travail de tous les jours.

Mais elles s'occupent également de tous ces blessés que la guerre déverse sur les routes. Les médecins majors se succèdent. Ils entrent, ils pansent leurs hommes, repartent avec un mot de remerciement. Pour les soldats affamés qui passent, il y a toujours un casse-croûte et du vin.

Le 13 juin, on commence à parler de l'évacuation de l'hôpital. Il n'y a pas d'ordres, bien sûr, mais la terrible aspiration de l'exode.

Dans la nuit du 13 au 14, Yvonne T..., qui est surveillante, interroge un major de passage, un major inconnu, que l'on ne retrouvera jamais, que les uns décriront comme « petit et brun », les autres comme ayant « 1 m 72 et une forte corpulence ».

« Si nous évacuons l'hôpital, que ferons-nous des intransportables ?

— Ils sont nombreux ?

— Sept. »

Hommes et femmes, ce sont soit de grands vieillards (84, 93 et 94 ans), soit des cardiaques à toute extrémité depuis quelques semaines.

« Eh bien, faites sédol et morphine à haute dose ! »

Il est 2 heures du matin.

A l'aube, lorsqu'elle voit que les préparatifs d'évacuation se précisent et que les médecins militaires réquisitionnent une quarantaine de taxis en panne d'essence, près du Christ de Saclay, Yvonne T... pose de nouveau la question.

« Pour les incurables ?...

— Je vous l'ai déjà dit, répond le major agacé, sédol, morphine ou strychnine... dix, vingt, trente centimètres cubes, jusqu'à ce que vous obteniez la dose toxique. »

Yvonne, qui possède la clef de l'armoire aux toxiques, sort une boîte de morphine, donne l'ordre d'effectuer les piqûres. Entre 8 heures et 9 heures, on fait trois piqûres à Joséphine D... qui a 94 ans. Elle meurt à 11 heures sous les yeux de sa voisine de chambre.

Comme les doses s'avèrent trop faibles, presque tous les malades doivent recevoir une ou deux piqûres supplémentaires et une infirmière affolée éclate en sanglots.

« Une croyante comme moi, j'ai tué un être humain ! »

Mais ce trouble passe inaperçu dans le trouble général.

A midi trois officiers mangent dans le bureau de la directrice de l'hôpital, à qui ils veulent absolument offrir un verre de champagne, lorsqu'un arrivant pousse brutalement la porte.

« Nom de Dieu, ils sont à Palaiseau ! »

Alors c'est la fuite générale. En quelques minutes, on charge quarante soldats blessés dans les taxis rouges. Dans quelques voitures libres, on enfourne des malades de l'hôpital et plusieurs infirmières.

En route vers les ponts d'Orléans.

Les quatre infirmières sont sauvées. Elles franchissent les ponts d'Orléans.

Mais la paix du cœur et le repos ne sont pas de l'autre côté du fleuve [1].

★

Dans Orléans qui flambe (les bombardements ont

1. Jugées en mai 1942, les quatre infirmières d'Orsay ont été condamnées avec sursis à des peines variant entre cinq ans et un an de prison. La panique de juin 1940 — encore présente dans toutes les mémoires — fut à l'origine de ce verdict de clémence.

duré presque tout l'après-midi du 15 juin), sept soldats pénètrent à leur tour.

Ils ont perdu leur bataillon dans les ruines d'Etampes et se dirigent vers l'hôpital Sonis à la fois pour manger et pour remplir leur mission d'infirmiers. L'hôpital a été évacué et le concierge s'apprête à partir à son tour avec sa famille. Mais le caporal-chef Marcel Thomas, le caporal Dufour, l'abbé Paul Eberhard et leurs camarades le persuadent de rester. Les hommes dévorent quelques croûtes de pain.

Vers ces soldats, dont la seule présence suffit à reconstituer un embryon de centre sanitaire, des blessés se hâtent. C'est d'abord un Algérien atteint par un éclat de bombe dans le dos, puis des militaires, des civils, un gosse de 16 ans au bras déchiqueté et qui, toute la nuit, appellera sa mère.

Il ne suffit pas de s'occuper des hommes. Au fond de la cour de l'hôpital, plus de 800 chevaux sont attachés dans les écuries du 8e chasseurs à cheval. Abandonnées, les bêtes meurent de faim et de soif. Quelques infirmiers vont leur donner à boire.

Le 16 juin au matin, l'abbé Eberhard et ses camarades reçoivent la visite de sœur Pauline du Bon-Secours.

« Nous n'avons pas évacué l'hôtel-Dieu et deux médecins opèrent chez nous. Amenez vos blessés. »

Alors, sous la mitraille, à travers les rues en flammes, on opère le délicat transbordement.

*

Maintenant, les ponts vont sauter. Le chanoine Chapuis et M. Rosier, les premiers, ont vu arriver trois voitures de soldats allemands près du square

Charles-Péguy où de nombreux blessés attendent du secours.

Il est 14 h 32.

Une des autos blindées allemandes fonce vers le pont George-V.

Le lieutenant Marchand la voit arriver et donne l'ordre de mise à feu.

Les Allemands réussissent à passer avant l'effondrement du pont, tirent sur la douzaine d'hommes de garde, puis s'éloignent en direction de Sully.

Il est 15 h 30.

Une demi-heure plus tard, devant la pression allemande, le lieutenant Marchand, qui a tenu assez longtemps pour assurer le passage sur l'autre rive d'une batterie antichars, donne un second ordre de mise à feu. Dans un vacarme effroyable, le pont Joffre s'effondre dans la Loire.

Surpris par l'explosion, des réfugiés ont été jetés à l'eau [1]. D'autres, morts ou vivants, sont retombés sur les piliers déchiquetés du pont. Le 18 juin, l'abbé Eberhard et le caporal Dufour réussiront à sauver Mme Roblet et Mlle Mirof qui se trouvaient à côté de deux cadavres dans une auto à moitié ensevelie par les ruines du pont. Le 19 juin, ils arrachent à la mort le capitaine Robert Janet qu'une grave blessure immobilise sur une des piles du pont Joffre.

Les ponts d'Orléans ont sauté [2]. Des centaines de milliers de Français perdent tout espoir de gagner le Sud. Il leur faut rebrousser chemin...

*

1. « On ignore combien de réfugiés se trouvaient sur le pont Royal : 100, 500, 600 », écrit la *Nouvelle République,* le 16 juin 1950.

2. Le pont de chemin de fer, dit pont de Vierzon, ne sauta pas. Les Allemands l'utilisèrent immédiatement.

Ceux qui ont passé continuent vers le Sud.

Objectif des plus ambitieux et des plus menacés : Hendaye, où les autorités espagnoles ne laissent passer que cent vingt voitures par jour, où il faut abandonner dans le coffre de la douane, lingots d'or, dollars, bijoux, richesses dont les Allemands s'empareront dès leur arrivée.

Objectif de millions d'autres : ces villes qui se gonflent régulièrement.

Agen qui passe de 27 000 à 45 000 habitants ; Cahors de 13 000 à 60 000 ; Périgueux de 37 000 à 80 000 ; Brive de 30 000 à 100 000 ; Lourdes où le centre d'accueil de la rue Baron-Duprat voit passer en quelques jours 40 000 réfugiés ; Angoulême, où, dans les services de chirurgie de l'Hostel-Dieu de Notre-Dame-des-Anges, il faut dédoubler les lits pour accueillir les enfants blessés sur les routes ; Toulouse où l'on se dispute les salles de bain et les cabinets de débarras, où la gare est pleine de voyageurs qui ne savent plus quel train prendre et passent la nuit, adossés aux murs sales, assis sur leur valise, la tête entre les bras, somnolents, éveillés, somnolents.

Bordeaux enfin, Bordeaux au pont unique, nuit et jour engorgé d'hommes et de véhicules.

★

Dans notre histoire républicaine, Bordeaux demeure la capitale des jours tragiques.

A la ville, à son théâtre, à ses bâtiments officiels demeurent liés les souvenirs de 1870 et de 1914. Le décor a l'opulente discrétion de ces bureaux de notaire provinciaux où s'achèvent de grands destins.

Depuis les premiers jours de juin, la ville est encombrée de réfugiés. Sur la table du préfet

Bodenan, télégrammes et notes manuscrites, émanant de la préposée au téléphone, s'accumulent.

« *Communication de la surveillante du téléphone. Le ministère des Affaires étrangères est actuellement à Langeais* (*Indre-et-Loire*)... *Le ministère de l'Armement à la Bourboule.* »

« 140 *enfants, réfugiés de Seine-et-Oise accompagnés de* 8 *personnes, passeront gare Bordeaux train* 409 *mercredi matin* 5 *h* 27 *pour centre Condom* (*Gers*). *Prière assurer ravitaillement.* »

« *Vous informe que d'accord avec vice-présidence du Conseil, je dirige sur votre département à concurrence de* 2 000 *places enfants accompagnés par parents et femmes enceintes en provenance communes de Colombes, Puteaux et Vincennes.* »

« *Un train* 251 *aliénés Bas-Rhin et* 75 *personnel passeront gare Bordeaux le* 7 *juin à* 5 *h* 19. *Halte repas. Départ* 6 *heures.* »

C'est une avalanche de malheureux.

A partir du 10 juin, une mission de l'Armement présidée par le général Goby tente de faire partir tous ces gens pour installer à leur place des ouvriers travaillant aux industries de guerre. Peine perdue. D'ailleurs, où aller maintenant ? Ceux qui ont obtenu une place, un coin de table, un coin de lit se battent pour les conserver.

Les départements encore libres se renvoient les réfugiés en surnombre. Le préfet de la Haute-Garonne proteste le 17 juin auprès du préfet de la Gironde qui vient de diriger trois trains sur Toulouse. Le préfet des Deux-Sèvres expédie un S.O.S. et demande que l'on stoppe les convois de réfugiés. Il n'a pas de quoi les nourrir. Il ne sait comment les loger.

A l'intérieur même du département, les villes et les villages se ferment. Les municipalités n'ont plus de pain, plus d'argent, plus de lits. Le maire de Pauillac, qui a déjà 300 réfugiés dans sa commune, en reçoit 500 en quelques heures et doit réclamer d'urgence, à Bordeaux, 50 lits d'enfants.

Dès le 12 juin, Mme de Fels, femme du maire d'Arcachon, téléphone pour signaler qu'elle ne peut plus loger personne.

Le 17 juin, en gare de Libourne, 3 000 réfugiés ; 2 500 en gare de Saint-Mariens ; 1 500 en gare de Coutras surgissent de trains militaires et réclament bruyamment un peu de nourriture, un peu de nouvelles.

A Bordeaux, les différentes couches de réfugiés se superposent. Les premiers arrivés sont les moins mal logés. Les premiers arrivés, c'est-à-dire les Belges : dockers d'Anvers que le préfet a, un moment, l'intention de faire photographier et mensurer, policiers bruxellois, familles débarquées le 22 mai de l'*Albertville* et du *Baudouinville*. Les Belges et aussi les gens du Nord, les Alsaciens et Lorrains qui ont rejoint une partie de leur famille campée depuis l'hiver dans le Sud-Ouest.

Les autres s'installent comme ils peuvent. Liés aux camions et aux trains qui les transportent, ils en suivent le sort. Bien malgré lui, le dépôt du 18e train accueille ainsi quatorze vieillards et deux religieuses de l'hospice de Villebruel dans l'Yonne.

La gare Saint-Jean est un vaste caravansérail où 30 gardes mobiles — il en faudrait 120 — sont incapables de remettre de l'ordre parmi les femmes, les enfants et les soldats errants.

Aboutissent là tous les convois qui, pendant des jours, se succèdent sur toutes les voies ferrées, s'arrêtant en rase campagne, bloquant aux passages à niveau la marée des véhicules, se touchant tous sans jamais pouvoir se dépasser, longue chenille noire que coupent et fractionnent les bombes.

Trains chargés de bagages (qui resteront en gare jusqu'en juillet 1940 sans que l'on sache qu'en faire).

Trains sanitaires chargés de blessés civils et militaires, d'hommes qui ont longtemps souffert sous la chaleur des tôles, qui ont entendu, sans pouvoir fuir, les avions passer en rase-mottes, de femmes aux pieds malades, aux pieds énormes, gonflés, sanglants, comme usés à force de marcher.

Trains de troupes où se sont glissés des enfants perdus. Trains de réfugiés où se sont perdus des soldats en fuite.

★

C'est dans cette ville surpeuplée (700-800 000 habitants ?) que Paul Reynaud précédant, sur des routes momentanément dégagées [1], un gouvernement assommé par la défaite, arrive le 14 juin, vers 18 h 30. Dans la cité, où plus un lit n'est à louer, où chacun héberge des parents, des amis, des amis d'amis, des inconnus, il faut trouver place pour le flot de tous ceux qui papillonnent encore autour du pouvoir, font des gestes, prononcent des discours, exposent des plans dont l'importance décroît à chaque instant dans une France peau de chagrin.

Repliés sur les trois grandes imprimeries de la ville, les journaux de Paris sont également présents. Deux chaises à la rédaction de la *Petite Gironde* constituent toute la fortune du *Temps*, du

1. D'après Louis Marin, Georges Mandel, ministre de l'Intérieur, aurait donné, depuis Tours, l'ordre de faire dégager une route en direction de Bordeaux pour permettre le repli rapide du gouvernement. Entendu par la Commission d'enquête sur les événements survenus en France de 1933 à 1945, M. Albert Lebrun précisa que, s'il rallia en effet Bordeaux sans être gêné par les réfugiés, ce fut en suivant des chemins départementaux.

Figaro, du *Journal* et, dans les couloirs encombrés d'une foule inquiète, intelligente et sans emploi, André Pironneau, rédacteur en chef de l'*Epoque*, raconte qu'en 1937, le colonel Guderian lui a parlé du colonel de Gaulle... François Mauriac lit quelques dépêches dispersées sur une table et murmure :

« Ah ! pauvre pays !... »

★

Le maire Adrien Marquet a réclamé à l'archiviste municipal Xavier Védère le dossier de l'exode de 1914. C'est sur ces références que l'on distribuera les logements.

Le président du Conseil, Paul Reynaud, est logé dans l'hôtel du commandant de la XVIIIe région militaire, rue Vital-Carles, voisin de l'hôtel de la Préfecture, où se trouve le président de la République Albert Lebrun. Le maréchal Pétain a été envoyé à l'autre bout de la ville, 304, boulevard Wilson.

« *Les propriétaires sont absents. La concierge qui ouvre la porte déclare que les armoires sont fermées et qu'elle n'a rien pour préparer les lits. Quand elle sait quel est l'hôte imprévu qui se présente, elle offre les plus beaux draps de son trousseau pour le Maréchal et le général Brécard qui l'accompagne* [1]. »

M. Mandel, ministre de l'Intérieur, s'est installé à la table de travail du préfet Bodenan. Le Sénat occupe la salle de cinéma *Capitole*, rue Judaïque. A la Chambre ou à ce qu'il en reste, 105 députés, on a affecté l'école primaire du cours Anatole-

1. Louis-Georges Planes et Robert Dufourg : *Bordeaux capitale tragique*.

France, mais de nombreux parlementaires passent leur journée à la mairie, dans l'ombre de Pierre Laval et du maire Adrien Marquet.

Le ministère des Affaires étrangères campe au Lycée Longchamp avant de gagner la Faculté de droit. Le ministère de la Guerre occupe l'annexe d'un lycée de jeunes filles, celui du Ravitaillement les Abattoirs, ceux de l'Air et des Colonies sont installés à la Chambre de Commerce.

Tout est à l'avenant.

Dans un décor de préfecture, sous les yeux de réfugiés qui sont maintenant plus d'un demi-million et dont certains s'efforcent de donner à Bordeaux « l'air de Paris », les derniers ministres de la IIIe République enregistrent, sans y croire encore, le plus grand désastre de la France.

Les palais harmonieux, bâtis au XVIIIe siècle par des commerçants heureux, abritent des hommes angoissés et surexcités à qui le pouvoir échappe.

Quel pouvoir d'ailleurs ?

Ils ne peuvent ni canaliser ces millions de réfugiés, cette moitié, puis ces trois quarts de la France, qui cherchent refuge dans le dernier quart, ni faire refluer l'armée allemande infiltrée partout et dont les communiqués français, de jour en jour plus discrets, n'osent même plus révéler toute l'avance.

Les rédacteurs du communiqué savent-ils d'ailleurs où se trouvent les Allemands ? A peine rédigé, leur texte est périmé. Imprimé, il se révèle tragiquement faux. Lorsque le général Weygand, pour répondre à l'appel du maréchal Pétain, qui n'est encore que vice-président du Conseil, quitte, le 14 juin, le Grand Quartier Général de Briare, il s'embarque avec trois officiers d'ordonnance dans un train spécial qui mettra plus de douze heures pour atteindre la gare de Bordeaux-Bastide. En douze heures, les blindés allemands ont progressé presque partout de 50 ou 100 kilomètres. Le général Lafont, commandant la région, qui accueille le général Weygand à sa descente de train, ne peut que lui annoncer de nouvelles catastrophes.

C'est dans cette ville surpeuplée, terrorisée par la crainte des bombardements, enfiévrée par mille bobards [1], que se joue le dernier acte d'un drame dont les acteurs sont des hommes presque tous arrivés au dernier stade de l'épuisement nerveux.

★

C'est à Bordeaux, les 15 et 16 juin, que toutes ses cartes sont arrachées à Paul Reynaud.

Roosevelt répond à son télégramme angoissé, envoyé dans la nuit du 13 au 14, par des promesses charitables mais imprécises qui équivalent à une fin de non-recevoir. L'Amérique n'interviendra pas. Il nous faudrait son secours à l'instant. Elle ne peut parler que d'avenir.

Soutenu par le maréchal Pétain, Weygand affirme qu'il faut demander l'armistice sans plus tarder et gagne sans cesse, à l'intérieur du Conseil, des partisans à sa thèse. Le généralissime ne veut pas d'une capitulation qui, selon lui, couvrirait nos drapeaux de déshonneur et ne permettrait au gouvernement de quitter la métropole qu'en cédant la métropole tout entière à l'ennemi.

A Paul Reynaud qui allègue l'exemple de la reine de Hollande, Weygand réplique :

« Quelle analogie y a-t-il entre un monarque et

1. Et naturellement l'on reparla de la 5ᵉ colonne. C'est ainsi que plusieurs témoins affirmèrent avoir vu, le 20 juin, lors du bombardement de Bordeaux, des signaux lumineux émanant du bateau belge *Baudouinville* qui était ancré au quai de Martin-Videau, à Bordeaux-Bastide. Des pigeons voyageurs (?) seraient également partis du *Baudouinville* quelques jours plus tôt.

le chef d'un de ces gouvernements éphémères, tels que la IIIe République en a déjà compté plus de cent en soixante-dix années d'existence ? Une fois parti de France, Paul Reynaud serait remplacé et oublié [1].

Et d'ailleurs, comment partir et avec quelles troupes ? Darlan qui, le 14 juin, était opposé à l'armistice, hausse maintenant les épaules lorsqu'on lui parle de transporter 900 000 hommes en Afrique du Nord.

« Il faut 200 navires ! Où sont-ils ? Et où sont vos 900 000 hommes ? Où sont les vivres et les approvisionnements ? »

On pourrait lever toute la classe 40, mais il n'y a ni armes ni vêtements pour ces adolescents. Ou plus exactement on ne sait où se trouvent approvisionnements et munitions. Les découvre-t-on, il n'y a pas d'essence pour les transporter. Pour réarmer les débris de l'armée Corap, battue à Sedan, c'est à peine si l'on a pu rassembler 5 000 vieux fusils. Dans ces conditions, à quoi bon ?...

Au sein du Conseil des ministres que ne contrôle plus le larmoyant Albert Lebrun, la division est totale. Le dernier carré des partisans de la résistance à outrance, Reynaud, Mandel, Dautry, Rio, cède davantage sous les coups de la terrible réalité et de tous ces bruits qui circulent dans la ville, et de tous les désastres annoncés par les dépêches, les liaisons, les fuyards, que sous les attaques des partisans de l'armistice.

Au fur et à mesure que les heures passent, l'armistice s'impose comme la seule solution capable de mettre fin au supplice de tout un peuple.

1. Paul Reynaud a nié que cette phrase ait été prononcée. Du moins le sens y était.

Plus tard, lors du procès du maréchal Pétain, Paul Reynaud déclarera :

« *Si on avait fait voter les Français à ce moment-là, les Français croyaient au maréchal Pétain.* »
Ils croyaient surtout à l'urgence d'un armistice.

Ils souhaitaient un armistice et non la poursuite de la guerre en Afrique.

Paul Reynaud a raison d'affirmer qu'Alger est une ville aussi française que Tours ou Casteljaloux. Raison d'affirmer que la capitulation militaire abrégerait les souffrances des Français en mettant fin immédiatement aux combats. Peut-être a-t-il raison aussi de croire que les Allemands ne franchiront ni la Méditerranée ni le détroit de Gibraltar [1].

Mais presque personne, parmi les chefs militaires français, n'imagine la possibilité d'une efficace résistance anglaise.

« L'Angleterre ? Dans trois semaines, elle aura le cou tordu comme un poulet. »

Que le général Weygand l'ait ou non prononcée, cette phrase cinglante exprime l'opinion de la majorité des soldats de métier et de bon nombre de civils.

L'armée française vaincue, l'armée allemande leur semblait invincible.

Cette réaction d'orgueil professionnel et de nationalisme sera à l'origine de bien des erreurs et de bien des drames.

Le 16 juin, le Conseil des ministres, après avoir

1. Il faut souligner que, depuis l'Afrique du Nord où il commandait en chef, le général Noguès enverra *sept* télégrammes au général Weygand pour lui demander de poursuivre le combat en Afrique. Interrogé le 22 juin sur les possibilités de résistance, il répondit :

« L'Afrique du Nord avec ses ressources actuelles, les renforcements d'aviation en cours qui ont une importance capitale et avec l'apport de la flotte, est en mesure de résister longtemps aux entreprises de l'ennemi. »

rejeté une proposition d'union franco-britannique, en revient à l'étude de l'armistice.

M. Chautemps, vice-président du Conseil, propose à nouveau que l'on adopte la solution transactionnelle dont il a déjà exposé la veille les détails : demander les conditions de l'armistice qui *seront* inacceptables et permettront, une fois repoussées, de reprendre la lutte avec vigueur.

C'est ruser avec la réalité. Les conditions d'armistice une fois demandées, le faible ressort qui maintient encore en marche une partie de l'armée française sera définitivement brisé.

Certes, il y a des unités qui se battent toujours farouchement en ces jours tragiques où la France chancelle. Mais elles n'ont plus ni la prétention ni l'espoir d'endiguer l'avance allemande. Elles sauvent l'honneur.

Que le sous-lieutenant Michel Madon descende trois avions ennemis, dans la seule journée du 14 juin, le ciel n'en restera pas moins, pour le fantassin, désespérément vide de cocardes françaises. Que le sergent-chef aviateur Le Moal attaque à la mitrailleuse, le 16 juin, les colonnes ennemies, cela fait à l'armée allemande une égratignure à peine visible.

Quels renseignements peuvent bien rapporter de leur mission en plein ciel adverse les lieutenants Gouzian, Da, le sergent-chef Costes, l'adjudant Boutière et tous ces hommes qui volent entourés d'ennemis (le sous-lieutenant Charles Toni qui effectue un vol d'observation sans protection de chasse sera attaqué, le 16 juin, par 27 Messerschmitt 109) ?

Ils meurent partout — 757 avions français abattus ou détruits du 10 mai au 10 juin — mais on ne les a vus nulle part tant est immense la supériorité allemande, rapide le moment du combat.

Ils rentrent — lorsqu'ils rentrent — sur des avions criblés d'éclats, si déchirés qu'ils semblent ne plus se maintenir en l'air que par la volonté humaine.

Saint-Exupéry a tout dit de ces inutiles missions de renseignements : « *Heureusement — nous le savons bien — on ne tiendra aucun compte de nos renseignements. Nous ne pourrons pas les transmettre. Les routes seront embouteillées. Les téléphones seront en panne. L'état-major aura déménagé d'urgence. Les renseignements importants sur la position de l'ennemi, c'est l'ennemi lui-même qui les fournira.* »

Et, sur terre, ces soldats qui ne se sont pas déchaussés depuis dix-sept jours, ces bataillons qui, de décrochage en décrochage, finissent, écrira le lieutenant Armand Lanoux, par se sentir *comme suspendus dans le vide,* ces régiments décimés dont les colonnes se confondent avec les colonnes de réfugiés jusqu'à en prendre le débraillé et la terreur, peuvent-ils autre chose que se sacrifier pour ralentir de quelques heures l'avance de la marée ?

Voici, par exemple, le 57e R.I. qui se bat hargneusement devant Voncq, le 9 juin, contre-attaque, capture 572 prisonniers aux trois régiments qui sont en face de lui. Qu'importe cette victoire locale lorsque tout le front cède et lorsque les renforts ne peuvent rejoindre le premier bataillon réduit à 25 hommes et 2 officiers ?

Le 11 au soir, le régiment doit retraiter. En trente-six heures, il couvre 56 kilomètres. Il tourne autour de Bar-le-Duc déjà occupé par l'ennemi, descend vers Vittel, est expédié faire le coup de feu à Neufchâteau, engage autour de Châtenois une véritable partie de cache-cache avec les Allemands, rassemble les hommes valides, mais combien épuisés pour un dernier combat le 20 juin sur la rive gauche de la Moselle. Combat au terme duquel toute résistance organisée est brisée. Mais le colonel a donné l'ordre de dispersion et fixé à ses hommes épuisés la mission de rejoindre... les armées de la Loire.

Ils se mettent donc en marche par petits groupes, plus ou moins heureux.

Autour du colonel, 120 soldats, tapis pendant trois jours dans les bois, observant malgré eux les colonnes allemandes qui circulent sans arrêt sur la route Nancy-Mirecourt, mangeant un cheval cru. Lorsqu'ils franchissent enfin la route, les voilà repérés. De 120, ils ne sont plus que 90, 60, 40, 13 enfin qui ont la chance d'atteindre un village fraîchement évacué par les Allemands et où on leur donne des vêtements civils...

★

Réduits à une poignée de combattants ; ont combattu jusqu'au bout, ce sont des mots que l'on retrouve dans les citations publiées en novembre et décembre 1940.

Comme Weygand était l'ombre de Foch, Mandel l'ombre de Clemenceau, des milliers de fantassins, de marins et d'aviateurs font en sorte d'être l'ombre des soldats de la Grande Guerre. Il en est qui se feront tuer la veille de l'armistice, qui se battront après l'armistice, qui voudront au prix de leur sacrifice et de leur sang réparer cette effroyable liquéfaction de l'armée française.

Car, passé les jours de mai, l'armée allemande cueille les Français par dizaines de milliers.

Brasillach a complaisamment raconté l'histoire de ces soldats et de ces officiers qui, désarmés, mais laissés libres de leurs mouvements par une armée accablée de captifs, remontaient vers le nord en interrogeant les soldats allemands « *par le seul mot allemand que nous connaissions : « Lager », et ils nous indiquaient la route à suivre* [1]. »

Certes, il en est qui s'évadent au soir de leur capture. Le capitaine Henri Frenay fera 700 kilomètres à pied. Pierre Brisson, directeur du *Figaro*, rejoindra à bicyclette la zone libre, après avoir couché dans plus de granges que de châteaux. Le capitaine Chaila reste avec quelques hommes caché dans une région occupée et rejoint Paris où il dépose en lieu sûr la caisse d'une unité de l'armée de l'air avant de reprendre la route pour la zone non occupée. Le lieutenant Jean Chariel, après avoir sauté de son avion en perdition, échappe à ses poursuivants et, durant sa marche vers nos lignes, n'oublie pas de noter des renseignements sur la progression allemande.

Claire Roman, la seule femme pilote qui ait fait partie de l'armée française, est capturée par une reconnaissance allemande sur le terrain de Rennes où elle vient d'atterrir, le 18 juin, pour sauver quelques avions abandonnés. Quelques heures plus tard, elle réussit à fuir la caserne où on l'a enfermée, gagne Saint-Nazaire à bicyclette, se fait délivrer un appareil américain dont elle ignorait le maniement et regagne le terrain des Landes-de-Bussac cependant que les autres pilotes, pris avec elle, réussissent à fuir en mettant hors de combat un motocycliste allemand et en franchissant la Loire à la nage.

1. *Journal d'un homme occupé.*

★

Mais, même multipliés par dix mille, ces exemples ne sont que des exceptions et il y a de terribles défaillances...

Depuis trois jours, des régiments d'artillerie en provenance de la ligne Maginot retraitent. Sans combattre. Les ordres interdisent de faire usage des armes et certaines unités ont enterré les munitions. Le 23e R.A.F. est de celles-là.

Mais, le 20 juin, alors qu'il est pressé par les Allemands, le colonel Charly, commandant le régiment, réunit six officiers dans un verger du petit village de Tantimont. Le colonel explique qu'il a l'intention de résister.

« Au moins pour sauver l'honneur, messieurs. »

Il n'y a plus de munitions. Les verrous des pièces ont été abandonnés à Vaudigny. Eh bien, on ira les rechercher. Les hommes sont fatigués. Ils en ont assez de cette guerre stupide, ils savent que l'armistice a été réclamé, ils jugent inutile de prendre des risques, on vient de retrouver quatre soldats cachés dans une cave.

« Conseil de guerre pour ces quatre gaillards. Je parlerai aux autres. »

Charly s'avance vers les troupes qui gardent la tête basse. Il exhorte, essaie d'enflammer, finalement menace et donne des ordres. Un sous-officier décide d'envoyer deux hommes de la 8e batterie à la recherche de munitions. Deux hommes, Arnould et Fernand B..., deux hommes qui renâclent. B... murmure : « Si j'y vais, je le descends. » Et voilà que quelqu'un pousse un mousqueton entre ses mains.

« Prends-le et descends le colonel, ça nous évitera le massacre. »

Fernand B... tire. Au grand soulagement de tous,

le colonel Charly s'effondre. Quelques minutes plus tard, les Allemands arrivent et capturent ces hommes qui n'ont pas voulu d'un baroud d'honneur [1].

★

Ce que l'armée française attend de l'armistice, c'est sa démobilisation. Les hommes qui se laissent capturer dans les casernes, où l'intendance n'a même pas eu le temps de les habiller, estiment que la captivité est le plus sûr moyen d'être rendus bientôt à la vie civile.

Ils ne savent pas.

Très peu de Français, d'ailleurs, ont compris que Paul Reynaud avait raison lorsqu'il lançait à Weygand :

« Vous prenez Hitler pour Guillaume Ier, vieux gentleman qui nous a pris l'Alsace-Lorraine, et tout était dit ; or, Hitler, c'est Gengis Khan. »

Mais Paul Reynaud, ce soir du 16 juin, n'a plus que quelques partisans autour de lui [2]. En face de lui, contre lui, ses deux vice-présidents du Conseil, Pétain et Chautemps, Pétain, surtout, qui, le matin même, a lu une lettre de démission et proclame

1. Au terme d'un procès confus, Fernand B... sera condamné, en avril 1949, à cinq ans de prison par le tribunal militaire de Metz.

2. Au Conseil des ministres, il n'y a pas décompte des voix. Mais lorsque Camille Chautemps avait, pour la première fois, proposé de demander à Hitler ses conditions d'armistice, Paul Reynaud, prenant une feuille de papier, avait inscrit à droite ceux qui parlaient pour la proposition Chautemps (treize) et à gauche ceux qui étaient partisans de sa politique (six). Les mêmes proportions se retrouveront le 16 juin.

Ces chiffres varieront d'ailleurs avec les heures... et avec les témoins. Selon Reynaud, le 17 juin, neuf ou dix ministres lui étaient toujours fidèles. Pomaret estime qu'il y avait, au cours du dernier conseil de cabinet Reynaud, douze ministres hostiles à l'armistice, mais, en vérité, beaucoup plus que les chiffres, comptait l'ardeur des partisans de l'armistice et le découragement de ceux qui voulaient poursuivre une lutte paraissant sans espoir.

son intention de ne pas quitter le sol français ; contre lui la majorité des ministres, la foule presque tout entière que la moindre rumeur affole, le généralissime, les armées qui en ont assez de gravir leur chemin de croix sous un soleil de grandes vacances.

Paul Reynaud abandonne le pouvoir et il conseille à Albert Lebrun de lui donner le maréchal Pétain pour successeur.

La France, si elle n'attend plus de ce vieux soldat des recettes de victoire, espère du moins qu'il sera, mieux que tout autre, capable d'obtenir une paix honorable.

Alors, pendant cette nuit du 16 juin, tout se dénoue très vite.

A 21 heures, Paul Reynaud démissionne. Le président Lebrun fait appeler le maréchal Pétain et il a « l'heureuse surprise » de voir le vice-président du Conseil tirer de sa poche une liste de ministres [1]. A 23 h 30, le gouvernement est définitivement constitué. A 24 heures, Baudouin, nouveau ministre des Affaires étrangères (non sans

1. « *Je n'étais pas préparé,* écrit Lebrun dans ses *Mémoires, à une telle rapidité, je me rappelais, non sans amertume, les constitutions de ministères si pénibles auxquelles j'avais présidé pendant mon séjour à l'Elysée.* »

Plus tard, le maréchal Pétain sera interrogé à l'île d'Yeu sur la manière dont il a constitué son ministère. Dialogue pénible, eu égard au grand âge du prisonnier, et que l'on ne peut valablement retenir .

« *M. le Président.* — Comment avez-vous pu constituer votre première équipe ?

Maréchal Pétain. — Successivement.

M. le Président. — Vos amis vous présentaient sans doute des collaborateurs possibles.

Maréchal Pétain. — Le premier qui était appelé en appelait un second. Cela formait masse et l'on constituait une équipe comme cela... »

(Commission d'Enquête sur les événements survenus en France de 1933 à 1945 ,T. I, p. 175).

lutte, Laval voulant le poste et le Maréchal manifestant déjà cette mobilité d'humeur qui ira s'accentuant), Baudouin demande à l'ambassadeur espagnol Lequerica de s'entremettre pour obtenir des Allemands leurs conditions d'armistice.

Ironie du sort : le jour même où ils apprennent la demande d'armistice, les amateurs de mots croisés qui se penchent sur *La Petite Gironde* ont à chercher un mot de sept lettres définissant ce qui « couronne le vainqueur »... Laurier, naturellement !

★

Le 17 juin, à midi trente, des millions de Français écoutent l'allocution que prononce le maréchal Pétain, tandis que monte, au-dessus de Bordeaux, l'orage que réclamait l'effondrement de la France.

Beaucoup pleurent en entendant ces mots dits d'une voix cassée, chevrotante et paternelle, et qui scellent notre défaite.

Mais la plupart sont soulagés. Les réfugiés, épuisés de fatigue, dormant debout, condamnés à fuir sans cesse, les soldats agglutinés autour des postes de T. S. F. des petits cafés provinciaux, les habitants des villes non encore occupées et qui ne savent vers quel refuge se tourner, presque tous enfin écoutent avec reconnaissance ces paroles qui arrêtent la guerre, mettent fin au calvaire, éloignent la faim, la peur, la mort.

« *Français,*

« *A l'appel de M. le Président de la République, j'assume à partir d'aujourd'hui la direction du gouvernement de la France. Sûr de l'affection de notre admirable armée qui lutte, avec un héroïsme digne de ses longues traditions militaires, contre un ennemi supérieur en nombre et en armes. Sûr que, par sa magnifique résistance, elle a rempli nos devoirs vis-à-vis de nos alliés. Sûr de l'esprit des anciens combattants que j'ai eu la fierté de commander. Sûr de la confiance du peuple tout entier, je fais à la France le don de ma personne pour atténuer son malheur.*

« En ces heures douloureuses, je pense aux malheureux réfugiés qui, dans un dénuement extrême, sillonnent nos routes. Je leur exprime ma compassion et ma sollicitude. C'est le cœur serré que je vous dis aujourd'hui qu'il faut cesser le combat... »

Il faut cesser le combat. Dans l'après-midi, à la demande du général Georges, on modifiera cette phrase qui agit comme un terrible dissolvant sur les débris de l'armée française.

Car déjà, la propagande ennemie s'est emparée de l'appel du Maréchal. La 3e D. I. M. est assaillie le 18 juin, avant l'aube, par des blindés allemands dont le chef, le lieutant-colonel Sholz, affirme aux officiers français que Paul Reynaud est parti pour l'Amérique et que le maréchal Pétain a ordonné de déposer les armes. Ailleurs (dans les Vosges notamment), les Allemands parachutent des tracts invitant les soldats français à cesser le feu.

Presque partout, le discours du maréchal Pétain accélère la débâcle et dissout les velléités de résistance.

Les villes s'ouvrent. Quelques obstinés veulent-ils les défendre, les maires s'y opposent et les maires ont toute la population derrière eux.

Edouard Herriot, avisé, le 18 juin à l'aube, que Lyon sera défendu par 2 340 fantassins et 4 canons de 75 (!) et que 31 ponts vont sauter, se précipite chez le maréchal Pétain. Immédiatement réveillé, le Maréchal accorde au président de la Chambre, penché sur son lit, que Lyon, dont les habitants, mêlés à d'innombrables réfugiés venus de l'Est, s'enfuient vers le Sud par des routes encombrées de véhicules militaires et de troupes, que Lyon, comme Paris, ne soit pas défendu.

Dans la journée du 18 juin, le gouvernement étendra cette mesure à toutes les villes de plus de 20 000 habitants. Avant de se battre, l'armée devrait donc consulter le dictionnaire des communes !

Mais ceux qui savent combien cette décision sauve de vies humaines, épargne de biens matériels, ceux-là, devant l'imminence de la fin des hostilités, ne peuvent qu'approuver.

D'ailleurs, les Allemands, davantage qu'aux combats, songent maintenant aux problèmes que pose l'occupation de leur nouvelle et plus belle conquête [1].

★

Le premier jour d'occupation n'est pas le même pour tout le monde. Pour les uns, c'est le 13 mai, pour les autres le 25 juin ; mais, partout, les Allemands appliquent les mêmes mesures, annoncées par affiches et journaux, aux populations.

La Feldkommandantur communique...

1. Ce livre qui s'efforce de peindre la vie quotidienne des Français sous l'occupation ne pouvait cependant négliger la toile de fond politique. Mais ce très rapide tableau des jours de juin 1940 à Bordeaux et de la fin du ministère Reynaud est forcément incomplet. Pour mieux suivre le déroulement politique de ces jours tragiques, on lira avec profit la remarquable *Histoire de Vichy*, de Robert Aron, les livres de M. Paul Reynaud, du général Weygand, du général Gamelin, de M. Benoist-Méchin, etc...

Cela commence toujours ainsi.

La Feldkommandantur communique que toutes les pendules doivent être avancées d'une heure, que toutes les armes à feu et tous les fusils de chasse doivent être déposés d'urgence dans les mairies, que le mark vaut désormais 20 francs [1].

La Feldkommandantur oblige tous les citoyens français à posséder une carte d'identité, s'inquiète des besoins en fers à chevaux, nomme des maires lorsqu'elle ne les trouve pas en place, convie parfois les habitants à nettoyer « *l'intérieur de leurs immeubles et devant leur maison* » s'occupe du retour des réfugiés, réglemente les feux champêtres, les prix des vivres et la circulation des automobiles, interdit le port des drapeaux français aux enterrements et les manifestations scoutes...

En quelques jours, parfois en quelques heures, l'administration française, lorsqu'elle s'est retirée, se trouve remplacée.

★

En mai 1940, les Allemands placardent sur les murs de Mézières et Charleville des affiches, trop vite imprimées pour être bien traduites, annonçant que « *l'alimentation de la population des territoires occupés sera garantie, pourvu que la récolte de cette année soit faite à fond. C'est donc dans l'intérêt de la population elle-même d'assister de toutes ses forces que la récolte soit engrangée, comme toute négligence serait au désavantage de la population.* »

En conséquence, et dans le même français vacillant, les Allemands ordonnent à tous les hommes,

1. La fixation du cours du mark date du 19 mai 1940.

femmes et enfants de plus de quatorze ans, de travailler sans désemparer *même le dimanche* à rentrer les récoltes. Les propriétaires de machines agricoles et de chevaux doivent les mettre au service de la collectivité et les récoltes des cultivateurs absents sont réquisitionnées par les autorités allemandes au profit de la population civile.

Comme les autorités municipales avaient, en compagnie de presque toute la population, quitté la région avant l'arrivée des troupes allemandes, la Feldkommandantur nomme des « maires provisoires ». Elle les prend parmi les quelques Français qu'elle a sous la main, c'est-à-dire dans les prisons où, depuis le 20 mai, une dizaine d'entre eux, enfermés dans une cellule de quatre mètres sur quatre, sont maintenus comme otages [1]. Employés, avec leurs camarades, à ramasser les morts, incertains de leur sort, s'attendant d'un jour à l'autre à être fusillés, Pierre Gamen et Jules Bogaert sont respectivement — et à leur plus grande surprise — nommés « maires provisoires » de Mézières et de Charleville. Dans les deux villes dévastées, où il n'y a plus un seul commerçant, et où les réfugiés qui rentrent sont nourris par une cuisine de campagne allemande, installée dans la caserne du 9e d'infanterie, Gamen et Bogaert

1. Depuis le 19 mai, dit l'avis allemand placardé sur les murs de Mézières, on constate que la population attaque des soldats allemands, met le feu à des bâtiments et donne des nouvelles à nos ennemis.

Pour garantir la sûreté des troupes allemandes, ont été emprisonnés comme otages :

1. — Gamen, Roger Pierre, Mézières.
2. — Roblin, René Louis, Charleville.
3. — Leguillier Gaston, etc.

S'il arrive encore un fait hostile contre nos soldats sans qu'on trouve les coupables, les otages seront tirés tout de suite. »

Le commandant.

doivent faire face à une situation terriblement complexe [1].

Il n'y a plus d'argent (on vivra près d'un mois sans argent), la lumière, le gaz, l'eau font défaut. Toutes les maisons ont été pillées et les réfugiés qui refluent doucement, à la fin du mois de juin, trouvent souvent leur demeure vide. Ils ont du moins la ressource d'aller choisir des meubles chez un marchand absent et de les faire transporter par des camions de l'armée allemande.

Mais les vivres restent rares, le chômage est total, mille problèmes se posent sur lesquels les Allemands s'estiment en droit de se pencher.

Le 12 juin, à l'instigation du major Poetcher, commandant la place de Charleville, une réunion se tient à l'hôtel de ville. Le docteur Bridoux, maire de Mézières, est rentré la veille en compagnie de deux adjoints et de son secrétaire général. L'ingénieur voyer Jacquet, MM. Gamen et Bogaert, ainsi que quatre interprètes et le commissaire de police provisoire, sont également présents, mais c'est le major allemand qui a des allures de maître.

Il prend la parole.

« Nous sommes réunis, messieurs, pour tâcher de réparer les dégâts de cette guerre qui n'était pas voulue du gouvernement allemand, mais du gouvernement français. La besogne est grande, mais je compte sur la collaboration loyale et désintéressée de tous, d'autant plus qu'il s'agit de secourir vos propres frères. »

Après avoir énuméré les travaux urgents, le major poursuit :

« La municipalité a, non seulement le droit,

1. Dans de très nombreuses villes, les Allemands s'assurèrent ainsi un certain nombre d'otages. A Rouen, dix otages, différents chaque jour, devaient, pour la période du 13 au 22 juin, être enfermés dans une salle de la mairie.

mais le devoir de réquisitionner la main-d'œuvre. En cas de refus de la part de l'ouvrier, celui-ci sera puni sévèrement du fait que l'ordre donné par les maires émane de l'autorité militaire allemande. »

Chaque fois qu'ils en ont l'occasion, les Allemands remplacent ainsi les autorités défaillantes. Ils remplissent même des devoirs de charité, quitte à exploiter plus tard leurs bienfaits pour les besoins de la propagande. Dans plusieurs villages, ils répartissent des vivres, abandonnés par les troupes françaises ; dans le Nord, une œuvre d'assistance nationale socialiste distribue, d'après le D. N. B., 2 millions de repas chauds, 800 000 pains, 10 000 kilos de viande.

A Autry-le-Châtel (Loiret), ils mettent des camions à la disposition du maire pour le retour des évacués, ailleurs ils soignent les enfants blessés et le mot « ils sont corrects » vient, en juin 1940, sous la plume de beaucoup de maires paysans.

« *Les soldats allemands qui sont au pays se conduisent très bien. Les gens ont repris leur travail et n'ont pas à se plaindre de l'occupation allemande.* » Voici des phrases, écrites à la fin de juin 1940, par des hommes qui attendaient les cavaliers de l'Apocalypse et se trouvent en face de soldats à qui la brièveté du combat et la facilité de leur victoire laissent le temps et le plaisir d'être humains.

Les occupants manient même l'ironie et l'indignation. Le correspondant de guerre Ettighoffer raconte l'histoire d'une vieille femme de Bar-le-Duc qui, au moment de l'offensive, a confondu Allemands et Anglais :

« *Ce que je fais ici, messieurs les Anglais ? On m'a oubliée, tout simplement oubliée dans mon petit logement à l'entrée de la ville. J'ai perdu deux fils à la dernière guerre, j'ai près de quatre-vingt-six ans et mon seul désir est de mourir au plus tôt. »*

Nous nous regardâmes, en proie à de nouvelles réflexions.

Etait-il Dieu possible ! Une ville tout entière prend la fuite, M. le Préfet détale, M. le Maire se met en sûreté, d'innombrables fonctionnaires, soi-disant serviteurs de l'Etat et par conséquent du peuple, vivant des deniers de ce peuple, sauvent leurs précieuses existences et une vieille femme, une mère qui a fait don de ses deux fils à la France, a été oubliée sans plus, livrée à un destin incertain...

Après ces réflexions moralisatrices, les Allemands décident de ne pas dissiper la confusion. Puisqu'on les prend pour des Anglais... Ils conduisent la vieille femme à leur cantonnement, confectionnent des crêpes, préparent une tasse de café...

« A présent, dites-nous, grand-mère, à quoi avez-vous reconnu que nous étions des Anglais ? lui demandâmes-nous, lorsque, rassasiée, elle s'appuyait commodément contre le dossier de son siège. Vous n'aviez pas peur, des fois, que nous puissions être des Allemands ? »

Notre question la fit sourire.

« Mais non, voyons, je sais bien comment ils sont, les Allemands ; je les ai vus en 1870, *ils avaient de tout autres uniformes... Et puis, croyez-vous que les Allemands auraient eu pitié d'une vieille femme, d'une mère de soldats, par-dessus le marché, délaissée et à demi morte de faim !*

On n'entend dire que du mal des Allemands. »

Nous avions peine à réprimer notre rire... Nous composâmes une pancarte de la teneur suivante : « Ici habite une mère de soldats, une vieille femme que les autorités françaises, en fuite, ont abandonnée à son sort. » Cela suffisait. Chaque soldat allemand comprendrait tout de suite.

Histoire vraie [1] ? Plus vraisemblablement histoire « améliorée » pour les besoins de la propagande et de cette affiche « *Populations abandonnées, faites confiance à l'armée allemande* », qui surgira bientôt sur tous les murs de France.

Ce qui est, sans doute, le plus intéressant dans ce texte, c'est l'étonnement scandalisé des Allemands devant la disparition de toutes les autorités administratives françaises, disparition que Pierre-Etienne Flandin dénonce également devant l'Assemblée nationale réunie à Vichy.

Pendant cette période de désarroi, préfets, généraux, évêques parfois, pompiers (et la chose est affreuse car les ordres qui lançaient les pompiers sur les routes de l'exode condamnaient au feu et à la destruction totale les villes atteintes, fût-ce par une demi-douzaine de bombes incendiaires), policiers, boulangers, épiciers, magistrats, tous ont fui [2].

1. Histoire, en tout cas, qui est loin d'être unique. Un rapport militaire allemand, cité par R.-G. Nobécourt, signale que les habitants de la région de Rouen saluaient tous les Allemands, car il les confondaient (à la nuit tombée il est vrai) avec les troupes anglaises. Cette confusion s'explique surtout par la rapidité de l'avance allemande. Les populations n'en « croyaient pas leurs yeux ».

2. Ministre de l'Intérieur, Georges Mandel avait prescrit aux autorités civiles de ne pas participer à l'exode. Ordres vite oubliés. Quoi qu'il en soit, le Gouvernement relève de ses fonctions le 21 mai le sous-préfet de Montdidier ; le 26, il révoquera

Face aux Allemands, pour maintenir un semblant d'armature administrative, il n'y a plus que quelques milliers de maires paysans ou d'hommes de bonne volonté placés, soudain, face à des tâches terribles.

Ne recevant plus d'ordres de personne (si ce n'est des Allemands), il leur faut improviser, réquisitionner, émettre des titres de transport, fixer le prix de la viande et du pain, rationner, secourir, inventer... Les voit-on à l'œuvre, on comprend mieux l'immense service qu'ils ont rendu à la France. Sans eux des millions de Français étaient voués, d'abord aux cantines allemandes, ensuite à toutes les entreprises de la propagande.

★

A Verdun — où les Allemands sont entrés sans combat — les 5 ou 6 000 évacués qui rentrent, dès le 21 juin, sont nourris à la caserne Niel où des prisonniers de guerre français font la cuisine pour tout le monde. L'ancienne municipalité repliée en Haute-Vienne, M. Coné, propriétaire de l'hôtel du *Coq Hardi,* que les Allemands ont nommé maire, rétablit peu à peu une vie normale. En prélevant de la farine sur les stocks de la citadelle, il est possible de remettre en marche quelques boulangeries. En faisant rassembler les bêtes qui errent dans les champs, on peut procéder à plusieurs

huit commissaires de police du département du Nord ; le 28, plusieurs maires seront frappés.

Ensuite... c'est presque toute la France officielle, dans quarante départements, qu'il aurait fallu révoquer. Notons, par contre, que les agents de certains services publics (P.T.T. et chemins de fer, par exemple) restèrent sur place dans les conditions les plus difficiles.

distributions gratuites de viande. Un vieux fiacre branlant va chercher le lait à Haudainville...

Partout, ce sont les mêmes préoccupations : le pain, la viande, le lait.

A Ardon, dans le Loiret, un four de boulanger, abandonné depuis 1917, est remis en état le 26 juin 1940. Le maire de Beaune-la-Rolande (1 700 habitants en temps normal) lance un appel en faveur des 22 000 prisonniers et des 7 à 8 000 réfugiés qui stationnent en permanence sur la commune et réussit à améliorer ainsi leur ravitaillement déficient.

Le 16 juin, il ne reste plus qu'une centaine d'habitants à Briare. Deux boulangers et deux bouchers, mais ni épicier, ni laitier, ni charcutier. Le premier adjoint, qui est resté sur place, fait marcher les boulangeries, organise le ramassage des morts (une trentaine) et des cadavres d'animaux, paye en légumes et en pain les équipes chargées de la voirie et de la remise en ordre de la ville.

Ailleurs — à Jouy-le-Potier par exemple — le curé remplace le maire évacué. Il fixe le prix du lait à 1 franc, le prix de la viande à 12 francs le kilo. Il s'occupe du ravitaillement, recrute, parmi les réfugiés qui stationnent sur la commune, des boulangers, des charcutiers, des infirmières.

A Cléry, le maire institue la carte de pain, procède au profit des boulangers et médecins à la récupération de l'essence dans toutes les voitures abandonnées, fait même arrêter des pillards allemands.

Un peu partout des vocations d'administrateurs se révèlent ainsi [1]. Parfois, ces « maires provi-

1. Encouragés non seulement par les Allemands qui veulent trouver des interlocuteurs en face d'eux, mais aussi par les Français, témoin cette note du Secrétaire général de Seine-et-Oise

soires » ont une allure quelque peu dictatoriale, mais la situation ne justifie-t-elle pas les fortes décisions ?

A Viroflay, où presque tout le personnel municipal est en fuite, où les commerçants ont fermé boutique, trois conseillers municipaux organisent la répartition des vivres, la saisie des marchandises dans les magasins abandonnés, la remise en route d'une cuisine municipale et des services médicaux, la chasse aux chiens errants, ainsi que l'affichage sur les murs de la ville « de conseils et de communiqués urgents ».

M. P... « *conseiller municipal faisant fonction de maire* mandate le 14 juin, neuf de ses concitoyens *pour prendre, de quelque façon que ce soit, dans toutes propriétés abandonnées (jardins ou maisons de comestibles) pour l'alimentation de la population civile de la commune.* »

Mlle Chalat, directrice de l'école maternelle, qui supervise les différentes œuvres de secours, organise, le 19 juin, route nationale, un poste de secours qui reçoit un flot ininterrompu de réfugiés remontant vers le Nord et dont c'est le quatrième ou cinquième jour de marche.

Après le ravitaillement, on s'occupe du travail. On forme « un corps des artisans », on ouvre un bureau municipal de placement et de répartition de la main-d'œuvre, on constitue des équipes de jeunes, de 16 à 20 ans, chargées du remblai des tranchées et de l'enlèvement des ordures ménagères, on « mobilise » enfin les jeunes filles de

faisant fonction de préfet (15 juin 1940). « *Dans les communes où n'existerait aucun représentant de l'autorité municipale, je demande un homme de bonne volonté qui se chargerait d'assurer sur place l'administration de la localité, en vue de ses besoins et notamment de son ravitaillement.* »

plus de seize ans dans un atelier de couture aux règles morales très strictes, puisque la directrice interdit aux garçons d'accompagner ou d'attendre les jeunes travailleuses à la porte de l'atelier !

M. P... couronne son œuvre par l'organisation, le 23 juin, d'un match de football (signe que la vie a bien repris) et surtout par l'ouverture de classes provisoires « *où une large place* (sera) *assurée à l'enseignement de la culture physique, des langues étrangères, au culte du travail et de la probité.*

Ce que nous faisons, dit M. P..., le jour de l'ouverture des écoles, *n'a rien à voir avec les méthodes académiques. Je vais introduire quelques nouvelles méthodes dans l'enseignement pour prouver que le résultat sera supérieur* ». Ces nouvelles méthodes ont nom : douche obligatoire, danse rythmique, cours de cuisine et de puériculture, cours d'études morales (une heure par jour) sur la propreté et le travail...

★

L'épisode de Viroflay, s'il donne un bon reflet de l'époque (avec ses difficultés et ses révolutions de palais à l'échelle de la commune) ne contient rien de dramatique.

D'autres administrateurs communaux doivent, non seulement pourvoir au ravitaillement et au travail de la population, mais aussi éteindre les incendies, déblayer les ruines, enterrer les morts. Des villes brûlent que quelques seaux d'eau auraient sauvées. Les pompiers sont loin. On retrouvera à Orléans la pompe de Charenton abandonnée dans un fossé. A Lyon les pompes de Reims, à Laval celles de Rouen. Quant aux pompes d'Orléans, elles ont échoué à Ussel (Corrèze), où l'on ira les rechercher à la fin du mois d'août.

C'est d'Orléans qu'il s'agit maintenant.

D'Orléans où, le 19 juin, les Allemands, qui sont entrés depuis trois jours, s'inquiètent — comme partout — de désigner un maire. Ayant rassemblé plusieurs Orléanais dans la salle de la mairie (mais les Orléanais sont peu nombreux ce jour-là), le major Boenninghausen pose les questions rituelles :

« Le maire d'Orléans est-il présent ?

— Non.

— Le Conseil municipal est-il présent ?

— Non, à l'exception de M. Pelé, adjoint au maire. »

Mais M. Pelé allègue son grand âge pour refuser le poste de maire et la charge échoit finalement à M. Mars qui va avoir fort à faire. La ville est privée d'eau, de gaz, d'électricité, de transports, de pain, de ravitaillement. Pour afficher les proclamations de la délégation municipale, il n'y a ni employés municipaux, ni cyclistes. Veut-on mettre les horloges publiques à l'heure allemande, personne ne connaît le moyen d'y accéder.

Il n'y a presque plus d'Orléanais dans la ville, dont l'état civil a été évacué dans une benne de nettoyage en direction de Souesmes, en Loir-et-Cher [1]. Mais l'on naît tout de même. Des femmes qui ont traîné, sur les routes de l'exode et dans la chaleur de ce juin étouffant, des ventres énormes, des femmes venues de Mont-Saint-Martin (Meurthe-et-Moselle), de Sotteville-lès-Rouen, de Guillerval, en Seine-et-Oise et de Paris, accouchent à l'hôpital entre les mains de Marie Sabletout.

1. La mairie ira jusqu'à Nontron où, faute de place, elle devra s'installer dans la prison...

C'est sur l'almanach d'un grand magasin que M. Alphonse Pelé retranscrit les naissances et note les morts.

Toutes les pharmacies sont closes. L'une d'elles — la pharmacie Servier — ouvre-t-elle ses portes, le public s'y précipite et ne tarde pas à être troublé par l'attitude du nouveau pharmacien. Qu'il s'agisse d'une spécialité ou d'un cachet d'aspirine, il vend, en effet, tous les médicaments 10 sous !

On ne tarde pas à découvrir que le pharmacien philantrope n'est autre qu'un fou évadé, avec 200 autres, de l'asile de Semoy. Le 21 et le 22 juin, la voiture municipale fait donc la chasse aux fous qui, souvent ivres, se prenant pour Jeanne d'Arc ou Napoléon, se promènent dans des tenues ahurissantes ou simplifiées (une femme est complètement nue) parmi les ruines et les incendies de la ville [1].

Car la ville brûle. Sur la place du Martroi, Jeanne d'Arc a une couronne de flammes.

M. Mars, à peine installé à la mairie, fait demander aux Allemands, par l'intermédiaire de M. Brach, qui tient le rôle épuisant d'interprète, l'envoi d'une compagnie du génie avec ses explosifs.

Puisqu'il n'y a ni pompes, ni eau, ni tuyaux, ni essence, on fera sauter les maisons menacées, ce qui stoppera la progression de l'incendie qui gagne de toit en toit avec une prodigieuse rapidité et qui détruit tout sur son passage.

Avec les maisons, brûlent les souvenirs.

Avec les immeubles du département et de la ville, disparaissent les archives et jusqu'aux

1. Le préfet Morane et son secrétaire général durent insister pour obtenir du major von Bonninghansen, Feldkommandant, les véhicules nécessaires à cette véritable chasse aux fous.

timbres fiscaux (plus de 2 000) et jusqu'aux tickets d'entrée du musée Jeanne-d'Arc.

La compagnie du génie arrive de Paris, mais elle n'a pas d'explosifs. Elle aide cependant un groupe d'infirmiers qui ont trouvé deux motopompes abandonnées, vingt-cinq prisonniers français, des prêtres et quelques civils de bonne volonté à lutter contre le feu [1]. Mais il est le plus fort. Il ravage la rue des Carmes, s'installe rue de la République, rue des Charretiers, rue d'Illiers.

Le capitaine Moreau, des pompiers d'Orléans, rentré le 24 juin, doit faire la navette avec sa tonne entre la Loire et le feu ! Les hommes qui n'ont pas pris de nourriture sont épuisés. Tout paraît perdu lorsque M. Germain Maure, président des Industriels du Loiret, obtient de la Kommandantur un laissez-passer pour Paris. Là, il tâchera de gagner les pompiers à la cause d'Orléans.

De ce qui reste d'Orléans.

M. Maure quitte Orléans le 25 juin, vers 10 heures.

A contre-courant, il remonte l'armée allemande victorieuse avec ses tanks et ses équipages chargés de trophées.

Dans les fossés, s'inscrit l'histoire de deux semaines de débâcle.

Equipements militaires, masques à gaz, véhicules calcinés, matelas, valises ouvertes, fils téléphoniques arrachés, villages brûlés, platanes hachés par la mitraille, tombes qui font le gros dos au soleil...

Après deux heures de ce film, où la joie des uns ajoute à la misère des autres. M. Germain Maure

1. M. Maurice Picard, secrétaire général de la Préfecture, réussit, le 20 juin, à se faire « prêter » une pompe allemande et quelques soldats de l'armée de l'air avec lesquels il éteint l'incendie de la rue de Malte.

arrive enfin à la caserne Alésia d'où il téléphone au colonel Barrière, commandant le régiment des sapeurs-pompiers de Paris. Deux heures émouvantes à supplier les uns et les autres, à obtenir de la Kommandantur l'indispensable autorisation, à convaincre M. Marchand, nouveau préfet de police, à mettre sur pied, avec le colonel Barrière, le départ des pompiers parisiens.

« Vous promettez de ne pas les garder plus de quarante-huit heures ? demande le colonel Barrière.

— J'en prends l'engagement d'honneur. »

Et, à 15 heures, sous la direction du capitaine Lacoste, trente pompiers, munis de trois jours de vivres, s'éloignent sur deux grosses autos-pompes en direction d'Orléans. Arrivés à 18 heures, ayant immédiatement mis en batterie, ils resteront trente-six heures au travail, se relayant nuit et jour pour éteindre ces moignons de maisons qui s'écroulent sur des cadavres calcinés.

CHAPITRE II

LA FRANCE COUPÉE EN QUATRE

LE 25 juin, très tôt, le feu cesse sur tous les fronts de France [1].

Le drame militaire est consommé.

La France ressemble à un grand animal meurtri qui lèche ses blessures et n'en découvre pas encore l'énormité.

Après le flux de l'exode, elle va connaître le reflux de l'exode.

Mais, d'abord, il faut regrouper les familles, les unités, les entreprises, les administrations.

Eparpillée par la grande main de la défaite, la France, pendant deux ou trois semaines, est à la recherche de la France.

Où se trouve, par exemple, le 2 juillet, la population d'Orléans, dispersée par le malheur ?

Plusieurs services de la préfecture du Loiret et

1. Certaines unités de la Ligne Maginot poursuivront cependant le combat quelques jours encore.

de la mairie d'Orléans sont à Nontron, le proviseur du lycée Pothier réside chez M. Anglade à Mérignac (Gironde) et fait savoir que les résultats du baccalauréat de juin ne sont pas encore connus. M. Evesque, inspecteur d'Académie, a trouvé refuge à l'Inspection académique de Tulle. La Trésorerie générale du Loiret est en voie de regroupement à Guéret, cependant que l'usine Panhard occupe le lycée Voltaire de Tarbes. Le pasteur Nercier habite près de La Roche-Chalais, en Charente ; l'abbé Avezard est en cantonnement au Sacré-Cœur de Caussade (Tarn-et-Garonne).

La succursale de la Banque de France est repliée à Millau, celle de la Société générale à Aurillac et celle du Comptoir National d'Escompte à Dax.

Directeurs et ouvriers de la Manufacture des Tabacs sont éparpillés entre Bordeaux, Toulouse, Tonneins et Marmande.

N'ayant pu trouver de place à Périgueux, le directeur de l'Enseignement du Loiret a fixé le siège de sa direction dans le canton voisin de Saint-Pierre-de-Chignac.

Pour les trois quarts des villes françaises, la dispersion est aussi totale que pour Orléans. Ces villes dont le temps avait cimenté les individualités, ces villes faites de femmes et d'hommes solidement unis par les habitudes, le passé, les mariages, la religion, l'argent, la condition sociale sont soufflées à tous vents.

★

Ce n'est rien de se retrouver loin de son foyer lorsqu'on s'y retrouve en compagnie des siens. Mais de nombreuses familles sont séparées et parcourent avec anxiété ce « Recueil général des

Adresses des Réfugiés » que publie l'éditeur Etienne Chiron, lui-même replié à Clermont-Ferrand.

Dans les journaux, ils interrogent anxieusement.

Qui a vu la fille de M. René Chevalier, perdue à 4 kilomètres de Gien, le 16 juin ?

Qui donnera à M. et Mme Rappaport des nouvelles de leur fils blessé près de Pithiviers ?

Qu'est devenu Eugène Bailly ? Sa femme signale qu'il est tombé de faiblesse, le 17 juin « *sur la route aux environs d'Orléans* », on le reconnaîtra à son pantalon de velours noir, mais surtout au tatouage de son bras gauche.

Mme Mary, qui habitait les Ardennes, recherche non seulement son époux, mais également ses trois voitures et ses quatre chevaux.

Leur maman a perdu Marc, Luc, Jean, Marie-Françoise, Michel, le 17 juin. Ils sont restés avec les valises en gare de Poitiers. Lui écrire au plus vite à La Tremblade.

Des jours et des nuits d'angoisse, des drames et des pleurs résumés en trois lignes. Les journaux publient des visages d'enfants inconnus et on rassemble, dans deux lycées parisiens, des dizaines de gosses qui ont perdu leur famille.

Ceux qui n'ont pas égaré un enfant ou un proche parent sont au moins en quête de bagages abandonnés au hasard de la fuite. Les journaux regorgent de petites annonces, aussi révélatrices qu'un miroir où la défaite montrerait son masque tragique.

« *Mallette chapeau, brune, contenant argenterie, disparue gare de Tours. Mme d'H...,* 22, *rue Saint-Pierre, Dax.* »

« *Récompense à Parisien forain ayant voyagé du* 13 *au* 17 *juin avec monsieur barbu (accom-*

pagné chien), évacué de Breuillet (Seine-et-Oise), s'il lui écrit au sujet des bagages qu'il lui confia à Saintes et dont le contenu ne peut être utilisé. »

« Serais reconnaissante et saurais reconnaître service à quiconque, même chauffeur-conducteur, fera retrouver caisses portraits de famille, marquées L. D., chargées Tours, 8, rue Racine, par Entreprise Thimoléon. »

La grande affaire, c'est de se regrouper, de se rassembler dans la chaleur du même accent et des mêmes souvenirs. Il se crée, un peu partout, des comités de réfugiés qui siègent dans des salles de café et recensent les malheurs du jour.

On envoie, vers les villes abandonnées, des messagers chargés de rapporter des nouvelles.

C'est ainsi que les impressions de voyage du cardinal Gerlier font connaître, à la zone non occupée, le nouveau visage de Paris.

« *Le voyage du cardinal Gerlier,* dit la dépêche d'agence en provenance de Lyon, *s'est effectué très facilement, grâce au laissez-passer qui lui avait été accordé par la Kommandantur de Lyon au dernier jour de l'occupation allemande* [1].

« Au retour, aucun papier n'est demandé pour sortir de Paris et le franchissement de la ligne s'opère comme à l'aller.

« ... Les moissons s'annoncent fort belles, mais plus encore qu'au temps de paix, il manque du monde pour le travail des champs. Même impression de vie ralentie à Paris où la population est très restreinte... Un grand nombre de magasins et de cafés sont fermés. Cependant, bien des Parisiens

1. Lyon fut, en effet, occupé par l'armée allemande, puis libéré, les conventions d'armistice n'englobant pas la ville dans la zone occupée.

sont déjà rentrés et l'on n'a pas trop de difficulté à vivre.

« Plusieurs curés ont pu organiser, avec le concours des communautés religieuses, des soupes populaires à bon marché. Pour 2 fr. 75, on peut avoir une soupe, une portion de viande avec légumes et un dessert.

« La plus grande souffrance de nos compatriotes est de se sentir sevrés de nouvelles. Les émissions de la T. S. F. française leur arrivent mal. Ils n'ont d'autres moyens de se renseigner que les trois journaux rédigés à leur intention en langue française. »

★

Savoir... Savoir si la famille est en bonne santé, si la maison est intacte.

La ligne de démarcation établie dès le 25 juin, et qui coupe la France en deux, restreint considérablement les possibilités de communication. C'est en septembre seulement que les autorités allemandes, « *en présence des inconvénients* (résultant) *pour les familles de la suspension des relations de part et d'autre de la ligne de démarcation* », admettront l'envoi de cartes postales dites « familiales » dont le libellé [1] était d'une sécheresse telle que la complicité des passeurs clandestins devait seule permettre aux deux Frances de se raconter, de s'épancher et de s'aimer.

1. En mai 1941, les autorités de Vichy avaient obtenu le remplacement des cartes familiales par des cartes à sept lignes sans aucune mention imprimée. Mais ces cartes à sept lignes ne furent jamais utilisées, les cartes postales ordinaires ayant été admises à partir du 1er août 1941. En mars 1943, c'est-à-dire plusieurs mois après l'occupation de la zone libre, les relations postales furent rétablies normalement sur la totalité du territoire.

Treize lignes.
...... le 194
.... en bonne santé .... fatigué
.... légèrement, gravement malade, blessé..
.... tué .... prisonnier ....
.... décédé ...... sans nouvelles de........
La famille ....va bien
.... besoin de provisions ...... d'argent....
.... nouvelles, bagages .... est de retour à..
.... travaille........ va rentrer à l'école de ..
.... a été reçu ...... aller à ...... le ....
....
....
....
Affectueuses pensées. Baisers .... Signature

Treize lignes pour l'amour, l'amitié, l'inquiétude. Treize lignes après le grand tremblement de terre de juin 1940. De ces cartes, où il faut « *rayer la mention inutile* », il s'échangera cependant entre 300 000 et 500 000 exemplaires par jour, de chaque côté de la ligne de démarcation.

Mais nous n'en sommes pas encore là.

Au siècle de l'avion, de la T. S. F., la France de juin 1940 se retrouve plongée en plein Moyen Age. De vastes zones sont silencieuses. On se félicite le 7 juillet que les relations postales soient rétablies entre le Sud-Ouest et le Sud-Est et que « *Lyon même, ainsi que Grenoble et le Jura* » aient donné de leurs nouvelles à Bordeaux.

Le 23 juillet, le service télégraphique est toujours limité à la zone non occupée où le trafic a d'ailleurs dépassé le double du trafic normal dans 44% des bureaux, le triple dans 22%, le quadruple dans 6%. Toulouse, avec 72 000 télégrammes traités le 29 juin 1940, contre une moyenne journalière de 8 000 avant la guerre, bat tous les records.

Les mairies reçoivent des centaines de lettres inquiètes. A Orléans, où toute correspondance municipale a cessé pour la période du 14 juin au 16 juillet 1940, M. Mars signe onze lettres le 17 juillet. Presque toutes sont des réponses à d'inquiètes demandes.

« A M. B..., Ferme de Boissor, Luzech (Lot).

« Cher Monsieur,

« En réponse à votre lettre du 9 courant, j'ai le regret de vous informer que votre immeuble situé rue d'Illiers a été complètement démoli, ainsi d'ailleurs qu'une grande partie du centre de la ville.

« Il m'est infiniment pénible, croyez-le, de vous faire part de cette triste nouvelle... »

« A Mme V. S..., Château de Sorlut, Cozes (Charente-Inférieure).

« Madame,

« En réponse à votre lettre, je suis heureux de vous confirmer que ni votre maison, ni vos chantiers n'ont été démolis par les bombardements ; toutefois, ceux-ci sont, en effet, occupés par des troupes allemandes, et je ne puis actuellement vous indiquer aucun moyen pour vous permettre de les faire évacuer... »

En attendant de pouvoir rentrer chez eux (car les Allemands... et les difficultés ferroviaires, retardent le retour des réfugiés), des millions d'hommes et de femmes cherchent à subsister et à augmenter l'allocation quotidienne versée par l'Etat (10 francs pour les adultes, 6 francs pour les enfants).

Les ouvriers de chez Renault, de chez Citroën et des usines d'aviation sont employés au débroussaillage des forêts du Sud-Ouest, menacées par l'incendie.

Les premières restrictions font naître mille et un petits métiers nouveaux, font renaître l'artisanat et ouvrent toutes grandes, aux audacieux, les portes du marché noir.

Car il faut manger et tous les maires se plaignent de manquer d'argent et de vivres. « *Maire de Cantenac à Préfet Gironde,* 24 *juin. Impossible nourrir et héberger convenablement réfugiés en surnombre arrivés hier. Prière envoyer urgence cuisine roulante, vivres et fonds indispensables.* »

Un télégramme entre mille.

Enfin, quelques réfugiés, assez rares d'ailleurs, tentent de s'installer sur les lieux où la guerre les a portés et répondent aux annonces qui proposent des maisons paisibles et des fonds de commerce sans histoire à ces gens du Nord et de l'Est, deux fois en vingt-six ans chassés par l'invasion.

En vérité, la plupart ne songent qu'au retour. Et c'est du retour qu'ils parlent dans les cantines où les municipalités les nourrissent, dans les demeures où ils ont été accueillis souvent en amis, dans le grand élan de la défaite, et où ils se sentent maintenant étrangers.

★

Le retour !

Pour rentrer chez soi, il faut de l'essence.

Il faut des trains.

Il faut l'accord des autorités allemandes.

Au début, les réfugiés ont tenté un exode à l'envers, mais, très vite, ils en ont été empêchés. L'essence est rare, les trains sont stoppés, les ouvrages d'art détruits, les Allemands ne veulent pas d'embouteillages sur les routes.

Il faut attendre.

Se faire recenser.

Obtenir des certificats municipaux déclarant que l'on est indispensable à la reprise de la vie quotidienne.

Seuls, quelques « privilégiés » réussissent à regagner Paris à la fin du mois de juin. Mais leur voyage est interminable.

Partis de Clermont-Ferrand à 13 h 30 le 28 juin, par un train où l'on a heureusement chargé des vivres, un certain nombre de cheminots parisiens arrivent sans encombre jusqu'à Saint-Germain-en-Mont-d'Or, près de Lyon.

Les Allemands leur interdisent d'aller jusqu'à Lyon, mais Pierre Girard, qui dirige le convoi, finit par arracher l'autorisation de poursuivre. Vingt kilomètres plus loin — il est 19 h 30 — c'est Lyon, et le train stoppe, toute circulation nocturne étant interdite.

Le lendemain 29, le convoi couvre 72 kilomètres et s'arrête à Mâcon pour une seconde nuit. Le 30, le train arrive à Chalon-sur Saône, première gare de la nouvelle ligne de démarcation.

Après de longues discussions avec les Allemands, Pierre Girard obtient de poursuivre sa route jusqu'à Dijon où on lui affirme qu'il pourra gagner Paris par la ligne directe Sens-Melun. Tout va bien pendant 140 kilomètres, mais, à Saint-Florentin-Versigny, les Allemands, qui ont occupé la gare et chassé le personnel français, s'opposent à la marche vers Paris. On change l'orientation de la machine et le train se gare pour la nuit à 32 kilomètres de Troyes.

Le 1er juillet, les Allemands, dont le personnel ferroviaire exploite seul certaines lignes, dirigent le train vers Châlons-sur-Marne... où il ne peut arriver, car le chef de gare allemand de Nuisement le stoppe pour laisser passer d'interminables convois de troupes.

Les provisions s'épuisent.

Les caractères s'aigrissent. Et la journée du 2 juillet se passe dans l'attente. Le train qui part enfin de Nuisement à 20 heures met quatre heures pour couvrir les 10 kilomètres qui les séparent encore de Châlons-sur-Marne. Le 3 juillet, le convoi français va de Châlons à Reims puis... de Reims à Châlons, les destructions rendant impossible la poursuite de la route. La journée du 4 se passe en discussions. Le 5, enfin, on charge le matériel dans des camions allemands, les cheminots dans des cars militaires, et c'est finalement par la route, à 12 h 55, que Pierre Girard et ses subordonnés atteignent Paris après huit jours de voyage !

★

On ne peut lancer des millions d'hommes dans pareille aventure.

Avant de remettre les trains en route, il faut rapiécer le réseau, réparer la plupart des 2 500 ponts effrondrés, déblayer les 1 300 gares détruites. Aussi courts que soient les délais — et ils seront relativement très courts [1] — un temps d'arrêt est nécessaire. Une seule grande ligne, Paris-Vierzon, fonctionne encore et, depuis Orléans, des trains formés de plates-formes, sur lesquelles on entasse 4 000 réfugiés, regagnent Paris à partir du 27 juin.

Mais ces retours hâtifs (et non sans bousculades) par chemin de fer constituent l'exception, et

1. D'après Bouthillier, qui fut ministre de Vichy, 12 chantiers de réparation étaient ouverts dès le 20 juillet, plus de 100 à la fin d'août, si bien qu'au 30 septembre six ou sept coupures seulement subsistaient sur les voies ferrées. Au 31 décembre 1940, les trois quarts des ouvrages détruits étaient rétablis, soit définitivement, soit au moyen de passages provisoires.

qui n'a pas de laissez-passer ne peut d'ailleurs franchir la Loire.

Ce n'est qu'au mois d'août que les réfugiés rentrent massivement en utilisant la voie ferrée. En dix jours (21 au 31 août), 79 trains remontent du Sud vers la zone comprise entre la Loire et la Somme, 44 partent en direction de l'Alsace et de la Lorraine, 66 de la Belgique. Encore ces convois sont-ils exceptionnellement lents. Il faut six heures pour aller de La Rochelle à Nantes, plus de dix-huit heures pour relier Bordeaux à Paris, près de onze heures pour couvrir la distance Paris-Nancy.

Le rapatriement fonctionne d'ailleurs suivant un plan qui donne priorité aux agriculteurs — les moissons ne peuvent plus attendre — aux fonctionnaires, aux ouvriers d'usine. Quittent Bordeaux pour Paris, dans la journée du 18 juillet, 1 700 cheminots, 728 ouvriers de chez Peugeot, 450 employés des usines d'aviation, 264 de l'Air Liquide, 106 de l'Electro-Mécanique, etc.

Ceux qui sont partis en auto tentent de revenir de même. Il leur faut trouver de l'essence. Après les énormes embouteillages de juillet où, sur toutes les routes, des milliers d'automobilistes sont restés immobilisés faute de carburant, les Allemands et les services français délivrent, à partir d'août, des bons d'essence renouvelables d'étape en étape [1].

On fait passer des petites annonces : « *Dame, chien, valise, cherche place payante auto ou camionnette, direction Narbonne.* »

1. Au début de l'exode à rebours, on fixait dans chaque ville un contingent d'essence attribué aux réfugiés (1 000 litres par jour à Rennes), puis on se contenta de fournir 10 litres par voiture.

Le 5 juillet 1940, M. Arieu, maire de Saint-Germain-du-Puch, signalait que, sur la route en direction de Bellac-Limoges, des centaines de réfugiés en voiture étaient immobilisés sans essence et sans ravitaillement. Même cri d'alarme, le 3 juillet, du préfet de la Dordogne réclamant 300 000 litres d'essence.

Il s'établit tout un marché noir au profit de ceux qui, pour quelques jours encore, ont le droit de conduire une voiture. Passé le grand retour des réfugiés, les routes et les rues deviendront vides pour quatre ans et plus.

★

Pour la masse des piétons, lorsque l'avance allemande l'a rattrapée et dépassée, elle a reflué comme elle était venue.

Parfois, des astucieux ont attaché un cheval perdu à une voiture en panne d'essence. Dans certains cas, les Allemands ont réquisitionné des autobus de la T. C. R. P. pour les vieillards, les femmes et les enfants.

Le plus souvent, les réfugiés ont dû se traîner sur les routes, traverser des villages pillés, quêter un peu de pain, coucher dans des granges... Au soleil du départ a succédé la pluie. Ah ! c'est vraiment la défaite !

★

La ville qu'ils retrouvent tous a, la plupart du temps, considérablement changé.

Ils l'ont quittée voici huit jours, quinze jours, un mois et ne la reconnaissent plus.

Qu'elle soit défigurée par l'incendie ou vide et silencieuse, c'est une autre ville.

Et lorsqu'il s'agit de Paris...

Voici le témoignage de Georges Adrey, ouvrier de la « Radiomécanique », qui a eu la chance de pouvoir achever en train son voyage de retour. Le convoi arrive à Paris à 22 h 30 « *c'est-à-dire vingt minutes après l'heure où il est interdit de circuler dans les rues de la capitale... Des agents cou-*

rent sur les quais et empêchent le monde de sortir.

« — Mesdames et messieurs, restez ici ! Couchez dans les wagons, sur les quais, dans les salles d'attente, là où vous voudrez. Mais, surtout, ne sortez pas de la gare avant demain matin 5 heures !

« Ça, c'est le comble ! Non content de nous avoir fait poireauter à la gare pendant plus de six heures et de nous avoir ballottés ensuite pendant cinq heures un quart entre Etampes et Paris, voilà qu'on nous interdit maintenant de rentrer chez nous ! Quoique fort mécontents, nous nous faisons une raison et nous nous dirigeons vers la salle d'attente, espérant que nous pourrons nous allonger, là, sur les banquettes et dormir un peu. Mais, en raison de l'affluence, nous ne trouvons aucune place pour nous reposer comme nous l'aurions voulu et force nous est de sommeiller assis, ce qui contribue, après avoir été transportés comme des veaux, à nous fatiguer bien davantage.

« Après une nuit d'insomnie, nous quittons la gare d'Austerlitz à 5 heures du matin. De nombreux commissionnaires attendent les réfugiés dans la rue et dans la cour avec des voitures à bras, des poussettes, voire même des diables. Et ces véhicules, en plus ou moins bon état, nous changent tout de même du spectacle fastidieux des innombrables voitures d'enfants sans roues abandonnées sur la route pendant l'exode.

« Saint-Marcel ! Le métro ! Nous poussons un soupir de soulagement... Mais, à côté de l'animation qui régnait tout à l'heure, à la gare, que Paris est triste et désert ! On dirait que, pour fêter notre retour, il s'est cru obligé de se mettre en deuil ! »

Cette étonnante impression de solitude, tous les « rentrants » l'éprouvent.

Paris, planète morte, occupée par une armée à

laquelle l'œil n'est pas encore habitué, voilà qui frappe l'ouvrier de la « Radiomécanique », mais aussi l'écrivain Maurice Sachs.

« *Nous arrivâmes à Paris le* 29 *juin* 1940. *Il était* 4 *heures de l'après-midi. Des sacs de sable obstruaient en chicane les artères d'entrée aux portes de la capitale. Et, dans les avenues d'approche, tout au plus voyait-on parfois pisser un chien, trottiner une concierge. Nous eûmes la curiosité de faire un tour de Paris. Il y avait un peu de monde au Quartier Latin, quelques filles attablées chez* « *Capoulade* » *avec des officiers allemands, quelques passants encore boulevard Saint-Germain, mais, rue de Rivoli, place de la Concorde, personne que de rares Allemands, et surprenants, au premier coup d'œil, les grands étendards rouges à croix gammée flottant au centre de la cité. C'était une ville morte, spectacle assez beau d'ailleurs, et comme d'une civilisation détruite. Rien de pathétique : une ville morte.* »

Il faut déblayer les ruines.

A Creil, les ruines du magasin « Au Bon Diable » où, le 9 juin, de nombreux militaires et civils ont péri, brûlés vifs.

Les ruines de Dunkerque dont les Allemands interdisent souvent l'entrée.

Les ruines d'Amiens qui sentent toujours le cadavre.

Les ruines d'Orléans sous lesquelles le feu couvera parfois jusqu'en septembre et parmi lesquelles une équipe d'obstinés chercheurs s'emploie à récupérer quelques vestiges historiques.

Le Musée Historique et le Musée Jeanne-d'Arc, qui ont brûlé, sont fouillés par les prisonniers (professeurs, étudiants, ecclésiastiques) dirigés par le chanoine Chenesseau. Ici, on trouve une porte ancienne, là neuf plaques de cheminée, plus loin un chapiteau du XIIIe, les éléments d'un cadran solaire en fer forgé, une pierre moulurée, plus loin encore un mort.

*

On a oublié les morts, le long des routes, dans les caves, dans les tranchées, dans les trous de bombes. On les retrouve. Il faut procéder à des exhumations et les inscriptions mentent souvent. Telle fosse commune, portant l'inscription « Douze civils », contient huit soldats ; là où l'on s'attend à trouver « une femme et son enfant », c'est un Sénégalais... et un cheval que l'on découvre.

Les morts ont été enterrés dans les champs et les paysans ont recueilli ce qu'ils ont trouvé dans leurs poches, afin de permettre une identification future, mais parfois les morts sont restés bloqués dans la carcasse de leur avion ou de leur char.

Il faut s'occuper des disparus. Tout un peuple de vivants, d'ailleurs, réclame des nouvelles de ces hommes dont on ignore tout et dont on espère qu'ils sont prisonniers en Allemagne ou blessés en Angleterre.

Une femme cherche à renseigner d'autres femmes. Germaine Lherbier Montagnon court ainsi la campagne à la poursuite des avions morts [1].

Dans les journaux locaux, parmi les petites annonces, elle publie un texte demandant qu'on lui signale avions abattus et tombes d'aviateurs.

Les paysans écrivent. Les paysans qui, en rentrant d'exode, ont trouvé des aviateurs empêtrés dans leurs cordes, des aviateurs écrasés, carbonisés...

1. Germaine Lherbier Montagnon dirigeait, depuis octobre 1939, la section I. P. S. A. des prisonniers de l'Armée de l'Air. Son livre, *Disparus dans le ciel*, est très beau, à la mesure de l'œuvre entreprise.

« Dans ma pâture, il y a un avion et une tombe sans nom dessus. J'ai mis des fils de fer barbelés pour le respect, à cause des bêtes. »

« Un avion a fait dans mon blé un atterrissage forcé parce qu'il avait reçu un obus et qu'il était en flammes. J'ai ramassé des morceaux d'aviateurs que j'ai inhumés près du puits et ma petite met des fleurs dessus chaque jour. »

« L'avion qui est tombé dans mes betteraves a explosé et l'aviateur aussi. »

« Ma pauvre dame,

« Moi, père de famille de huit enfants que jé perdu mon garçon à Dunkerque, et que je sui ancien combattant, je vous di que jé enterai un aviateur qu'a tombé le 6 juin. Jai pas trouvé son nom mai sété un bau petit jeune quavé des cheveux blont bouclai comme ma petite derniaire. »

*

Morts qui font partie de la vie quotidienne de tous ces départements qui se repeuplent, comme au retour d'énormes grandes vacances. A Paris où l'on ne comptait que 700 000 habitants le 14 juin, il y en a 1 051 306 le 7 juillet, 1 200 000 un mois plus tard. Mais « les beaux quartiers » demeurent toujours déserts.

Les autorités françaises estiment, au début d'octobre, que 3 500 000 personnes ont regagné leurs foyers.

Bordeaux s'est vidé. Il y avait encore 558 000 réfugiés en Gironde le 9 juillet ; un mois plus tard 320 000, au moins, sont partis.

Jusqu'en 1942, la Croix-Rouge rend à leur famille près de 90 000 enfants dispersés par l'exode !

Il est des réfugiés, cependant, dont les statistiques ne parlent qu'avec discrétion. Ce sont les habitants de la zone interdite. Réfugiés qui piétinent de longs mois en zone libre, les Allemands interdisant leur retour.

★

Peu de Français au cours des années 1940-1942, ont eu connaissance du drame vécu par la zone interdite. Parmi la masse des communiqués, le flux des événements et tant d'inquiétudes personnelles, combien, parmi ceux qui n'habitaient pas les départements intéressés, combien ont prêté attention à ces textes annonçant le 23 juillet la création d'une zone vers laquelle tout retour était impossible ?

Son tracé suivait le cours inférieur de la Somme, le canal de Saint-Quentin, passait par Chauny, Sainte-Menehould, Saint-Dizier et finissait par rejoindre la ligne de démarcation après avoir longé la Saône et le canal du Rhône.

En somme, douze départements : Nord, Pas-de-Calais, Somme, Aisne, Ardennes, Marne, Haute-Marne, Côte-d'Or, Meuse, Meurthe-et-Moselle, Vosges, Doubs ; douze départements comptant parmi les plus peuplés, les plus riches, les plus industrialisés vont être totalement ou partiellement, en dépit de toutes les conventions d'armistice, soustraits à l'administration et à la communauté françaises.

Les communiqués préfectoraux de juillet 1940 prévenaient les habitants de cette vaste zone : « *Il ne faut pas qu'ils comptent regagner leurs foyers dans un avenir rapproché.* »

Cependant, désireux de retrouver leurs foyers et leurs champs, même lorsqu'ils soupçonnent le pire, des milliers de paysans tentent de revenir en fraude en zone interdite.

La famille B... abandonne, en août 1940, le petit village de la côte bretonne où elle s'était réfugiée et où elle suivait, en compagnie de toute la population, les obsèques des soldats anglais apportés par la mer.

Des lettres venues des Ardennes parlent des camps de concentration de Maison-Rouge et de Tagnon où des milliers de clandestins arrêtés par les Allemands vivent sous la tente, couchent sur de la paille pourrie et cuisinent en plein air.

Qu'importe ! Les lettres parlent aussi des difficultés de ravitaillement, du pillage, du pessimisme des autorités officielles (le préfet des Ardennes estime que, dans les villes importantes, la dévastation est telle que ni agriculteurs ni commerçants ne peuvent envisager leur retour).

Il n'y a plus ni bœufs ni chevaux et certains paysans doivent rentrer leur blé avec une brouette.

Il n'y a plus d'ardoises pour couvrir les toits décoiffés par les explosions. Les médecins civils font défaut et ce sont des médecins prisonniers de guerre qui soignent la population. Dans les cas urgents, ils ont le droit d'utiliser le téléphone de la Kreiskommandantur de Vouziers pour alerter un chirurgien de Reims [1].

Pas d'écoles ouvertes.

Le courrier met de dix à douze jours pour atteindre les communes éloignées du chef-lieu d'arrondissement et, sur la ligne Sedan-Charleville-Montmédy, il est confié à un chef de train français circulant sur les convois allemands.

Ah ! qu'importe tous ces obstacles et ces décombres. Ils attirent les réfugiés comme la lumière les phalènes.

1. Télégraphe et téléphone ne seront rétablis partiellement, dans le département des Ardennes, que le 1er janvier 1941.

La famille B... quitte la Bretagne dans l'espoir de revenir à Monthois.

A Nantes, on ne délivre pas de billets pour Monthois. Seulement pour Châlons-sur-Marne, l'une des dernières villes avant la zone interdite.

« Là-bas, vous essayerez de vous débrouiller. »

Paris à 22 h 25. Un employé de la S. N. C. F. crie dans son porte-voix :

« Les réfugiés qui regagnent leur pays, venez ici. Vous serez les bienvenus au Centre d'accueil. Demain un camion vous conduira à votre gare de départ. »

Soupe chaude, ragoût de choux et de navets.

Sonnerie de clairon, c'est l'extinction des feux.

Clairon à 6 heures, c'est le réveil.

Un camion conduit les réfugiés à la gare de l'Est.

A Revigny, contrôle des gendarmes français et allemands, à Sainte-Menehould, contrôle encore. Tous ceux qui n'ont pas de papiers en règle sont refoulés. Mais ils s'obstinent. Ils passent la « frontière » en suivant des enterrements ou des voitures de déménagement. A Amiens, le 1er novembre, le pont-frontière voit passer bon nombre de réfugiés les bras chargés de fleurs, puis de plantes vertes lorsque les fleurs sont toutes vendues. Le cimetière étant de l'autre côté de l'eau, les Allemands les laissent passer sans se douter qu'ils n'iront prier sur aucune tombe. Il est vrai qu'ils peuvent toujours les arrêter plus loin et, plus tard, les expulser lorsqu'ils se croient enfin hors de danger [1] !

1. Les personnes rentrées en fraude (leur chiffre fut évalué à 120 000 le 31 janvier 1941 par le général Doyen, président de la délégation française auprès de la Commission d'armistice) furent d'ailleurs menacées d'expulsion, ce qui motiva une protestation supplémentaire des autorités françaises. 225 personnes furent refoulées le 9 décembre 1940 de Mézières-Charleville. Un délai de trente minutes leur avait été accordé pour préparer leurs bagages.

★

Pour quelles raisons les Allemands ont-ils créé la zone interdite ? Faut-il y voir l'amorce de constitution d'un Etat flamand comprenant la Hollande, la Belgique et les Flandres françaises ?

Le docteur Michel, chef des services économiques allemands en France pendant l'occupation, semble bien donner raison à cette thèse lorsqu'il écrit, en parlant de la « ligne Nord-Est » ou « ligne verte », qu'elle était née « *de quelconques réminiscences historiques non claires et fausses de Hitler* ».

Cet Etat — qui se serait appelé Thiois — aurait, très approximativement, reconstitué l'ancienne Lotharingie.

Les barrières dressées devant les réfugiés correspondaient également à une volonté très poussée de colonisation agricole dont l'Ostland se fit l'instrument [1]. « *Puisque les Français ont abandonné leurs terres, c'est à nous de les exploiter.* » Telle était, en toutes lettres, la thèse allemande.

L'Ostland établit sa centrale à Paris et cinq filiales s'installèrent respectivement à Amiens, Laon, Mézières, Charleville, Nancy et Dijon. Les services allemands firent venir des colons et des chefs d'exploitation poméraniens ou saxons, organisèrent le remembrement, parfois sur une très vaste échelle, occupant non seulement les terres des réfugiés, mais également celles des prisonniers.

1. L'Ostland ou Ostdeutsche Landbewirtschaftungs-gesellchaft (Société agricole d'Allemagne Orientale) avait son siège à Berlin. Elle fut créée par le ministre du Reich pour le Ravitaillement et l'Agriculture. Au mois de juin 1941, son nom fut changé en Landbewirtschaftung (service de culture), puis en 1942, en celui de Reichsland. Dans les départements de la zone interdite, l'Ostland était souvent désignée par les lettres W. O. L. (Wirtschaftsoberleitung).

C'est dans les Ardennes — département évacué en totalité en mai-juin 1940 — que l'expérience sera poussée le plus activement. Trois cent quatre-vingts communes sur cinq cent trois eurent à subir la présence de l'Ostland. Cent dix mille hectares furent occupés. Près de deux mille cinq cents propriétaires dépossédés en totalité. Le cheptel, les tracteurs, les charrues passèrent également entre les mains allemandes.

Lorsque le propriétaire arrive à « franchir » en fraude la « ligne verte », il se trouve souvent dans l'obligation de signer un contrat de travail et d'aller rejoindre, pour 50 francs par jour, dans ses anciens champs, des Polonais récemment déportés, des prisonniers sénégalais, marocains et belges.

Voici Jules Fortier revenu en mars 1941 dans son petit village d'Autrecourt. Le pays paraît désert. Plus une seule bête. L'herbe a poussé devant chaque maison. Draps et matelas ont été emportés, des piles de vaisselle non lavée s'entassent dans la cuisine.

Quelques jours plus tard, l'Allemand Fritz Martens, qui vient d'être nommé chef de culture, arrive lui aussi à Autrecourt. Martens est accompagné de quelques Polonais. Il choisit la meilleure ferme, réquisitionne, à droite et à gauche, le mobilier. Avec cela, assez bonhomme envers les prisonniers qui travaillent pour lui, ne dédaignant pas de verser 1 000 francs lors d'une représentation théâtrale à leur profit...

Parmi les 468 membres de la W.O.L. des Ardennes (dont 161 chefs de culture [1]) on trouve des

1. Sous leurs ordres, les Allemands employaient (en octobre 1943 dans les Ardennes) 12 980 personnes dont 2 594 prisonniers mis en congé de captivité, 4 910 civils français, 4 839 Polonais, 298 Belges, 339 Juifs...

hommes de caractères bien différents. Installés dans la plus belle maison du village, ayant à leur disposition cuisinière, femme de ménage, jardinier, interprète, dactylo, ils s'efforcent, la plupart du temps, d'éviter « les histoires » afin de conserver leur intéressante situation et laissent les prisonniers français vivre à leur guise dans les maisons vides.

Ils sont plus sévères pour les Polonais, déportés par familles entières, et que l'on répartit dans les fermes au hasard des besoins.

Où vont les récoltes ? En grande partie, vers le Reich. En quatre ans, le seul département des Ardennes fournira ainsi à l'Allemagne 425 000 quintaux de blé, autant de pommes de terre, 33 500 bovins, 2 300 porcs, 5 900 moutons, etc.

★

En septembre 1941, toutefois, les Allemands acceptent le retour de certaines catégories de repliés : propriétaires ou chefs d'entreprises agricoles, industrielles et forestières, bûcherons, charbonniers, tailleurs, plombiers, cordonniers...

On voit les villes, ruinées par la bataille, ramenées à la proportion de misérables villages, s'animer peu à peu. L'agglomération de Charleville et Mézières, 52 000 habitants avant la guerre, n'en compte plus que 1 200 le 6 juillet 1940, 3 000 le 28 août, 10 000 à la fin de l'année.

En septembre 1941, 180 000 Ardennais sur 290 000 sont rentrés chez eux.

Le 20 mai 1943, enfin, les Allemands suppriment la frontière de la zone interdite.

★

Si les autorités allemandes mettent des entraves au retour des réfugiés habitant la zone interdite, elles s'efforcent d'attirer les Alsaciens et les Lorrains.

Ceux-là ne reviendront jamais assez vite sur leur terre natale.

Dans les camps de prisonniers, des commissions recherchent tous les Alsaciens et Lorrains pour les libérer systématiquement.

Dans les départements du Sud-Ouest, où ils s'étaient installés en 1939, plutôt mal que bien, où ils avaient été reçus, plutôt mal que bien, par des populations ignorant leur dialecte, ne partageant pas leur foi religieuse, voyant avec inquiétude des maires, des curés, des directeurs d'école doubler soudain les maires, les curés, les instituteurs locaux, toute une propagande est menée pour inciter les Alsaciens et Lorrains au retour [1].

Chaque réfugié rentrant par le train a droit d'emporter gratuitement soixante-dix kilos de bagages. Ceux qui possèdent une voiture bénéficient d'une priorité. Et le 10 septembre 1940, la radio de Vichy se félicite de la bonne marche du rapatriement. « *Il ne reste plus que* 85 000

1. A la fin de 1939, les principaux départements d'accueil des Alsaciens et Lorrains sont les suivants : Charente, 90 000 ; Dordogne, 90 000 ; Vienne, 60 000 ; Gironde, 40 000 ; Landes, 25 000, etc...

Sur les conditions de vie, voici quelques exemples : A Saint-Etienne 2 000 réfugiés sont installés — très mal — dans le vélodrome ; à Charmeneuil, 1 600 évacués arrivent dans un village de 1 000 habitants ; en Dordogne, beaucoup de maires refusent de prêter les salles de classe pour la célébration du culte ; à Rochechouart, il y a 1 700 évacués pour 2 000 habitants, les Alsaciens sont couramment traités de Boches par les enfants, etc...

réfugiés alsaciens et mosellans en zone libre. Si tout se passe bien, le rapatriement sera terminé dans les premiers jours d'octobre. » Le cynisme le dispute à l'ignorance dans ce commentaire, car les Alsaciens et les Lorrains roulent vers une terre qui, déjà, n'est plus française.

Lorsqu'ils ont franchi la ligne de démarcation, les convois de réfugiés sont immédiatement pris en charge par des propagandistes nazis. En gare de Strasbourg — Strasbourg dont, le 19 septembre, la moitié de la population est encore absente ? guirlandes et banderoles attendent les « frères exilés ». Les attendent également des gamelles de soupe [1] et des discours.

La musique militaire joue *Deutschland Uber Alles* et *Horst Wessel Lied.*

Soldats et jeunesses hitlériennes crient « Sieg Heil » dans l'espoir qu'on leur répondra.

Les infirmières distribuent du chocolat et de petits drapeaux hitlériens aux enfants.

Les inscriptions proclament *Willkommen in der deutschen Heimat* (Soyez les bienvenus dans la patrie allemande).

Des cinéastes filment ces scènes « patriotiques » où l'attendrissement et l'enthousiasme font le plus souvent défaut.

Des centaines de milliers d'Alsaciens et de Lorrains sont pris au piège. Nul ne leur avait dit qu'ils allaient revenir en terre annexée.

Et les protestations du gouvernement de Vichy affirmant, notamment lorsqu'il apprit que des douaniers allemands s'étaient installés sur la fron-

1. A la date du 8 août 1940, les Allemands déclareront avoir servi 169 500 déjeuners et 94 100 dîners aux seuls Strasbourgeois.

tière de 1914, que « *ses droits à administrer l'ensemble du territoire demeuraient entiers* »[1] allaient se révéler sans pouvoir contre une décision prise de longue date et qui réjouissait la majorité des cœurs allemands.

Au cours des discussions d'armistice, aucune revendication allemande sur l'Alsace-Lorraine n'avait certes été élevée, mais Hitler sortant de la cathédrale de Strasbourg et s'adressant à ses soldats improvise un véritable référendum.

— Qu'en pensez-vous ? Devons-nous rendre aux Français ce bijou ?

— Non, non, jamais.

C'en est assez pour condamner l'Alsace et la Lorraine à redevenir promptement allemandes.

★

J'ai dépouillé les archives du petit village lorrain de Gandrange pour juillet et août 1940.

Le sort de centaines de villages alsaciens et lorrains n'ayant pas été différent de celui de Gandrange, on verra, par le nombre et la cadence des circulaires, combien est rapide l'action allemande[2].

1. Protestation du général Huntziger en date du 7 août 1940. Du 6 juillet 1940 au 22 août 1944, 112 protestations concernant le sort de l'Alsace et de la Lorraine, ou des Alsaciens-Lorrains ont été adressées par Vichy au gouvernement allemand ou aux autorités militaires. On en trouvera un relevé dans l'ouvrage de Louis Cernay : *Le maréchal Pétain, l'Alsace et la Lorraine.* Lors de l'expulsion des Alsaciens et des Lorrains, la protestation française fut exprimée en termes particulièrement vifs : « *La France se trouve en présence d'un acte de force... en présence d'un acte injuste... qui est également un acte inhumain.* » (18 novembre 1940.)

Mais tout en ne reconnaissant pas l'annexion et ses conséquences, le gouvernement de Vichy donna peu de publicité à ses protestations.

2. Jusqu'au 6 août 1940, 113 circulaires s'abattront sur le petit village de Gandrange. Toutes demandent une réponse immédiate.

Les Allemands, lorsqu'ils arrivent, en juin 1940, trouvent un village partiellement déserté. On pousse devant eux quelques habitants qui parlent leur langue.

M. S..., le garde champêtre, le curé, ainsi qu'un adjoint se présentent donc aux officiers allemands arrêtés devant le monument aux morts.

C'est un monument assez différent de ceux que l'on voit d'ordinaire dans les petits villages ; il représente Jeanne d'Arc dressée sur ses étriers.

En juin 40 la statue est protégée par une palissade qui empêche également de lire le nom des treize morts de 1914-18. Treize morts : sept sont tombés du côté français, six du côté allemand, mais le touriste, l'étranger ne pourront jamais distinguer entre les uns et les autres.

La première question des officiers allemands a trait précisément à la guerre de 14-18.

« Quels sont les déserteurs de la guerre de 1914 ? Leur famille habite-t-elle encore le village [1] ? »

Ce devait être le début d'un feu roulant de questions orales ou écrites.

Dans les derniers jours de juin, les Allemands recherchent les juifs. Il n'y en a pas à Gandrange. Mais tous ceux qui vivent sur le territoire alsacien et lorrain seront expulsés en juillet *avec* 30 *kilos de bagages et* 2 000 *francs en espèces* vers la zone non occupée [2].

Le 5 juillet, recensement des professions et de la population. Gandrange compte 728 habitants dont 627 Lorrains, 3 « Français de l'intérieur [3] », 12 Polo-

1. Il est bon de rappeler que, durant la Première Guerre Mondiale, plus de 18 000 Alsaciens et Lorrains s'engagèrent dans l'armée française. Plus de 3 000 tombèrent au champ d'honneur.

2. En novembre, tous les Juifs seront expulsés après confiscation de leurs biens.

3. Tous les « Français de l'Intérieur » résidant dans les trois départements alsaciens et lorrains seront bientôt expulsés.

nais, 33 Italiens, 7 Yougoslaves, 46 personnes appartenant à diverses nationalités. Plus tard (26 juillet), les Allemands recenseront les Lorrains faisant partie de sociétés artistiques ou de partis politiques. Nous saurons ainsi qu'à Gandrange le parti socialiste compte 21 membres, l'Action Catholique 75, l'Union nationale des Combattants 50, et le Souvenir Français 102. Il y a 30 musiciens et 18 pompiers. Les uns et les autres n'auront bientôt plus le droit de se mettre en uniforme.

Le 6, ordre de lutter quotidiennement contre les doryphores.

« Donnez-nous avant le 20 juillet le nom de ceux qui ne veulent pas participer au combat contre les doryphores. Ils ne toucheront plus d'indemnité de chômage. »

Le 6 encore, ordre d'arracher toutes les affiches françaises collées aux murs. Qu'il s'agisse de publicité pour le cinéma, le théâtre, une marque d'apéritif ou de savon, elles doivent disparaître comme « *traduisant une situation capitaliste* ».

Le 7 juillet, recensement des biens des juifs, ainsi que les châteaux et terrains appartenant à l'Etat français et aux Eglises.

Le 9 juillet, on demande à l'administrateur de Gandrange :

« Votre ville possède-t-elle une bibliothèque ? Si oui, vous devez la fermer immédiatement. Envoyez-nous la liste des livres. »

Les Allemands veulent priver la population de livres français. Dans quelques mois, ils feront même la chasse aux traductions qui finiront, elles aussi, sur le bûcher. « *Jetez à la rue ces produits crispés de la mensongère propagande française et de la haine des peuples. Vérifiez vos bibliothèques de façon que, à côté des œuvres de nos poètes et penseurs allemands, ne se trouve plus la littérature décadente française.* »

Le 9 juillet, également, les pompiers reçoivent l'ordre de lutter contre les rats tandis que les enfants, avec leurs instituteurs (qui seront bientôt remplacés par des instituteurs allemands ou iront faire des stages politiques en Sarre), sont mis à la disposition de la commune pour participer aux travaux des champs.

Le 14 juillet, la circulaire 3 251/A3 invite la population à participer à la lutte contre les mouches, au balayage des rues et des places, à la réparation des égouts.

Le 22 juillet, les administrateurs reçoivent l'ordre de changer le nom des principaux bâtiments municipaux. La mairie deviendra « Bürgermeisteramt », l'école primaire « Volksschule ». Les annonces bilingues sont interdites. C'est la grande offensive contre la langue française. Elle n'épargne rien.

Partout les villes sont rebaptisées et, dans les villes, les rues.

Gandrange devient Gandringen ; Thionville, Diedenhofen ; Sainte-Marie-aux-Mines, Markirch ; Marmoutier, Mesmünster ; Château-Salins, Salzburgen.

A Strasbourg, la place De Broglie s'appelle « Adolf Hitler Platz » ; la place de la République, « Bismarck Platz » ; à Mulhouse, la rue du Sauvage devient, elle aussi, « Adolf Hitler Strasse », ce qui fait bien rire les Mulhousiens. Il naît, un peu partout, des rues Gœring, Karl Roos et les bourgmestres reçoivent bientôt une circulaire d'une maison allemande, circulaire dont le dernier paragraphe, lu aujourd'hui, ne manque pas d'humour. Le fabricant de plaques bleues, qui fait ses offres de service et indique ses tarifs dégressifs, conclut, en effet, son texte par la phrase suivante : « *Nos plaques sont garanties quinze ans !...*

Les magasins, où tous les prix sont affichés en marks — la police fait des contrôles — ont dû également changer leurs noms et les boutiquiers ne peuvent plus s'adresser à leurs fournisseurs habituels. De force, il leur faut passer commande en Allemagne.

Les magasins, les lieux publics, l'école, la rue sont le champ de bataille où les Allemands mènent l'assaut contre le français.

Dans les magasins, des affiches proclament : *Ici, on doit parler allemand ;* mais l'on distingue aisément un Lorrain, un Alsacien d'un Allemand. L'un dit « Guten Tag », l'autre « Heil Hitler ».

Tous les films sont naturellement des films allemands et, dans les services publics, l'administration venue d'outre-Rhin a remplacé une administration française que les ordres de Vichy s'avèrent bien insuffisants à maintenir en place.

Dans les églises, les prêtres n'ont pas le droit de prêcher en français, mais l'on use de subterfuges. Beaucoup de Messins se rendent ainsi chez les Petites Sœurs des Pauvres, parce qu'ils savent que le chapelet y est toujours récité en français.

Dans les écoles, des cours intensifs d'allemand sont donnés aux petits comme aux grands. Puisque l'armée a décidé, le 24 juillet 1940, décision confirmée le 8 août par le gauleiter Wagner, que l'allemand serait désormais la seule langue autorisée, ne faut-il pas en précipiter l'enseignement ?

Mais les très nombreux « Derniers avertissements » qui paraissent dans la presse de langue allemande, avertissements adressés aux « *bavards et méchants imbéciles* » qui s'obstinent à parler français, démontrent au moins la ténacité de la résistance alsacienne et lorraine.

A la vérité, sortis de leur domicile (où ils sont parfois « encadrés » par deux familles de fonctionnaires venus d'Allemagne), beaucoup d'habitants gardent un silence prudent.

Non contents de germaniser les rues, les Allemands tentent de germaniser les noms. En novembre 1940, ceux qui portent des noms à consonance française reçoivent des listes de traduction à la lecture desquelles les Flajeolet s'appelleront désormais Bohn ; les Rochet, Roth ; les Ponton, Burger ; les Dupont, Brückner...

★

Guerre aux décorations françaises, guerre aux plus humbles des souvenirs de Paris : Tour Eiffel en plomb doré, ronds de serviette coloriés, porte-plume offrant dans un œillet de verre des vues du tombeau de Napoléon ; guerre aux mots « sel » et « poivre » sur les salières, « eau » sur les prises d'eau, aux inscriptions « boîte à lettres » et « Défense d'afficher ». Guerre au béret basque considéré bientôt par les Allemands, aussi bien que par les Alsaciens, comme un signe de ralliement à la France et d'opposition à la politique hitlérienne.

Lorsque J.-P. Leclère regagne son logement de Fontoy, il découvre que les Allemands ont détruit les cadres contenant sa nomination d'officier d'Académie, une lettre de l'Institut, la médaille de la Fidélité Française...

Ainsi, en attendant les expulsions massives, soit en direction de la France non occupée, soit en direction de l'Allemagne [1], en attendant l'entrée en

1. En mai 1943, on estimait que 40 000 Lorrains avaient été envoyés en Allemagne. Le chiffre total des Alsaciens et Lorrains déportés est estimé à 520 000, celui des mobilisés de force à 140 000.

vigueur, mois après mois, de toutes les lois allemandes, l'octroi d'office de la nationalité allemande (29 août 1942), la mobilisation de plusieurs classes, les Alsaciens et les Lorrains sont entrés, dès les premiers jours de l'occupation, dans la période la plus rude de leur existence si souvent bouleversée.

★

La France est désormais coupée en quatre.

A côté de la zone libre qui jouit d'un statut privilégié et uniforme, la zone occupée, délimitée par une ligne qui, partant de Saint-Jean-Pied-de-Port, frôle Mont-de-Marsan, Langon, Angoulême, passe à l'est de Tours pour toucher ensuite Vierzon, Moulins, Paray-le-Monial, Chalon-sur-Saône et Dôle. Zone occupée, elle-même partagée en trois zones, où la présence de l'administration et de l'armée allemandes se fait plus ou moins fortement sentir.

Tandis que l'Alsace et la Lorraine sont purement et simplement annexées, les départements de la zone interdite vivent sous un régime de type colonial accentué ; le reste de la zone occupée est, par contraste, légèrement mieux traité. L'armée et la police y font la loi, mais leur action se trouve souvent contrariée par la présence d'une administration française fidèle à ses traditions d'indépendance et à des traditions plus générales de lenteur et de prudence.

C'est dans ce cadre brisé, c'est à l'intérieur de ces bizarres et multiples frontières, uniques dans l'histoire de notre pays, que les Français devront vivre durant quatre longues années, fertiles en bouleversements et en drames.

CHAPITRE III

LIGNE DE DÉMARCATION : PASSAGE INTERDIT

LORSQUE les bonnes gens de Mont-de-Marsan parlent de Raoul Laporterie, ils ne manquent jamais d'ajouter qu'il reçoit « un courrier de ministre ». Un courrier sans proportion aucune avec l'activité de son magasin de confection. Un courrier d'un tel volume qu'il a dû mobiliser sa belle-mère, sa femme et sa fille chargées d'ouvrir les lettres, de trier, parfois de répondre à sa place.

Lettres en provenance de Lille, de Paris, de Bordeaux, de Saintes, de Pantin, de Reims, de Marseille, de partout. Que vend Laporterie pour que l'on glisse son nom, de ville en ville, d'ami en ami, comme celui d'un guérisseur fameux ou d'un inépuisable fournisseur de denrées rationnées ? Il ne vend aucun remède miracle. Il « fait passer ».

Lettres et gens.

« *Monsieur*, lui écrit Mlle Alsberghe, qui habite Tourcoing, *j'ai eu cet après-midi votre adresse par une amie et j'ose croire que vous m'excuserez de prendre la liberté de vous demander un service qui n'est pas sans danger pour vous.*

« *Si vous croyez pouvoir faire parvenir cette lettre, vous me rendriez très heureuse, car mon fiancé est sans nouvelles depuis un mois...* »

Jean Maître le prie d'expédier à sa belle-mère qui réside à Clamart « *un envoi de graines pour son jardin. Par ce même courrier, je vous expédie une boîte contenant quelques semences de pois, fèves, carottes, etc., le tout pas encombrant, et un peu de ficelle.* »

Et Mme Breton, qui habite près de Bucy-le-Long, dans l'Aisne, lui expédie ce touchant message :

« *Monsieur,*

« *C'est moi Mme veuve Breton, la maman du caporal Charles Breton qui m'avez envoyé votre adresse pour que vous tâchiez de faire passer ses lettres, alors je vous envoie ce petit colis : c'est du papier à lettres et si vous voulez je vous enverrai un mandat pour lui aussi, mais j'attends que vous me répondiez avant, car pensez que c'est dur pour une mère de savoir son fils sans argent, je compte sur vous et si vous pouvez lui demander s'il a besoin de linge je vous ferai un colis. Je compte sur vous.* »

Dans son petit bureau où s'accumulent les lettres, Raoul Laporterie autopsie, sans le savoir, la France de l'hiver 1940. Des centaines, des milliers d'inconnus lui confient leurs soucis.

Des parents cherchent leurs enfants, des enfants leurs parents et des fournisseurs leurs clients.

Des grand-mères demandent des détails sur la naissance de leur petite-fille. Des femmes sur la blessure de leur mari. « *Monsieur, excusez-moi de vous solliciter encore une fois...* » « *Monsieur, excusez-moi si je prends la liberté de vous écrire ;*

c'est parce que je n'ai plus de nouvelles de ma femme et de mes enfants... »

Raoul Laporterie fait un paquet des trois ou quatre cents lettres que le facteur vient de lui apporter. Il les glisse sous les coussins de sa Juvaquatre et s'éloigne en direction de la ligne de démarcation. La voiture 2 134 HU 2 est familière aux Autrichiens du poste. Laporterie est un bon vivant, bavard et aimable. Un soir, ne leur a-t-il pas donné des huîtres [1] ? Il passe régulièrement deux fois par jour. Parfois quatre. Jamais seul. Mais toujours avec des papiers « corrects ». Ses compagnons présentent, eux aussi, d'insoupçonnables ausweis. Ce sont, en apparence, d'honorables frontaliers, des habitants de Bascons, cultivateurs, retraités, petits propriétaires qui « profitent » de l'auto du maire.

Le poste de contrôle est situé à la sortie de Mont-de-Marsan, sur la route d'Aire-sur-l'Adour, dans un creux de terrain.

Laporterie coupe le moteur et prépare son « Ausweis für kleinen Grenzverkehr » (Laissez-passer pour la traversée des petites frontières).

« Surtout, ayez l'air naturel », souffle-t-il à ses passagers.

Il a avec lui une jeune femme qui rejoint son fiancé, un prisonnier évadé qui veut gagner la zone libre d'où il partira peut-être pour l'Espagne, une femme et son mari qui, avec leur bébé, vont passer quelques vacances près d'une parente épicière...

Les soldats allemands font descendre tout le

1. Ce soir-là, Raoul Laporterie avait glissé sous son siège le drapeau du 52ᵉ bataillon de mitrailleurs indochinois « oublié » à Arcachon dans les combles de l'Hôtel de France occupé par un état-major allemand.

monde, vérifient machinalement ausweis et cartes d'identité. Ils adressent un petit sourire à ce bon M. Laporterie qu'ils reverront tout à l'heure. C'est fini. La Juvaquatre prend son élan pour grimper la côte. Les passagers de la voiture s'ébrouent joyeusement.

« Eh bien, dit l'évadé, votre truc a marché comme sur des roulettes.

— Bah ! j'ai l'habitude, fait Laporterie. Et puis, les ausweis sont bons.

— C'est vrai ça.

— Et les cartes d'identité sont bonnes aussi. »

L'évadé éclate de rire.

« Oui, mais elles ne sont pas vieilles. »

Laporterie les a terminées quelques heures plus tôt.

Et, dans son magasin de Mont-de-Marsan, il a obligé tous ses passagers à se dépouiller de leurs papiers d'identité.

« Je vous les renverrai, après-demain. Avez-vous apporté une photo ? »

Il dévisage ses hôtes, se penche sur un jeu de cartes d'identité.

« Voyons, 30 ans, 1 m 70, cheveux châtains, ça devrait faire l'affaire, vous vous appellerez... n'oubliez pas... »

A chacun, il donne un nom. Le nom d'un mort.

Maire de Bascons, petite commune de zone libre, située à quelques kilomètres de Mont-de-Marsan, Laporterie a obtenu un laissez-passer pour se rendre quotidiennement à son magasin de Mont-de-Marsan, en zone ocupée. Cette facilité lui permet de faire passer les lettres d'une zone à l'autre. Ce n'est pas assez. Il a imaginé de « ressusciter » une vingtaine de ses administrés pour lesquels les Allemands lui ont, sans y voir malice, délivré des ausweis, et pour lesquels il a établi des cartes d'identité presque complètes. Seule la photo manque encore.

Qu'un volontaire pour le passage se présente, Laporterie tient à sa disposition ausweis et carte d'identité véritables. Il suffit de coller une photo pour que tout soit en ordre.

Une photo, c'est la seule chose qu'il réclame instamment de ses correspondants. Pas d'argent. Il n'acceptera jamais d'argent.

Juifs, prisonniers évadés, amoureux, commerçants, fonctionnaires se communiquent l'adresse de Mont-de-Marsan. Le nom de Laporterie fait boule de neige. « *A la Croix-Rouge de Châteauroux,* lui écrit-on depuis Limoges, *j'ai rencontré des gens du Nord, des Roubaisiens et une dame de la Croix-Rouge de là-bas et elles m'ont dit que si je voulais passer des lettres pour la France occupée, je pouvais passer par vous.* »

Il en est à son deux millième « passager » (il fait aussi passer dans le sens zone libre-zone occupée) et ne compte plus les lettres postées, les mandats et les colis envoyés, lorsque la Gestapo s'inquiète de sa débordante activité.

A partir de l'automne 1941, Laporterie répond, avec une mélancolie de demi-solde, aux lettres qui arrivent toujours : « *Les circonstances actuelles m'interdisent formellement de vous rendre le service que vous me demandez, mais je reste cependant à votre disposition pour vous fournir tous les renseignements utiles. L'affaire dont vous me parlez peut se faire par l'intermédiaire d'un ami...* »

★

Tout au long de la nouvelle frontière qui sépare la France de la France, ils sont ainsi des centaines de Laporterie à faire passer clandestinement les lettres qui commentent les sèches cartes interzones et les hommes qui n'ont pu obtenir un laissez-passer, ou n'ont pas voulu en demander, lorsqu'ils sont suspects à toutes les polices.

Qu'ils se fassent, ou non, payer leurs services (le passage d'une lettre coûte 5 ou 10 francs, celui d'un homme, au début, de 100 à 200 francs, mais il atteindra très vite jusqu'à 5 000 francs), les passeurs répondent à un besoin de l'heure.

Roger Langeron, préfet de police, note à la date du 10 septembre 1940, les points sur lesquels le public parisien demande le plus fréquemment des explications. On remarquera que la correspondance avec les prisonniers ne vient sur cette liste qu'en quatrième position.

— *Circulation entre les deux zones.*

— *Dans quelles conditions fonctionne le bureau des laissez-passer ?*

— *Transfert des marchandises de zone à zone.*

— *Correspondance et colis aux prisonniers.*

— *Conditions dans lesquelles les militaires allemands ont le droit de réquisition et pièces qu'ils doivent produire. Où peuvent être déposées les réclamations ?*

— *Restrictions à la circulation des voitures.*

— *Restrictions à la vente des pneumatiques et accessoires d'autos.*

— *Conditions de réquisition des voitures et paiement des indemnités.*

— *Droit et devoir des associations.*

Les Allemands ont fait de la ligne de démarcation un véritable instrument politique, dont ils renforcent l'efficacité par les ordonnances du 4 octobre 1940 et du 28 avril 1941. Son ouverture ou sa fermeture sont fonction de l'humeur allemande du moment, ainsi que des rapports entre Berlin et Vichy.

★

Réussit-il à arracher un ausweis, le Français moyen a, d'ailleurs, l'impression d'avoir gagné une bataille. C'est presque la revanche de juin 40.

Au début de l'occupation, les bureaux allemands avaient été submergés par un torrent de certificats médicaux, le plus souvent de complaisance. Toutes les Françaises avaient besoin de cures thermales à Châtelguyon, à Royat, au Mont-Dore, à Cauterets. Toutes ces malades jugeaient la présence de leur fille indispensable et le médecin garantissait qu'une infirmière leur était nécessaire. Mensonges vite éventés. Au bas de presque chaque demande médicale, les Allemands se contentent de mettre cette formule qui ne laisse aucun espoir : « *Je vous prie d'aviser le demandeur qu'un laissez-passer ne peut lui être délivré... nicht ausgestellt werden kann.* »

Il faut donc aller plus loin dans le malheur ou dans le mensonge et se procurer ces télégrammes qui emporteront la décision allemande : maladie grave d'un conjoint ou de parents, inhumation, accouchement aux suites délicates, naissances prématurées, tout cela vrai ou faux (souvent faux), mais certifié conforme par la mairie du lieu d'expédition.

A Paris, il est nécessaire ensuite de se lever matin pour prendre le premier métro : celui des pêcheurs à la ligne. Mais ce n'est pas assez. Arrive-t-on rue du Colisée, où sont installés les services allemands, c'est pour se trouver en concurrence, dès 5 h 40 (le couvre-feu prend fin à 5 heures du matin), avec trois cents personnes installées là sur des pliants avec tricots, livres et mines de circonstance. Trois cents personnes bien décidées à exhiber frénétiquement leurs malades et leurs morts, à se frayer passage à coups de moribonds et de cadavres jusqu'à ces bureaux où des officiers ennuyés et polis examinent la qualité des péritonites et soupèsent la valeur des crises cardiaques.

Les trois cents deviennent cinq cents. Mais les Allemands n'accordent leur attention qu'à cinquante cas par matinée. Il faut revenir. Si l'on habite le quartier, ou si l'on se résigne à passer la nuit dans quelque couloir, on a chance d'obtenir satisfaction... sans être assuré d'arriver à temps pour l'enterrement.

A Tournus où se trouve le bureau des « laissez-passer urgents » (ouvert de 8 heures à 12 heures et de 14 heures à 17 heures) c'est un rassemblement pitoyable de gens douloureux, émus, inquiets mais prêts à se battre pour atteindre plus vite la zone libre qui commence quelques centaines de mètres plus loin.

Pour les personnages officiels : préfets, ministres de Vichy, l'ausweis n'est pas un droit : tout juste une grâce accordée à qui le mérite. Nommé ministre de l'Education nationale, Carcopino songe à rejoindre son poste à Vichy. Les Allemands lui font attendre dix-sept jours l'autorisation nécessaire. Xavier Vallat est-il, avec l'accord allemand, promu commissaire aux questions juives, on lui refuse ce laissez-passer permanent que l'amiral Darlan reste longtemps le seul ministre à posséder. Ainsi, dit expressément la note allemande du 5 avril 1941, il sera plus facile de « pouvoir contrôler ses voyages ».

La ligne de démarcation est devenue comme la tartine de confiture du peuple français. Lorsqu'il n'est pas sage, ou que son gouvernement commet quelque incartade, on la confisque, je veux dire on la ferme. Les prétextes ne manquent pas pour des fermetures de plus ou moins longue durée. En août 1940, découvre-t-on dans un train quelques juifs qui, en violation des lois, regagnent Paris, les Allemands, non contents de refouler le train, ferment la ligne pour vingt-quatre heures.

Les événements de décembre 1940, le renvoi et l'arrestation de Pierre Laval entraînent, comme première mesure, l'interdiction du passage à tous les hommes entre 18 et 45 ans. Quant aux ministres de Vichy, ils devront attendre quatre mois et demi avant de pouvoir retourner à Paris.

Prisonniers, ligne de démarcation, ravitaillement ; les Allemands ont ainsi entre les mains un triple et très efficace moyen de chantage. En empêchant la circulation des marchandises d'une zone à l'autre, ils peuvent asphyxier les deux Frances. En restreignant la circulation des correspondances et des personnes, ils portent un coup terrible à la vie familiale d'un peuple dispersé aux quatre vents par la guerre et l'exode. La ligne ne s'ouvre même pas pour les fiancés désireux de se marier.

★

Fiancée, au moment de la guerre, à un entrepreneur de Travaux publics de Gand, Mlle Karthal a été entraînée par l'exode jusqu'à Annecy.

Toutes ses demandes pour revenir en zone occupée sont repoussées, comme sont repoussées les demandes de son fiancé. Elle se désespère lorsque, au cours d'un dîner, un ami lance, en guise de plaisanterie :

« Mais mariez-vous donc sur la ligne de démarcation comme ce soldat français qui, au début de la « drôle de guerre », s'est marié avec une Belge sur la ligne frontière. Le bourgmestre avait placé une table entre la France et la Belgique. Pourquoi n'essayez-vous pas ? »

Mlle Karthal tente sa chance. Elle a écrit au ministère de l'Intérieur à Vichy et le ministre accepte sa demande. De leur côté les Allemands sont d'accord pour laisser son fiancé, Charles d'Have, aller jusqu'à la barrière de la ligne de démarcation où sera célébré le mariage. On a choisi la commune d'Arbois et le 27 décembre 1941, sous la neige, Mlle Karthal et Charles d'Have s'avancent l'un vers l'autre en présence de quelques douaniers allemands.

Le maire d'Arbois, le docteur Lefort, fait ouvrir par son secrétaire le registre de l'état civil où les mots « ont été mariés à la mairie d'Arbois » ont été rayés pour y substituer « ont été mariés sur la ligne de démarcation ».

Le maire pose le registre sur le poteau frontière. Charles d'Have prend les mains de sa fiancée. Jean Bonnet, chauffeur du taxi à gazogène, qui a amené le fiancé, a accepté d'être témoin. Le maire prononce les paroles qui lient les deux jeunes gens et il ajoute :

« Qu'aucune ligne de démarcation ne s'introduise jamais dans votre foyer. Conservez seulement de cette cérémonie singulière, imposée par l'histoire, le souvenir que l'amour triomphe de tous les obstacles. »

C'est fini.

Mariés, M. et Mme d'Have s'en vont chacun de son côté.

★

Dans ces conditions, chaque adoucissement apporté au franchissement de la zone est reçu avec soulagement par la population, même si elle soupçonne de quel prix cet adoucissement a été payé [1].

1. C'est ainsi qu'en septembre 1941, les Allemands accordent des laissez-passer spéciaux aux industriels et commerçants de zone libre désireux de visiter la Foire de Paris qui dure du 6 au 18 septembre.

Et les gouvernements français qui se succèdent ont tous pour but d'apporter quelque amélioration spectaculaire au régime de la ligne de démarcation. Le 9 mai 1941, les journaux annoncent ainsi qu'à la suite d'un accord réalisé entre l'amiral Darlan et les autorités allemandes, la ligne de démarcation sera ouverte, de façon générale, au passage des marchandises et des valeurs. « *En ce qui concerne les personnes, elles seront autorisées à circuler entre les deux zones en cas de maladie ou de décès d'un parent proche.* »

En outre, la libre correspondance est rétablie au moyen de cartes postales non illustrées qui remplacent les fameuses cartes interzones où la vie familiale et affectueuse tient en quelques formules imprimées entre lesquelles il faut faire son choix.

La ligne, cependant, ne sera totalement supprimée qu'au mois de février 1943. Depuis le 11 novembre 1942 — date de l'invasion de la zone libre — elle n'a plus d'utilité puisque la France entière est occupée, mais elle va faire l'objet d'un dernier marchandage. Sa suppression « paye », en partie, la création du Service du Travail Obligatoire décidée le 16 février 1943 pour les jeunes gens nés en 1920, 1921 et 1922.

★

Le train s'arrête dans la nuit. Les voyageurs ont froid. Une misérable ampoule, recouverte de peinture bleue tire à peine de l'obscurité des visages fatigués.

La voix d'un haut-parleur, la voix que tout le monde attendait en silence, emplit la nuit : « Chalon, cinquante minutes d'arrêt. Le contrôle des voyageurs se fait dans les compartiments. Tous doivent rester à leur place, personne n'a le droit de descendre sur le quai [1]... » Les voyageurs, complètement tirés de leur mauvais sommeil, allument une cigarette, vérifient instinctivement (le geste que l'on a à l'approche de toutes les frontières) le contenu de leur portefeuille, quelques-uns s'enferment dans les waters pour glisser derrière la cuvette un papier compromettant. Le wagon redevient silencieux. Sur le quai vide, des soldats allemands sont postés de loin en loin. Baisse-t-on les vitres bleues et rayées de coups de canif, on devine une petite gare sinistre noyée dans un brouillard blême.

« Fermez ! On crève de froid ici. »

Un pas approche. Rudement tirée, la porte laisse passage à un officier allemand. Il éclaire le compartiment : « Préparez les cartes d'identité et ausweis de passage. » Ceux qui sont habitués font les gestes nécessaires. Ils présentent leurs papiers au second officier qui ne tarde guère. Ils ont le geste négligent et l'air de penser à autre chose. Mais ceux qui passent cette frontière pour la première fois ne peuvent s'empêcher de trembler un peu. Ils sont toujours en faute. Qui n'est pas en faute en ces temps tragiques ? L'officier salue et s'en va.

Surgit un troisième Allemand : « Qu'avez-vous à déclarer ? Avez-vous des papiers d'affaires ? des lettres ? des devises étrangères ? » Tout le compartiment, les dents serrées, répond « non » par son silence. Un silence épais. De l'œil, chacun guette les réactions du voisin et observe les mouvements du douanier. Il a l'habitude de s'adresser

1. Ailleurs, la formule était différente. A Langon, par exemple, c'était : « Langon. Ligne de démarcation. Quarante-cinq minutes d'arrêt. Tous les voyageurs descendent de voiture avec leurs bagages. » A Langon, pendant que les voyageurs passaient devant les policiers, des douaniers fouillaient les compartiments. La fouille des voyageuses fut, pendant quelques mois, effectuée, en l'absence de personnel spécialisé, par deux femmes interprètes.

à des compartiments de sourds-muets cet homme-là. Cela ne le gêne nullement pour faire son travail. Il ouvre trois ou quatre valises, dérange des casse-croûte, plonge sa main dans des haricots ou du beurre, rafle les journaux publiés en zone occupée, inspecte deux ou trois portefeuilles, étale des billets de cent francs, des photos de famille, des cartes professionnelles, des images de première communion. Trouve, ne trouve pas. Attention aux vieilles lettres. Anatole de Monzie, à qui le douanier de Langon demande :

« Avez vous des lettres ? »

lui confie sans soupçon son portefeuille où se trouve cependant une lettre oubliée. Au temps où les Allemands multiplient leurs victoires russes par des victoires africaines, l'ami qui lui écrit n'en prophétise pas moins la défaite d'Hitler. La lettre vogue de douanier en officier supérieur. Celui-ci a un beau sourire. Nous sommes le 22 août 1942. Le communiqué annonce qu'entre Volga et Don, la Wehrmacht a remporté de nouveaux succès. Dans le secteur du Caucase, les troupes du Reich poursuivent leur avance. Et les Allemands publient le bilan des pertes anglaises à Dieppe : 3 500 morts, 1 800 prisonniers.

« Monsieur, quoi qu'en dise votre correspondant, nous ne sommes pas perdus et je vous prie de vous ranger de ce côté [1]. »

« Ce côté » c'est celui des délinquants de peu d'importance, que l'on conduit en troupe à la gendarmerie (étudiant, chaudronnier de Courbevoie, paysans, Marocain évadé d'un camp de prisonniers) et qu'après un interrogatoire rapide l'on enferme pour huit ou quinze jours : c'est le tarif le plus bas ; celui qui sanctionne l'absence d'ausweis, le

1. Anatole de Monzie, *La Saison des juges.*

port de lettres ou de papiers que les douaniers jugent peu compromettants...

★

D'un bout à l'autre de la nouvelle frontière le long de laquelle les Allemands ont posé des écriteaux « Demarkationslinie überschreiten verboten », « Ligne de démarcation, passage interdit », les Français redoublent donc de ruses.

Le tracé même de la ligne facilite parfois le passage, soit qu'elle partage un village en deux, soit qu'elle isole le presbytère de l'église, l'école du reste du village. Il suffit alors de se glisser de maison en maison, puis de traverser brusquement ou négligemment une rue. La frontière est franchie.

Ailleurs, il y a l'auto de Laporterie.

Ailleurs, le corbillard suivi par une foule émue et qu'aucun lien de parenté ou d'amitié n'attache cependant au défunt. Mais puisque le cimetière est en zone non occupée...

Ailleurs, c'est une femme du pays que l'on suit à travers les vignes. On se dissimule un instant pendant qu'elle va inspecter la grand-route. S'il n'y a pas de patrouille à l'horizon, elle s'essuie le visage avec un mouchoir. C'est le moment de bondir [1].

Ailleurs (et l'aventure est arrivée à Guillain de Bénouville), on passe dans la camionnette d'un épicier que les Allemands n'inquiètent pas car il ne se montre pas avare de chocolat. Entassés derrière des caisses et des bouteilles, plusieurs dizaines d'officiers ont pu ainsi arriver à Bourges.

Ailleurs, c'est à Saint-Aignan-sur-Cher, on passe

1. Mme Arnaud, à Sainte-Foy-la-Grande, rapporté par L.-H. Nouveau, *Des Capitaines par milliers.*

dans le camion du marchand de vins... caché dans un demi-muid.

Ailleurs, c'est le presbytère qui sert de lieu de rendez-vous. A La Haye-Descartes, celui de l'abbé Déan, qui sera arrêté après avoir sauvé deux mille personnes. A Chissay, le presbytère de l'abbé Tardiveau à qui il arrive de guider un convoi de cent personnes en direction de la ligne de démarcation.

Ailleurs, c'est à La Rochefoucauld, il faut demander par deux fois M. Maurice, puis se rendre, muni de ses instructions, à l'*Hôtel du Grand-Cerf* où la patronne assure les passages.

Ailleurs encore, c'est à Langon, il suffit de se promener dans les beaux vignobles d'une propriété située sur la route de Bazas pour atteindre enfin une petite porte qui ouvre sur la zone libre.

De véritables troupes affluent ainsi, presque quotidiennement, dans les villages proches de la ligne de démarcation. Tournant résolument le dos à la gare, traînant valises et enfants, ces curieux voyageurs, dont tout le pays devine la destination, se rendent dans un café, parfois plein d'Allemands indifférents, et attendent avec fébrilité le passeur et la nuit [1].

Quelle joie lorsque le passeur prononce les mots libérateurs.

« Vous êtes en zone libre ! »

Le rabbin Netter qui vient de franchir le Cher, près de Vierzon, note dans son journal : *« Ah, quel soulagement ! Quelle joie et quel bonheur !*

1. Robert Aron, qui est passé à Montceau-les-Mines, note que le passeur circulait de table en table et, sans aucune précaution, disait à chacun des nouveaux venus : « Vous êtes là pour passer la ligne ? » Quant aux Allemands, la procession des candidats à l'évasion se rendant deux par deux vers la ligne ne les inquiète pas, « ils n'étaient pas chargés de surveiller les passages.. », R. Aron : « *Le Piège où nous a pris l'Histoire.* » Naturellement, ce n'était pas toujours aussi simple.

avoir échappé à un véritable danger de vie et de mort ! Du plus profond de mon être, je rendais grâce à la Providence de m'avoir fait sortir sain et sauf d'une situation extrêmement périlleuse. »

Parfois la casquette de la S. N. C. F. dissimule un voyageur clandestin et le train spécial Paris-Vichy qui, deux fois par semaine, fait la liaison pour les ministres et fonctionnaires, sert aussi au transport d'hommes dépourvus d'ausweis. Dans le tender, entre l'eau et la soute à charbon, le mécanicien et le chauffeur ont installé une inconfortable, mais presque indécelable, cachette [1]. Lorsque le train arrive au poste frontière de Moulins, les cheminots, par surcroît de précaution, décrochant la machine et le tender, partent faire de l'eau et ne reviennent qu'à l'heure du départ, ce qui évite les inspections.

Dans les premiers mois de l'occupation, lorsque le passage de la ligne n'est pas strictement réglementé, certaines influences peuvent jouer. C'est ainsi que les Allemands se montrent assez larges pour les artistes lyriques que leurs contrats appellent à Toulouse. A Langon, sur le quai de la gare, ils sont « pris en charge » par le frontalier Roger Tourné qui explique leur situation au poste de contrôle. Au courant de ces succès, des amis demandent à Tourné d'aider l'un de leurs parents à passer en fraude. On convient d'un signal de reconnaissance et Tourné décide de « présenter » son clandestin comme artiste de l'Opéra. Lorsqu'il se trouve en présence du voyageur, Tourné s'aperçoit avec stupéfaction que « l'artiste » est affublé d'un volumineux appareil contre la surdité. Tant pis. Le soi-disant ténor s'enveloppe la tête de son

1. Elle sera utilisée par bien des résistants et, notamment, par Médéric.

cache-col tandis que son guide explique aux Allemands qu'il est non seulement dépourvu de laissez-passer, mais également aphone et fort inquiet pour la représentation du lendemain !

★

Lorsqu'ils ont franchi la ligne, la plupart des clandestins d'un moment s'éloignent vers le Sud.

Il en est cependant qui, faute d'argent et de relations, restent groupés et s'entassent dans les petits villages frontières de zone non occupée. C'est le cas de nombreux israélites. En août 1942, ils sont quatre cents à Confolens, deux cents à Chasseneuil, autant à Chabanais. Le problème de leur nourriture comme de leur logement est difficile à résoudre dans une région souvent pauvre, où les prix montent sans cesse.

A Romazière cependant, un hôtelier accepte de fournir pour dix francs (ce qui est peu) deux repas par jour aux réfugiés qui passent la nuit par terre, dans la grande salle du restaurant. A Limoges, où l'on demande cinq cents francs pour une chambre, l'abbé Glorieux, Mlle Durand et Mlle Rivière s'occupent de quelques-uns de ces malheureux parmi lesquels on trouve bon nombre d'enfants qui ont franchi la ligne tout seuls ou dont les parents ont été arrêtés sous leurs yeux. C'est le cas des enfants du poète Pierre Créange.

Comme les Allemands, après avoir examiné les faux papiers, veulent retenir toute la famille pour complément d'information, l'aîné des gosses dit d'un ton qui semble naturel aux feldgendarmes :

« Nous ne connaissons pas ce monsieur et cette dame », et les parents ont le courage de confirmer.

« Ces enfants ne sont pas avec nous. Nous ne les connaissons pas du tout. »

Les deux petits passent. Encadrés de policiers, Pierre Créange et sa femme s'éloignent vers leur destin. Nul ne se retourne [1].

★

Ligne de démarcation. Le tracé en est connu jusqu'en Angleterre puisque la ligne est le premier obstacle qui se dresse devant les aviateurs anglais tombés en territoire occupé. La carte de France, imprimée sur le mouchoir de soie qu'ils emportent pendant le vol, comporte naturellement le tracé de la ligne de démarcation. Mais il arrive que ce tracé soit faux. Dans la région de Montpon, le dessinateur s'est trompé de six à huit kilomètres, ce qui aurait pu avoir des conséquences graves si, le plus souvent, les aviateurs anglais n'avaient été convoyés (avec interdiction de parler) par des résistants au courant des passages et des difficultés du chemin...

Avec ou sans ausweis, inquiétés ou non par les douaniers, fouillés ou non par des hommes et des femmes qui, dans une petite pièce, font déshabiller le patient, sondent les chaussures, inspectent minutieusement l'ourlet des vêtements, la coiffe du chapeau, retournent les chaussettes et s'inquiètent même des cachettes anatomiques :

« Levez le bras, monsieur... Baissez-vous, monsieur... » des centaines de milliers de Français ont, un jour ou l'autre, franchi la ligne.

La plupart, commerçants, fonctionnaires, fiancés,

1. Rapporté par Mme Mesnil-Amar.

vacanciers en mal de Côte d'Azur, Français moyens en quête de ravitaillement, ont borné là leurs exploits. Pour d'autres, la minorité, le passage de la ligne n'est qu'un premier acte sur le chemin de la liberté.

CHAPITRE IV

VOYAGES SANS PASSEPORT

UN soldat du 7e régiment de tirailleurs marocains, que la débâcle avait entraîné jusqu'à Marseille, raconte comment, dans les premiers jours de juillet 1940, il a tenté de rejoindre l'Espagne.

« *Avec cinquante-cinq centimes en poche, pendant huit jours, tant à pied qu'en voiture que je hélais sur la route et en chemin de fer en fraude, j'ai gagné la frontière espagnole à 3 kilomètres de Cerbère, n'ayant eu pour toute nourriture que quelques grappes de raisin dérobées la nuit dans les vignobles.* »

Touchant au but, le fugitif est arrêté par les gendarmes et conduit à Banyuls-sur-Mer.

Il ne lui á manqué qu'un peu de chance à une époque où, faute de filières, la chance est une condition indispensable.

Mais, très vite, les passages en direction de cette frontière d'Espagne qui, seule, ouvre encore les portes du monde libre, s'organisent. Passeur. C'est le nom d'un métier et d'une vocation.

Un métier qui a ses risques, mais qui rapporte gros aux Andorrans, aux Espagnols, aux contrebandiers familiers des sentiers de montagne qui l'exercent presque quotidiennement et pour qui l'homme traqué représente une denrée plus précieuse encore que le tabac, l'alcool, les bas de soie, l'huile d'olive, le café que l'on arrive à vendre 1 400 francs le kilo aux amateurs français.

Passeur. C'est un métier pour lequel des hommes, héros ou assassins en puissance, abandonnent leur métier.

Comment, en effet, ne pas évoquer l'affaire Petiot ?

Spéculant sur le désir de fuite, non seulement des juifs mais aussi de certains mauvais garçons parisiens, le docteur Petiot les attire dans son cabinet de la rue Le-Sueur. Il a ses « rabatteurs », un coiffeur, un maquilleur, qu'il paye à raison de 5 000 francs par client, des clients riches car Petiot, qui promet le passage pour l'Amérique du Sud, ne veut traiter qu'avec des gens fortunés, à qui il demande de le rejoindre avec bagages, or et bijoux.

On sait comment, asphyxiés, puis découpés en morceaux et brûlés dans la chaudière du central, les hommes et les femmes qui avaient eu le tort de faire confiance au docteur Petiot, achevaient leur voyage rue Le-Sueur.

Lorsque le commissaire Massu fit dresser l'inventaire des bagages des fuyards, les policiers recensèrent 28 complets d'hommes, 13 pantalons, 110 chemises, 120 jupes, 55 culottes de dames, 77 paires de gants, 311 mouchoirs, 3 nappes, 9 draps, etc.

Le « succès » de Petiot et l'impunité dont il bénéficia longtemps éclairent d'un jour exact cette époque où l'on fait confiance à n'importe qui et où la disparition et le silence d'un homme n'inquiètent aucun de ses proches.

★

L'homme traqué, le juif le plus souvent, est en effet disposé à payer cher pour sauver sa vie. On lui demande entre 5 000 et 50 000 francs [1].

Le tarif oscille suivant l'époque, les difficultés et les dangers du moment, la longueur du chemin, l'âpreté du passeur et la mine du fuyard. Habitués à évaluer du regard une bête, les passeurs savent aussi évaluer un homme. Celui-là vaut « tant ». Ils n'en démordent pas et, d'ailleurs, lorsque la caravane est en route, le passeur devient maître absolu de la vie et de la mort.

Lui seul sait reconnaître le chemin parmi les éboulis, sait lire dans le ciel comme dans le paysage et annoncer le salut lorsque tous désespèrent. Membre d'une « organisation », il n'a touché, bien souvent, au départ, que 3 ou 4 000 francs par homme. Les intermédiaires postés à Paris ou à Toulouse, les véritables agents recruteurs qui chuchotent des adresses et proposent des filières se partagent le reste. Aussi, en pleine montagne, il arrive que le passeur demande un « supplément ». C'est à prendre ou à laisser. Il lui suffit de faire mine de redescendre vers la vallée pour voir s'ouvrir les portefeuilles.

Ce sont là des drames mineurs. Il en est d'autres.

★

1. Pour la frontière suisse, les prix varient entre 3 000 et 8 000 francs.

Le 24 novembre 1942, Mme Henriette Courdil et Morchon prennent en charge à Toulouse Pierre Dreyfus-Schmidt, député de Belfort, André Dreyfus-Schmidt, Roger Lanzalbert, Jean-Paul Scherrer et Jacques Grumbach, rédacteur au *Populaire.*

Les cinq hommes arrivent de Paris, d'où ils sont partis dans l'intention de gagner l'Espagne, mais en se fiant, pour trouver une filière de passage, aux hasards de la route.

Toulouse regorge d'indicateurs à l'affût des juifs. C'est la bonne saison. Depuis que les Allemands ont franchi la ligne de démarcation, les juifs fuient vers la frontière espagnole. Grumbach, qui, pendant la guerre d'Espagne, a rendu service à des Catalans, est mis en rapport dans un café de la place Extérieure-Saint-Michel avec « Ramon la Bascule », rabatteur d'un groupe qui organise des passages.

Longuement, on discute du prix.

Le 24 novembre, c'est dans le hall de la gare de Toulouse, bourré de policiers et de soldats allemands, que s'effectue le règlement. Chacun des partants remet 35 000 francs à un Espagnol. L'homme empoche les 175 000 francs, puis indique aux israélites Mme Courdil et Morchon qui se sont approchés et vont les escorter.

Lorsque le train arrive en gare d'Ussat-les-Bains, il fait très froid et la nuit est tombée depuis longtemps. Mme Courdil conduit tout son monde à l'*Hôtel des Marronniers* dont elle est propriétaire. Les hommes se rapprochent du feu en songeant à la nuit qui les attend.

« Mais, mon pauvre monsieur, dit Mme Courdil, en s'adressant à Grumbach, vous êtes trop chargé. Laissez donc votre valise, je vais vous aider. »

Elle plie le linge de corps contenu dans la valise et réussit à le caser dans le sac à dos où Grumbach a déjà entassé de nombreux ouvrages philosophiques [1].

« C'est une véritable bibliothèque que vous avez là ! »

Les hommes s'inquiètent des guides.

« Ils ne vont plus tarder maintenant. Vous verrez, ils connaissent admirablement la montagne. Ce sont de braves gens. »

L'organisation dispose des services de cinq ou six Espagnols : Francisco Blasco, José Alcaine, Joseph Holgado, Anselmo Marina, Lazare Cabrero et Valeriano Trallero. Ce sont ces deux derniers qui poussent la porte de l'hôtel.

A quarante-deux ans, Cabrero est un petit homme au teint mat, au nez busqué. Une longue cicatrice qui part de la racine du nez court jusqu'à la tempe gauche. Il n'enlève pas le béret qu'il porte très enfoncé sur les yeux.

« Maintenant, c'est l'heure. »

Les cinq se redressent, Grumbach ferme son pardessus bleu marine, prend son chapeau acheté à Marseille quelques mois auparavant, vide sa pipe.

« Attendez, dit Morchon. Vous avez un compagnon de voyage. »

Il pousse dans la pièce l'Anglais Thornton, ancien chauffeur de la Maison Rolls-Royce, à Paris.

Puis le convoi s'éloigne. Il passe devant cette vaste carrière où se cachent les candidats au départ lorsqu'ils arrivent avant la tombée de la nuit et qu'une promenade en groupe est contre-indiquée. Cabrero conduit le convoi en direction de son itinéraire habituel : le pas des Escaldes, la cabane

1. Les livres, comme un peu du foyer que l'on emporte...
Passant les Pyrénées en fraude, en novembre 1942, Robert Aron a placé dans son sac à dos les *Poèmes* de Vigny, *le Théâtre* de Corneille et un ouvrage de Proud'hon : *De la justice dans la Révolution et l'Eglise.*

de Brouquenac, le pas de Bouc, le plateau de Siguer, puis la ferme des frères Tort en territoire andorran d'où, après une halte de vingt-quatre heures, tout le monde repartira vers l'Espagne proche.

Mais, cette nuit, le convoi avance avec peine. Trallero, qui ferme la marche, est sans cesse sur les talons de Grumbach. Un grand gaillard, pourtant, d'un mètre quatre-vingt-trois, mais vite essoufflé et qui, malgré le froid, transpire sous le poids de son bagage.

Il est une heure du matin lorsque les fugitifs arrivent à la cabane du Pla-de-Montcamp. Les deux Espagnols font du feu. Un feu de branches mouillées qui enfume plus qu'il ne réchauffe. Les hommes toussent, essaient en vain de s'assoupir sur la terre glacée, parlent un peu, puis tombent dans une somnolence d'où le moindre bruit les tire en sursaut. Il fait — 10°. Ils guettent le jour qui les arrachera à ce supplice de l'inaction dans le froid.

A l'aube, ils se remettent en marche dans les éboulis, mais Cabrero a obligé Grumbach à abandonner une partie de ses livres. Cela ne suffit pas. Grumbach se traîne. André Dreyfus-Schmidt également. De temps à autre, les deux hommes se couchent sur un rocher. Pierre Dreyfus-Schmidt vient aider son frère, encourager son ami, mais Grumbach murmure :

« Laissez-moi, continuez sans moi. Je ne peux plus suivre.

— Allons, essayez encore. La frontière est proche.

— Non, je ne peux plus. »

En bon chien de garde, Cabrero va et vient, d'un bout à l'autre de la colonne qui s'étire.

Grumbach se relève, trouve la force de soulever

son sac à dos, s'écroule de nouveau, recommence ses plaintes, ses chutes et ses efforts dans les rochers qui mènent au pas de Bouc.

Cabrero s'impatiente, harcèle Grumbach, mais, cette fois, le courage ne sert plus de rien : Grumbach vient de se fracturer le talon gauche. Ravagé de douleur, il s'étend, les bras en croix, sur le mauvais sentier.

« Une simple entorse, dit-il à ses camarades. Laissez-moi. Je vous rejoindrai plus tard. »

C'est aussi l'avis de Cabrero.

« Laissons-le, je vais vous conduire à une cabane où vous pourrez vous reposer, puis je reviendrai le chercher. Je pourrai l'aider à marcher. »

La troupe avance. Tous les hommes sont fourbus. Ils n'ont ni l'habitude de la montagne, ni celle de l'altitude (ils se déplacent maintenant à 2 300 mètres), ni celle du froid. La perspective de s'arrêter enfin leur fait précipiter leur marche vacillante.

Grumbach les regarde s'éloigner. Ils ont très vite disparu. Alors, il contemple ce paysage sévère sur lequel la nuit tombe maintenant. Près de lui, l'étang de Mille-Roques, déjà figé par le froid, brille faiblement.

Grumbach souffre terriblement. Il se penche et délace avec peine sa chaussure gauche : un solide brodequin de l'armée. Ce n'est pas lui qui serait parti pour une telle expédition avec des souliers de ville ! Mais la rigidité du soulier est maintenant insupportable. Dans son sac, Grumbach saisit une paire d'espadrilles. Il essaie de chausser son pied gauche. La douleur est atroce.

Soudain, quelques pierres bouleversées font une cascade de bruits. Une ombre sort de la nuit. C'est Cabrero. Cabrero qui demande si ça va mieux, s'il pense pouvoir continuer, Cabrero qui se penche, se penche davantage sur Grumbach, Cabrero qui sort un revolver et tire à bout portant. Grumbach s'affaisse, Cabrero, avant de porter le cadavre entre deux rochers, prend le portefeuille du mort et un bracelet-montre. Machinalement, il repousse du pied un roman policier anglais de Virgil Markham. Puis il s'éloigne sans se retourner.

Lorsqu'il regagne la halte où les fuyards se chauffent près d'un maigre feu, on l'interroge naturellement.

« Alors ?

— Je n'ai pas trouvé votre camarade. Je reviendrai demain à l'aube. »

Il tient parole. Le lendemain, il revient, en effet, sur ses pas, erre pendant trois heures avant de rentrer bredouille, et pour cause, au campement.

Le second guide, l'Espagnol Trallero, quitte le groupe. Cabrero en profite, avant de remettre en marche tout son monde, pour se plaindre de n'avoir pas été payé.

« Comment, dit Dreyfus-Schmidt, nous avons versé 35 000 francs par personne.

— Pas à moi, moi je n'ai rien touché. Je veux 25 000 francs.

— Mais enfin, puisque nous avons payé.

— Vous choisissez, je vous quitte maintenant ou vous me donnez 25 000 francs.

— 25 000 !...

— Chacun 25 000. »

Les cinq hommes rassemblent leur argent, réunissent 40 000 francs qu'ils donnent à Cabrero, puis Pierre Dreyfus-Schmidt rédige une lettre grâce à laquelle Cabrero, de retour d'expédition, pourra toucher 100 000 francs. Et la marche reprend. A la fin de la matinée, les israélites et leur guide franchissent la frontière andorrane par le plateau de Siguer et arrivent à la ferme La Cortinado qui appartient aux frères Tort.

Ils sont maintenant hors d'atteinte des patrouilles allemandes. Cabrero leur ordonne de se reposer. Il reviendra les chercher vingt-quatre heures plus tard pour la dernière étape. Le 27 au matin, le voici, en effet, de retour. Cette fois, avec des nouvelles de Grumbach.

« Un ami à moi l'a vu. Il m'a dit qu'il redescendait vers la France. C'est mieux, c'était trop dur pour lui. »

Définitivement tranquillisés, les hommes s'éloignent maintenant vers l'Espagne.

La neige commence à tomber sur le cadavre de Jacques Grumbach [1].

★

Il y eut bien d'autres convois tragiques. Celui que conduit le guide Iglizias, le 10 juin 1943, est presque tout entier capturé par les Allemands. Iglizias, qui a trahi sa troupe pour une somme de 100 000 francs, rencontre un paysan qui lui si-

1. Elle tombera pendant huit hivers encore. Le squelette de Grumbach fut découvert par un contrebandier le 17 septembre 1950. Il fallut de longues recherches pour l'identifier, Cabrero, s'étant emparé du portefeuille qui contenait les papiers d'identité.

Arrêté, Cabrero fut jugé par la Cour d'Assises de l'Ariège. Pour sa défense, il allégua les ordres verbaux d'un colonel français (dont le pseudo était « Papa Noël ») Suivant les ordres incontrôlables de cet officier — décédé bien avant le procès — les passeurs devaient tuer leurs clients plutôt que de les abandonner en montagne ou de compromettre, à cause d'eux, la sécurité du convoi. Cette consigne fut affirmée au procès par Mme Courdil devant qui Cabrero avait d'ailleurs avoué, quelques jours après son crime, « avoir piqué le type aux lunettes (Grumbach) qui ne pouvait plus suivre ». Cabrero, qui s'était défendu d'avoir tué pour voler, comme d'avoir ensuite demandé un supplément de salaire, fut acquitté le 29 mai 1953.

gnale la présence de patrouilles allemandes.

« Ne vous inquiètez pas, dit-il aux vingt-quatre jeunes Français qui le suivent et qui, tous, veulent rejoindre l'Afrique pour s'engager. Je sais ce que je fais... »

C'est vrai, il sait ce qu'il fait. Quelques centaines de mètres plus loin, il s'arrête. Les garçons se groupent autour de lui.

« Voilà, vous êtes arrivés. La frontière passe derrière cette crête, je vous quitte. »

Avant de partir, Iglizias joue, lui aussi, la comédie du guide mal payé. Sa quête lui rapporte près de 40 000 francs. Pierre Courties lui remet 4 000 francs, toute sa fortune, Roger Simon, Yves Cazaniol, Pierre Laclotte, Gaston Caillabet, d'autres encore l'imitent.

« En échange, vous emporterez bien quelques lettres pour nos familles. »

Iglizias accepte d'attendre ce courrier de dernière minute. Sur de misérables bouts de papier arrachés à des carnets, les garçons griffonnent au crayon des messages hâtifs : « *Arrivé en Andorre en parfaite santé, ne vous en faites pas. Marcel.* » « *Chers parents, Bien arrivé à l'Andorre en très bon état et beau temps. André, Louis, Jean.* » « *Ma chère petite Lulu, c'est après un très long voyage dans la montagne, je t'écrit ces quelques lignes pour te faire savoir que nous sommes arrivés tous en bonne santé, maintenant ne craint plus rien nous somme en sécurité nous rentrons en Endorre à 4 heures du soir. Tu écrira chez les adresse des copains. Dit leur qu'i sont en bonne santé aussi qu'ils sont traversé la Frontière. Je crois revenir vite ne t'en fait pas* [1]. »

1. Ces lettres ont été, à la Libération, retrouvées sur Iglizias que la Cour de Justice de l'Ariège condamna le 15 avril 1945 à vingt ans de travaux forcés.

« Au revoir les gars. Continuez tout droit. Derrière la crête, vous y êtes. »

Ils y sont.

Derrière la crête, les Allemands attendent et ouvrent le feu.

★

Passeurs rétribués parmi lesquels nombreux sont ceux qui, honnêtement, ont fait un travail lourd de risques et, après avoir gagné beaucoup d'argent, sont tout de même morts à Buchenwald.

Passeurs victimes de la montagne comme ce garçon de Bagnères qui, pris dans une avalanche, périt avec son convoi de six aviateurs américains.

Passeurs victimes de leur métier et peut-être de leur âpreté au gain comme cet Angel qui, après avoir fait franchir les Pyrénées, par le Rioumajou, à des centaines de juifs et de résistants, fut assassiné à la Libération, car il était soupçonné d'avoir, également, accompagné des miliciens !

Passeurs bénévoles, pyrénéistes d'avant-guerre qui mettent toutes leurs connaissances, celles des sentiers secrets comme des vents et des humeurs de la montagne, au service des résistants, des prisonniers évadés, des agents secrets, des aviateurs anglo-saxons que les réseaux acheminent jusqu'en zone interdite pyrénéenne, face à ces montagnes que les candidats à l'évasion abordent avec une immense bonne volonté, mais dans un état désarmant d'impréparation physique.

Vu de Paris et sur la carte, le franchissement des Pyrénées semble aux néophytes une longue excursion pour laquelle beaucoup n'hésitent pas à s'embarquer en costume de ville et souliers pointus.

Le problème des chaussures tracasse fort les passeurs. Emu d'avoir vu arriver Silvio Trentin, l'ancien ministre italien, chaussé de bottines à boutons, l'abbé Blanchebarbe décide de faire une collecte de chaussures dans les maisons de Foix. Mais les restrictions contrarient la charité et le patriotisme. Aussi, voit-on parfois les fugitifs, en marche vers l'Andorre, s'arrêter chez Michel Sutra qui met, au bord de leurs chaussures fragiles, une rangée de solides clous. Aussi voit-on Pucheu, ancien ministre de Vichy, marcher pendant sept heures pour passer la frontière espagnole en chaussures de ville « Richelieu » pourvues de semelles de bois !

A l'image de Jacques Grumbach, certains enfin, qui ont trop présumé de leurs forces, veulent abandonner en route. Il faut utiliser les grands moyens pour sauver ces hommes.

Louis Durrieu, comptable de la Société Auxiliaire d'Entreprises et de Travaux Publics de Paris, a pu rejoindre Saint-Lary dans les Hautes-Pyrénées, tout au fond de la vallée d'Aure. Il a la chance d'échapper aux mouchards de la Gestapo et de la Milice qui rôdent dans les cafés du village et ont vite fait de repérer, à leur sac à dos, à leur allure à la fois décidée et empruntée, les candidats à l'aventure espagnole. On le dirige vers le chantier de l'Electricité, installé à 2 500 mètres d'altitude. Là, vivent de nombreux ouvriers espagnols, rescapés de la guerre civile. Le chef d'équipe Corral, commandant du génie dans la bataille de Téruel, le magasinier Balsell ou l'aide-cuisinier Aguilar, ceux-là sont toujours prêts à partager leur repas, à offrir un coin de leur dortoir, à aider de bon cœur les hommes fatigués qui arrivent jusqu'à eux planqués sous des bâches, à bord de camions de matériel.

Trois Français également sur le chantier. L'un d'eux, Claude Pujol, chef scout de la troupe de Saint-Lary, a l'habitude de faire passer les résistants à travers le réseau des patrouilles autrichiennes qui, accompagnées de chiens, circulent en montagne. C'est lui qui va accompagner Louis Durrieu. Déjà, l'homme est fourbu. Il a aux pieds des bottes de caoutchouc qui le martyrisent, le serrent comme un étau et sont bientôt lacérées par les rochers. Durrieu abandonne ses bottes ; c'est pieds nus, dans la neige verglacée, qu'il continue sa marche. A 3 000 mètres d'altitude, près du pic du Batoa, il n'en peut plus et s'effondre. Il veut abandonner mais Pujol est bien décidé à ne pas céder aux plaintes et aux prières. Ecouter Durrieu, c'est le vouer à une mort affreuse. Alors, ouvrant son couteau de poche, Pujol pique, à travers le pantalon, l'homme qui progresse maintenant à quatre pattes et qui n'avance que sous la blessure du couteau.

Pujol songe au mot de Guillaumet, tragique vainqueur des Andes : « Aucune bête au monde... » Il pousse Durrieu devant lui. Un couteau scout lui sert de raisonnement et sert de courage à Durrieu. Aucune bête au monde [1]...

Ailleurs, Araud, chef de quart à la Centrale de Pradière-Auzat, spécialiste des convois difficiles, doit parfois porter sur son dos des femmes paralysées par la fatigue ou par la peur...

★

Le sac de livres de Grumbach. Les bottes de caoutchouc de Durrieu. Les souliers de Roger de Saivre. On pourrait écrire de nombreuses pages

1. Témoignage de Claude Pujol. Dans le récit qu'il m'a adressé en 1959, Claude Pujol écrit, parlant de Durrieu : « Je sais que je l'aurais tué pour ne pas le laisser crever comme une bête dans cette montagne meurtrière. » Ce « cri du cœur » éclaire partiellement le geste de Cabrero.

sur ces détails vestimentaires qui mettent en échec les entreprises les mieux préparées.

Le prince Napoléon, qui vit en Suisse [1], décide, en 1942, de rejoindre l'Afrique du Nord.

Dans la nuit du 12 décembre, il passe assez aisément de Suisse en France, en franchissant les barbelés près de Saint-Julien, puis gagne Toulouse où il arrive en compagnie de Roger de Saivre, ancien chef adjoint du cabinet civil du maréchal Pétain, qui a quitté Vichy pour la Suisse, dans l'espoir de trouver une place dans un avion. Faute d'avion, de Saivre est décidé à tenter le passage par l'Espagne. Avec beaucoup de faconde, il raconte à ses amis, quelque peu surpris de voir le chef de cabinet d'hier transformé en clandestin, comment il a pris congé de son patron, le Maréchal.

« Je suis allé le voir le matin, un dimanche, c'était le 15 novembre ; il était seul dans son bureau. Je n'ai pas cherché à ruser et je lui ai avoué mon état d'âme. J'ai dit qu'il ne s'agissait pas pour moi de briguer un poste à Alger et d'y faire de la politique, mais d'y reprendre ma place au combat.

« ... Le Maréchal a gardé le silence pendant un petit moment, puis il m'a dit :

« — *Si j'avais votre âge, j'en ferais autant, mais, moi, mon devoir est ici.* » Il s'est levé alors et j'ai vu qu'il était ému par ma franchise. Il m'a serré contre lui et a ajouté : « — *Au revoir, mon petit, et bonne chance* [2]. »

1. Frappé par la loi d'exil, le prince Napoléon s'est engagé, le 19 mars 1940, à la Légion étrangère où il fut le légionnaire Blanchard. Lorsqu'il se présenta l'officier de recrutement lui dit : « Vous n'êtes pas suisse vous êtes un déserteur français ! »

2. Rapporté par André Desfeuilles : *L'Evasion du prince Napoléon.*

A Toulouse, le Prince, Deniau son secrétaire, de Saivre et le commandant Georges, un petit-cousin du général, retrouvent André Desfeuilles, sous-préfet de Pamiers, qui assure les fonctions de secrétaire général de l'Ariège, et a mis au point un itinéraire de passage avec le lieutenant Keller [1].

Les choses se présentent d'autant mieux que les Allemands qui, depuis le 24 novembre 1942, contrôlent théoriquement toute la frontière espagnole, sont loin de connaître encore tous les sentiers de la montagne, les pistes de contrebandiers, les caprices des vallées.

De Saint-Girons, le Prince et ses compagnons devront gagner Seix et, par le col de Salau, atteindre l'Espagne. Un guide les conduira en Espagne, où tout est prêt pour les recevoir.

La première partie du voyage se passe sans incidents. Une camionnette de boucher conduit tout le monde de Saint-Girons à Seix. Le guide est à l'heure ; les voyageurs ont pris la précaution de faire clouter leurs chaussures et d'abandonner tout bagage inutile. Quant à Roger de Saivre, il étrenne les chaussures de marche achetées en Suisse. Une précaution dont il se repentira bientôt. Les hommes avancent dans l'obscurité, malheureusement très relative. Le temps est beau, froid, la lune éclaire le terrain rocailleux de la vallée du Salat et, bientôt, elle éclaire aussi une patrouille qui descend de la montagne. Les Français se plaquent au sol, puis le silence revenu, reprennent leur marche. Douze heures de marche, dans la neige fraîche dont la profondeur augmente régulièrement. Les hommes peinent. Roger de Saivre supporte mal les blessures de ses chaussures neuves et les fatigues

1. Arrêté par la Gestapo, le 10 juin 1944, Keller est mort en déportation.

de la marche. Le Prince l'aide de son mieux, mais l'aube surprend la petite troupe à 2 300 mètres d'altitude, et à quelques centaines de mètres aussi de trois soldats allemands, qu'un soleil tout neuf éclaire...

Les fugitifs se dissimulent derrière des rochers. Vont-ils avoir la même chance que la veille ?

« Nous ne pouvons pas passer, nous allons nous faire arrêter, il faut redescendre », dit le Prince.

Dans la montagne blanche, c'est une lente partie de cache-cache. Enfonçant dans la neige, haute parfois d'un mètre, soutenant de Saivre fatigué, le prince et ses compagnons se replient vers un chalet où ils espèrent pouvoir attendre la nuit. Mais ils ne peuvent brouiller toutes les pistes. Une autre patrouille monte en suivant leurs traces et chasseurs et chassés se retrouvent le 23 décembre à 15 heures près du chalet où se joue la dernière partie, celle qui permettra à la *Pariser Zeitung* de présenter, le 17 janvier 1943, une version rocambolesque de l'arrestation.

Deux ans à peine après avoir rendu les cendres de l'Aiglon aux Français, qui n'ont témoigné aucune reconnaissance, voilà que les Allemands arrêtent et menacent d'abattre comme des chiens le chef de la famille impériale et ses compagnons !

La petite équipe est reconduite à Seix, puis à Foix où le préfet, surpris, atterré, et qui songe à son avancement, s'écrie en apprenant la nouvelle :

« Comment Napoléon ? Pourquoi pas Jeanne d'Arc ! Et Saivre, le chef de cabinet du Maréchal ? Alors quoi, tout le monde part ! »

Pour l'instant, le prince Napoléon et les siens, après une matinée passée à l'*Hôtel Benoit* de Foix, que les Allemands ont partiellement converti en corps de garde, « partent » bien, mais par le train de 11 h 30, qui tourne le dos à l'Espagne, et s'éloigne vers les prisons allemandes [1].

★

Avec le temps qui passe et la multiplication des obstacles dressés par les Allemands, la Milice et la police de Vichy, les passages réclament une vigilance et des soins accrus. Au début, en 1941, et même jusqu'en novembre 1942, il était relativement facile, une fois la zone libre atteinte, de rejoindre l'Espagne. Jean Bénazet, de Varilhes, près de Foix, qui a fait passer de cent cinquante à deux cents personnes, se contentait de mettre des cannes à pêche sur la voiture à gazogène où il embarquait tout son monde. L'alibi paraissait suffisant aux douaniers français.

Mais tout change après l'invasion de la zone libre et le prolongement de la zone interdite où seuls les résidents ont le droit de circuler.

Etre trouvé, à Saint-Lary, possesseur d'une carte d'identité délivrée à Paris ou à Lille entraîne l'arrestation immédiate.

Il faut à ceux qui veulent s'enfuir, non seulement des guides, mais aussi des refuges nombreux et des faux papiers, ce qui suppose une organisation cohérente. L'évasion devient presque impossible sans l'aide de ces chaînes qui traversent la France, de ces filières qui partent parfois de Belgique ou de Hollande pour atteindre les Pyrénées et ont, de ville en ville, leurs relais plus ou moins bien

1. Conduit à Toulouse puis immédiatement, à Bordeaux, le prince Napoléon fut enfermé au Fort du Hâ. Au bout d'un mois, il fut transféré à Paris et à Fresnes, puis en avril, après un court passage dans une « villa-prison » de Neuilly, mis en liberté surveillée. Il en profita pour gagner les maquis du Berry, et, après une sérieuse blessure, termina la guerre en Autriche, comme lieutenant de chasseurs alpins.

organisés. Ce sont comme autant de rivières invisibles qui descendent pour irriguer les Pyrénées !

Les groupes de résistance des départements éloignés de la frontière espagnole ont reçu des consignes précises. En voici un modèle :

Vos passagers se rendront par leurs propres moyens à Saint-Girons. Ils descendront de l'autobus à Saint-Lizier, car, à l'arrivée à Saint-Girons, les Allemands vérifient les identités. A Saint-Lizier, ils traverseront le pont et se rendront à une usine électrique située à cinquante mètres et visible du pont. Là, ils trouveront un surveillant et lui demanderont : « Pouvez-vous m'indiquer le chemin de Saint-Girons ? » Le contremaître leur fera laisser leurs bagages. De là, ils se rendront à Saint-Girons par un chemin détourné, qu'on leur indiquera. A Saint-Girons, ils iront à un café ou une promenade où ils devront se trouver à une heure précise. Enfin, ils seront pris en charge et n'auront plus à s'occuper de rien. Se munir de trois jours de vivres et de vêtements chauds. Les porter dans un sac de montagne, mais dissimuler le sac et les provisions dans une valise. Tout voyageur porteur d'un sac de montagne sur le dos est suspect, même dans les trains et les autobus [1].

Derrière ces mots, volontairement très vagues, se trouvent des hommes : Peyrou qui conduit les passagers à leur lieu d'hébergement, le gardien de l'usine électrique, le marchand de vin en gros qui cache les bagages, la famille Mandrin, cheville ouvrière de l'organisation.

Il arrive bien souvent d'ailleurs qu'avant les Pyrénées, les fugitifs soient pris en charge par des organisations résistantes. Il le faut bien lorsqu'il

1. Cité par Pierre Dumas, *Saint-Jean Terroriste*, p. 138.

s'agit d'aviateurs anglo-saxons, très étroitement convoyés car, la plupart du temps, ils ne savent pas un mot de français et sont aisément reconnaissables. A Dax, annoncé par télégramme « envoyons trois colis », ils sont reçus par Edouard Callian qui les nourrit, les loge pour la nuit et les conduit le lendemain dans l'un des deux restaurants de Peyrehorade qui servent de relais. De là, les aviateurs sont pris en charge par d'autres Français courageux qui les conduisent vers Saint-Palais, Sare ou Hasparren [1].

Au bout de quelques jours Callian et Mme Callian apprennent que les « colis » sont bien arrivés à Londres !

A Toulouse, centre important de rassemblement, les aviateurs vont chez Mme Catala qui fut à l'origine des premiers convois, ou à l'*Hôtel de Paris* où M. et Mme Mongelard hébergent et nourrissent avec une générosité totale des dizaines de candidats à l'évasion [2].

Certains sont envoyés chez l'abbé Naudin, généreux curé de banlieue, chez qui les paroissiens ont l'habitude de venir frapper à n'importe quelle heure et pour n'importe qui. Un communiste pousse la porte, un soir :

« Monsieur le Curé, pourriez-vous aider une personne pourchassée ?

— Bien entendu, qu'elle vienne.

— Je vous préviens, c'est une femme.

1. Pendant un an, M. et Mme Callian hébergèrent 83 aviateurs anglais. Le 18 janvier 1944, le réseau fut vendu et Mme Callian arrêtée devait être par la suite déportée à Ravensbruck. M. Callian réussit à s'échapper et à prendre le maquis.
Parmi les membres du réseau d'évasion un notaire, Pinetel, un minotier, Larran, qui convoyaient les aviateurs, des restaurateurs (Hôtel Calcos, hôtel du Cheval-Blanc, à Dax, A la Roseraie, « Chez Castagnet », à Peyrehorade), qui les abritaient, etc.

2. M. Mongelard est mort à Mathausen.

— Ça n'a pas d'importance.
— Mais elle est russe.
— Eh ! grand Dieu, amenez-la ! »

La Russe arrive et elle succède au presbytère à des Français, à des Polonais, à des Hollandais, à des Anglais qui restent huit jours ou davantage et posent à l'abbé Naudin de sérieux problèmes d'hébergement et de ravitaillement.

Le jour, les clandestins ne sortent pas. La nuit, ils ont la permission de se promener dans le jardin. L'organisation « Combat » fournit les fausses cartes de pain et le ravitaillement en viande. Il arrive aussi que les commerçants du voisinage, discrètement sollicités, se liguent pour aider à nourrir ces consommateurs inattendus et qui ne demandent qu'à poursuivre leur route.

Les voici arrivés à Foix, soit par le train de 13 h 30, soit par le train du soir. Ceux qui débarquent les premiers sont immédiatement munis de faux papiers et conduits vers la zone interdite où des guides (Cuenca, Romero, Beris, Lalena, Martinez), soit appointés par le mouvement « Combat », sur la base de 3 000 à 5 000 francs par homme passé, soit volontaires (le garagiste Bénazet, Jean Araud), les prennent en charge pour un voyage de trois jours vers l'Andorre.

Ceux qui arrivent par le train du soir sont répartis dans plusieurs maisons amies : chez Mme Rivière, chez Mme Julien, chez Mme Authie, chez M. Faur, chez l'abbé Blanchebarbe, chez M. Peyrevidal, à l'*Hôtel Merle* ou à l'*Hôtel Audoye*. Plusieurs commerçants assurent le ravitaillement sans se préoccuper de tickets. Quant aux faux papiers indispensables pour pénétrer en zone interdite, ils sont fournis par Irénée Cros, Noël Peyrevidal ou M. Goizé.

L'organisation « Combat », que dirigent Pierre

Dumas et Irénée Cros, arrive ainsi à mettre sur pied deux convois par semaine. A jours fixes comme des services d'autobus internationaux : le mardi et le vendredi.

Les passagers sont en nombre variable (jamais plus de trente cependant) et d'origine sociale comme de nationalité bien différentes. Il est des passages pittoresques, comme celui de ces dix-sept séminaristes qui, venus de Lille, rejoignent Toulouse où l'abbé Blanchebarbe les prend en charge à l'Institut catholique. Ils arrivent à Foix, le 2 juillet 1943, par le train de 13 h 30, et c'est une curieuse procession, à la sortie de la gare, que celle de dix-sept garçons en soutane, mais sac au dos !

Comme il faut leur faire franchir le pont, surveillé par la police allemande, on les disperse dans la nature et, grâce à tout un réseau de complicités, on les regroupe peu à peu dans une carrière abandonnée, à la sortie de la ville. Goizé va les y chercher pour les mettre sur la route d'Auzat.

A Auzat, dans les cabanes du boulanger Denjean et de Delpit, les fugitifs trouvent quelques provisions disposées là à leur intention et peuvent se reposer. Ils continuent ensuite par le col d'Amplin où ils abandonnent leur soutane, attaquent la montagne au-dessus de Tarascon, suivent la conduite d'eau de Péchiney jusqu'à la Ramade, se dirigent enfin, avec l'aide d'un guide, vers l'étang d'Issoure, le port de l'Arbeille et la vallée de l'Ossarat [1].

1. Pour les pages qui précèdent et qui concernent la vie à Foix, je me suis appuyé sur le livre de Raymond Escholier, *Maquis de Gascogne*, et surtout sur les témoignages oraux ou écrits de Pierre Dumas, de M. Goizé, de Jean Bénazet et de l'abbé Blanchebarbe.

★

Par où passe-t-on lorsque l'on veut fuir la France ? Cela dépend du climat, des difficultés de la route et, surtout, de la surveillance allemande, elle-même fonction des saisons et de la hauteur des cols [1].

Mais, plus ou moins activement, d'un bout à l'autre des Pyrénées, toutes les routes de contrebande traditionnelle sont fréquentées.

On passe par la mer en partant des côtes basques. L'aventure est à la fois facile et dangereuse.

Les passagers n'ont pas devant eux la perspective de longues marches, mais le contrôle allemand (par bateaux et avions) est beaucoup plus étroit qu'ailleurs. Il faut, avant de s'embarquer, avoir l'alliance du brouillard. Qu'il règne entre la Pointe de Sainte-Anne et la Pointe Turilla et voilà le succès de l'expédition à peu près assuré.

Le 12 février 1944, à 2 heures du matin, après quelques fausses manœuvres à Ciboure, cinq ou six « pêcheurs de sardines » s'embarquent ainsi près d'Abbadia. Il y a là un séminariste belge, un officier de la R. A. F., un israélite, deux ou trois Français, membres d'un réseau de résistance de l'armée. A bord de la pinasse à rames, les pseudo-pêcheurs tirent rudement sur l'aviron. Lorsque l'aube arrive, ils ont passé le cap du Figuier et Louis D..., dont c'est la troisième tentative d'évasion, se sent envahi d'une immense joie.

Ayant eu vingt ans en 1940, ayant rêvé d'une carrière d'officier qui n'était plus possible dans la France vaincue, il remâche le mot de Stein :

1. « La sécurité d'un passage est en raison inverse de sa facilité », n'hésite pas à écrire Hirson dans sa brochure *Evasions de France*, p. 6.

« Quoi de plus beau que de chercher la liberté de la Patrie au bout du monde ? » Le bout du monde, ce matin, est à quelques kilomètres de la France ligotée et dont la côte a disparu depuis longtemps dans le brouillard.

Soudain, les fugitifs sont alertés par deux bruits de moteur.

Celui d'un avion invisible et aveugle qui ronronne, celui d'une vedette qui approche. Allemande ? Espagnole ? Allemande ? L'officier anglais, dont les nerfs craquent brusquement, se jette à l'eau et ne reparaît pas. Il a perdu. La vedette est espagnole.

On passe entre Sare et Aïnhoa ; il y a une « ligne » qui part de Cambo pour atteindre Renteria à quelques kilomètres de Saint-Sébastien ; une autre qui a pour tête de ligne Saint-Jean-de-Luz et Ascain où les secrétaires de mairie attendent les hommes que les réseaux leur envoient. Il s'agit, dans ce cas, de passages physiquement faciles, mais très surveillés.

Par Saint-Etienne-de-Baïgorry, Urefel, Arneguy, Valcarlos passent des filières à « gros débit » et des lignes plus secrètes comme cette ligne « Talence » qui, par des chemins côtoyant les précipices, n'est permise qu'aux personnages importants de la Résistance et sert principalement à écouler vers l'Espagne le courrier du C. N. R. et celui de dix réseaux.

A Licq-Atherey, c'est l'hôtelier, Sauveur Bouchet, qui héberge les fugitifs et les nourrit en attendant l'arrivée d'un guide sûr, grâce auquel ils atteindront à l'aube le territoire espagnol.

On passe aussi (par petits paquets), par Luz-Saint-Sauveur, Gèdre et Gavarnie comme par la forêt d'Iraty et le Somport.

Dans les Hautes-Pyrénées, deux champions de

ski, Favé et Cazaux, conduisent quelques privilégiés à l'attaque du Vignemale, de la Brèche de Roland et du Marboré, tandis que Vignolles depuis Barèges fait passer de nombreux fugitifs par la vallée de Baradet, la Hourquette-de-Charmentas, le lac de Baroude et, pour les défendre, n'hésite pas à faire un coup de feu.

Ceux qui partent de l'Ariège ont d'habitude l'Andorre pour objectif. Mais il faut être bon marcheur (de Foix à la frontière andorrane le trajet dure trois jours), ne pas se décourager lorsque le froid et la tempête obligent, s'il est temps encore, à rebrousser chemin. C'est ainsi qu'en mars 1943, Jean Benazet, qui conduit trois pilotes français et le neveu du père de Foucauld, se trouve bloqué par une tourmente de neige à la Tour Lafon. Les cinq hommes, qui ne peuvent plus avancer, passent quarante-huit heures dans le refuge, mais il leur faut redescendre pour recommencer quelques jours plus tard. On devine sans peine tout ce que ces allées et venues d'hommes jeunes, dans des régions spécialement contrôlées, peuvent avoir de suspect aux yeux des Allemands.

Le coup d'audace d'un solitaire peut réussir en Pays Basque où les distances jusqu'à la frontière sont relativement courtes. Mais lorsque l'on part de l'Ariège, il est nécessaire d'être pris dans le cadre d'un réseau solide sous peine de risquer la mort dans la montagne étrangère ou d'être victime de guides d'occasion.

Arrive-t-on en Andorre, c'est, après les privations et les peurs, les restrictions et les souffrances, comme un Paradis terrestre retrouvé. A Lossarat, les Français se précipitent chez l'hôtelier Miquel, dévalisent les boutiques où cigarettes, fruits, conserves sont offerts à profusion. Les Andorrans plument consciencieusement ces touristes d'un jour, ces hommes qui, souvent, quittent la guerre pour la guerre.

On passe aussi à travers le Roussillon, voie naturelle pour tous les hommes qui viennent de Marseille et de Perpignan.

Les cheminots de la ligne Toulouse-Puicerda trompent la surveillance allemande en habillant le passager clandestin en homme d'équipe. Dans le fourgon à bagages, l'homme aide le plus naturellement du monde à embarquer colis et vélos. Aussi naturellement, arrivé à la gare internationale de la Tour de Carol, il descend et se rend à la cantine des cheminots d'où, pendant la nuit, il gagne la frontière éloignée de deux cents mètres à peine.

★

Combien d'hommes ont gagné l'Espagne entre juillet 1940 et juillet 1944 ? Il est difficile de donner un chiffre précis, l'aventure ayant été aussi bien individuelle que collective, la police espagnole n'ayant pas arrêté tous les clandestins, et les passeurs survivants fournissant des chiffres qui se recoupent rarement.

Les Français qui, installés à Madrid, calle San Bernardo, avaient pour charge non officielle d'assister leurs compatriotes et d'abréger leur stage dans le camp de Miranda, estiment à 30 000 le nombre des clandestins heureux [1]. La plupart de ces hommes sont, sans doute, des Français désireux d'aller s'engager dans les troupes de la France Libre, mais il y a également dans cette masse humaine des pilotes anglais, américains,

1. Ippécourt : *Les Chemins d'Espagne.* Le chiffre cité dans *Histoire de la Résistance* (collection *Que sais-je ?*) est de 28 000.

polonais ou tchèques, ainsi que plusieurs milliers d'israélites.

C'est l'année 1943 qui apporte les plus forts contingents d'évadés : 16 000 environ.

Les rescapés qui ont la chance d'atteindre l'Espagne ne représentent que 30 pour 100 de ceux qui, un jour, ont décidé de partir. Pour beaucoup, l'aventure s'est arrêtée en gare de Bordeaux, de Toulouse, de Pau, de Lourdes ou de Foix, ou bien encore, plus près du but, dans quelque sentier du réseau pyrénéen...

★

De toutes les frontières, la frontière espagnole est la seule qui ouvre sur le monde anglo-saxon, c'est-à-dire à la fois sur la liberté et sur la guerre.

Les enlèvements par avion ou sous-marin sont réservés aux personnages importants de la Résistance ou aux techniciens alliés. Ils demandent d'ailleurs une longue et difficile préparation et sont souvent décommandés pour des raisons d'apparence mineure.

Finalement plus rapides, ouverts à tous ceux qui, à défaut de complicités ont de l'audace, les chemins d'Espagne ont vu passer de véritables pèlerinages clandestins où, en 1943, aux juifs traqués, aux aviateurs anglo-saxons, aux volontaires pour la France Libre, se mêlent des agents allemands (de nationalité française) qui, après avoir suivi un stage à l'école de sabotage de Perpignan, passent en Afrique du Nord pour s'efforcer de renseigner la Wehrmacht et de soulever les populations musulmanes.

★

Chaque jour des embarcations tentent de quitter, à destination des ports anglais, le littoral normand ou breton.

Chaque jour, nos consuls, en Espagne, recueillent de jeunes volontaires venus de la zone occupée, parfois de la zone interdite et qui se présentent à leurs bureaux exténués de fatigue et de faim.

Tous ces jeunes Français font preuve d'énergie, mais ils se trompent ou, plus exactement, on les trompe...

Ce texte émanant du cabinet du maréchal Pétain (12 avril 1941) montre bien l'ampleur du mouvement qui pousse vers les frontières des dizaines de milliers de Français. Toutefois, s'il évoque les évadés de la zone interdite, il ne souffle mot de ceux qui arrivent d'Alsace ou de Lorraine, ainsi que des prisonniers évadés. Ils sont nombreux cependant. Et, plus la distance qui les sépare de l'Espagne est grande, plus leur tâche est difficile, car les Allemands ont multiplié les frontières et les barrages.

★

A 18 heures, Lucienne Welschinger pénètre dans l'église Saint-Jean de Strasbourg et se dirige vers l'autel de la Vierge. Devant la statue déjà noyée d'ombre, un homme est en prières. Lucienne s'agenouille près de lui. L'homme tourne légèrement la tête et murmure un seul mot : « Pierre ».

C'est le début d'une nouvelle aventure.

Chaque jour, Lucienne Welschinger rencontre ainsi un inconnu et le conduit à travers les rues et les champs jusqu'à Schirmeck où passe la nouvelle frontière entre l'Alsace et la France.

Pendant l'automne et l'hiver 1940, de nombreux

fidèles se succèdent aux pieds de la Vierge. Seule, Lucienne Welschinger ne peut suffire à la tâche d'escorter tous ces hommes qui fuient des camps de prisonniers allemands.

En janvier 1941, Lucie Welker, Alice Daul, Marcelle Egelen se joignent à elle. L'église Saint-Jean est abandonnée au profit de Saint-Pierre-le-Vieux, mais les évadés sont toujours hébergés, ravitaillés, habillés parfois, convoyés enfin avec la même générosité et la même insouciance du danger.

Il en arrive de partout. De Wissembourg notamment où Marie Gross et Anne-Marie Muller organisent, elles aussi, l'évasion des prisonniers de guerre pour qui l'Alsace et la Lorraine sont « territoire ennemi ».

Ce qui n'était, au début, qu'une initiative privée devient avec le temps, une organisation solide et active, ayant à sa disposition des points d'accueil à Wissembourg, Mulhouse, Landange, ainsi que de nombreux passeurs bénévoles.

Aux prisonniers de guerre qui fuient par la Schlucht, le mont Tanet ou Landange, se joignent bientôt des Alsaciens et des Lorrains réfractaires au Service du travail et au Service militaire.

Mais, le 18 février 1942, les Allemands arrêtent le bûcheron Weissenbach. Sur l'homme, ils trouvent 14 boussoles et 12 lettres de remerciement. Des lettres qui parlent de marche dans les forêts profondes, d'accueil inoubliable et de revanche. Il est impossible de nier. En quelques jours, la Gestapo capture tous les membres du réseau Welschinger. Jugée le 29 janvier 1943 par la Haute-Cour de Strasbourg, Lucienne et quatre de ses « complices » sont condamnés à mort.

Ces représailles n'arrêtent pas les évasions. Les 200 prisonniers qui attendaient le salut de Lucienne Welschinger le devront à d'autres organisations car, pour beaucoup d'Alsaciens et beaucoup de Lorrains, faciliter l'évasion de ces prisonniers qui transitent par les anciennes casernes françaises constitue le premier des devoirs.

★

L'histoire commence presque toujours par un acte de charité.

On donne un morceau de pain à l'évadé, puis, ne pouvant s'arrêter en chemin, on l'héberge, on le cache, on l'habille, on le passe enfin de « l'autre côté ». De tels gestes ont une valeur d'engagement. Bientôt, dans cette Alsace où les Allemands ont installé leur langue et leurs professeurs, leurs lois et leurs tribunaux, prisonniers évadés et passeurs bénévoles se cherchent mutuellement.

Entre le jour de juillet 1940 où René Deiber réussit à s'introduire dans une caserne strasbourgeoise et à procurer des « bleus de mécanicien » à quelques-uns de nos soldats captifs et l'instant d'août 1943 où il est condamné à huit ans de travaux forcés, il a groupé autour de lui une vingtaine de personnes qui ont à leur actif l'évasion de centaines de prisonniers.

Entre le moment où le boulanger Schmitt, de Brumath (Bas-Rhin), donne du pain et des vêtements secs à un prisonnier qui vient de traverser le Rhin à la nage et l'instant où il doit fuir pour échapper à la Gestapo, 250 Alsaciens sont venus l'aider dans sa tâche et multiplier ainsi les résultats et les périls.

Entre ce dimanche d'août 1940 où l'abbé Mansuy, évoquant, devant un auditoire de prisonniers affamés, l'évangile du Bon Samaritain, leur dit : « Si jamais vous avez besoin d'un bon samaritain, voilà mon adresse » et le jour où il doit cesser toute activité, il a reçu, nourri, habillé, hébergé, réconforté 2 500 prisonniers venus, soit de Lorraine annexée, soit des casernes-prisons de Nancy.

Sa gouvernante ouvrait la porte.

« Monsieur le Curé, il y a encore quatre pénitents. »

On les cache, soit au presbytère, soit dans une maison de retraite des Jésuites en attendant qu'ils prennent place dans un convoi ou qu'ils puissent, isolément et sous des déguisements plus ou moins pittoresques, gagner la zone libre.

C'est ainsi que l'un d'entre eux partit de Nancy en direction de la Haute-Marne sous la seule protection d'une canne à pêche. Contrairement à toute attente, son entreprise réussit parfaitement.

Lorsque la Gestapo inquiète ce grand blessé de guerre (l'abbé Mansuy a perdu le bras gauche et l'œil droit en 1914-1918), les policiers lui déclarent en guise d'entrée en matière :

« Votre adresse ? Elle est dans tous les camps ! »

★

C'est le général Giraud qui a le mieux dit le rôle joué, non seulement dans son évasion, mais dans des milliers d'évasions, par les Alsaciens annexés et que les Allemands punissaient comme des traîtres [1]. Ayant bénéficié, de Mulhouse jusqu'à la frontière suisse, de la complicité d'un restaurateur, d'un prêtre, d'un garde forestier et de bien d'autres personnes, coalisées pour dissimuler ce person-

1. Il faut en effet le souligner. Considérés comme citoyens allemands, les Alsaciens qui facilitaient l'évasion des prisonniers de guerre se rendaient coupables d'actes de haute trahison : « Il est déclaré pour toujours déchu de son honneur et condamné à mort. » C'est une phrase qui revient souvent dans les verdicts des tribunaux opérant en terre alsacienne.

nage de haute taille, que toutes les polices du Reich et tous les indicateurs recherchent fébrilement [1], Henri Giraud eut cette définition d'un pays et de son âme : « *Les Alsaciens étaient prêts, pour aider un prisonnier, non seulement à lui donner leur argent, mais à risquer leur vie. Même sans être pris en charge par une organisation, même sans connaître personne du pays, j'aurais pu traverser l'Alsace sans encombre.* »

« Même sans être pris en charge par une organisation... » La phrase est valable pour des milliers de soldats évadés.

Elle est valable pour Maurice Metgé, pour Pourtier, pour Durand qui sont découverts, transis de froid, par quelques enfants lorrains. Ils craignent un peu. Non certes une dénonciation, mais des bavardages. Bien que la nuit ne soit pas encore tombée, ils se décident à se remettre en route, un quart d'heure après le départ des enfants. Mais voici que l'un d'eux revient, suivi d'une jeune fille.

« J'avais peur que vous ne soyez partis, dit la jeune fille. Pauvres gens ! Tenez, dit-elle, en sortant une miche de pain et un litre de vin chaud de son sac, buvez ça, c'est encore chaud ! »

Quelques heures plus tard, les évadés sont encore recueillis et nourris par une autre Lorraine qui, dans la même journée, a secouru trois autres prisonniers.

Témoignages de fraternité française, réconfortants, souvent ignorés et rarement récompensés.

★

1. Arrêtés le 21 septembre 1943, le restaurateur Ortlieb et l'abbé Stamm trouvèrent la mort à Wolfach, deux jours avant l'arrivée des troupes françaises.

Le 26 avril 1942, tous les journaux du territoire annexé publient l'ordonnance par laquelle le gauleiter Robert Wagner annonce que les Alsaciens des classes 20, 21, 22, 23 et 24 seront mobilisés au mois d'août.

Entre le mois d'avril et le mois d'août, beaucoup de jeunes Alsaciens prennent la fuite. Mais les hésitants sont nombreux, qui espèrent on ne sait quel impossible recul allemand. La campagne de Russie creuse des vides trop profonds dans l'armée allemande pour qu'Hitler puisse épargner les Alsaciens et les Lorrains. La grande armée du Reich, comme la Grande Armée de Napoléon, se gonfle de contingents étrangers que les premières défaites désagrégeront et disperseront.

Pour empêcher les évasions, les Allemands, qui sont sans illusion sur l'état d'esprit des Alsaciens et des Lorrains, décident, en ouvrant les premiers conseils de révision, de rendre les pères responsables de la fuite des enfants. Comme le 4 septembre 1942, Wending et Kaiser de Wissembourg, Herling, de Saverne, ont voulu se soustraire au conseil de révision, un avertissement public des autorités allemandes annonce les sanctions.

« *Ces jeunes gens insouciants, qui ont agi sans motif valable, ont été arrêtés et attendent leur condamnation.*

« *Nous rappelons vivement, à ce sujet, que les parents sont également responsables et doivent veiller à ce que leurs fils se présentent ponctuellement au conseil de révision. Ils doivent user de leur influence afin que leurs fils répondent à la convocation.*

« *Dans les cas mentionnés ci-dessus, il a été démontré que les parents n'avaient pas fait preuve d'autorité dans ce sens. Ils ont prouvé par leur attitude qu'ils n'ont pas encore compris les exigences des temps actuels qui ne tolèrent, en Alsace, que des gens sûrs. Les parents de ces jeunes gens susnommés seront donc déportés sous peu dans l'« Alt-Reich », pour acquérir à nouveau, dans un milieu de nationaux socialistes, une attitude conforme à l'esprit national socialiste.* »

C'est avec 15 kilos de bagages et une faible somme d'argent que les déportés, dépouillés de tous leurs biens, sont envoyés comme cultivateurs dans des villages allemands.

Ces mesures de chantage ont certes pour effet de ralentir les évasions. Elles sont bien loin de les arrêter totalement. Les jeunes gens se groupent avec armes, mais sans bagages. Ce sont de véritables troupes qui, la nuit, se dirigent vers la zone libre ou la frontière suisse.

C'est ainsi que, dans la soirée du 11 février 1943, 210 personnes venues de Felbach, Ferrette, Grentzingen, Oberdoff, Riespach, Ruderbach, Waldighoffen se réunissent près du calvaire qui domine Riespach. Au dernier moment, alors que le convoi va s'ébranler, 23 garçons et filles renoncent à tenter l'aventure dans cette nuit pleine de dangers. Ceux qui restent (183) s'éloignent par petits groupes à travers champs et bois. Ils ne disposent que de deux fusils et de deux revolvers, mais sont bien décidés à s'en servir si quelque patrouille allemande se présente. Par miracle, ils ne rencontrent personne et passent en Suisse, près du Larguet. Mais cette évasion massive inquiète les Allemands qui mettent immédiatement en alerte toutes leurs polices de la région d'Altkirch. Les patrouilles, dont la vigilance avait été trompée dans la nuit du 11 au 12, prennent le lendemain leur revanche. Elles cernent 18 garçons de Ballersdorf qui, armés de quatre fusils, se défendent, tuent et sont tués. Les porteurs d'armes hors de combat, les autres s'enfuient, mais sont rattrapés dans la matinée par des détachements de police arrivés à la rescousse depuis Mulhouse. Un seul réussit à se glisser en Suisse.

★

La Suisse est une île. Une île illuminée au milieu d'une Europe aux lumières camouflées.

L'armée allemande l'enveloppe, la presse, en bat, jour après jour, tous les rivages. A l'est, à l'ouest, au nord, au sud, la Wehrmacht monte la garde. Ceux qui veulent combattre au grand jour ne se dirigent pas vers la Suisse. Par contre, la Suisse est l'un des terrains de prédilection des agents secrets. Sa géographie en fait également le lieu d'accueil idéal de nombreux israélites et de bien des prisonniers évadés qui, souvent, abandonnent ensuite les douceurs de Genève pour rejoindre la France.

Passeurs et policiers s'y livrent au même jeu mortel de cache-cache que sur la frontière espagnole. L'argent et le dévouement y règnent également en maîtres. Les faux papiers et les fausses barbes, les mots de passe, les revolvers jouent, tout comme ailleurs, leur rôle.

Lorsque L.-H. Nouveau, qui fut, à Marseille, parmi les responsables de l'un des plus efficaces réseaux d'évasion d'aviateurs alliés, veut aller en Suisse pour prendre contact avec les Britanniques, il lui faut d'abord obtenir le mot de passe. C'est une phrase d'une absolue banalité : « Vous avez le bonjour de Maria. » Il s'agit de la prononcer en présence de M. Vuaillat, épicier à Bossey, près d'Annemasse.

Lorsque Nouveau débarque de l'autocar,

M. Vuaillat est absent de l'épicerie. Il a beau répéter à Mme Vuaillat qu'elle a le bonjour de Maria, Mme Vuaillat ne comprend pas, ou ne veut pas comprendre. Elle serait très heureuse de se débarrasser de cet intrus, mais Nouveau recule devant la perspective de faire les cent pas dans les rues d'un petit village si proche (100 mètres) de la frontière. Entre l'impolitesse et le danger, il choisit l'impolitesse. D'ailleurs, en février 1942, il fait froid dans la rue.

Excédée, Mme Vuaillat finit par le faire asseoir dans l'arrière-boutique où, sans un livre, sans un journal, dans l'odeur du savon et du fromage de répartition, près des paquets de lessive et des sacs de pommes de terre, Nouveau a le temps de méditer, pendant trois heures, sur les difficultés de franchir une frontière près de laquelle il vient d'arriver en autocar.

A 19 h 15 enfin, Vuaillat arrive et tout s'arrange par miracle. Dès qu'il a « le bonjour de Maria », Vuaillat entreprend la tournée des cabarets pour trouver un guide convenable, fait abandonner à Nouveau sa valise et ses papiers (vrais et faux), lui donne deux francs suisses, l'attable devant deux œufs au lard, un morceau de viande froide et du fromage. Lorsque Nouveau a terminé son rapide repas, il glisse dans les poches de son pardessus bleu marine un petit morceau de savon, un rasoir mécanique, trois lames de rasoir, une brosse à dents et un mouchoir. Puis, il attend.

« *Vers les* 8 *h* 30, raconte-t-il, *M. Vuaillat fit entrer un homme genre vieux paysan un peu saoulaud et me dit :*

« — *Voilà, vous partez !* »

« *Le paysan me dit que ce serait* 200 *francs. Je repris les deux billets dans mon sac. Je serrai la main de M. Vuaillat et nous sortîmes.*

« *Au fond, c'était très facile. Il est curieux comme les allées et venues en* 1942 *et* 1943 *étaient, à la fois, si difficiles à organiser et si faciles à exécuter.*

« *Nous descendîmes la rue en colimaçon qui menait sur la grand-route.*

« *L'homme était devant moi et me fit signe qu'il n'y avait pas de douanier, nous tournâmes à droite sur la grand-route et marchâmes sur le côté de gauche en allant vers Annemasse pendant peut-être* 50 *mètres, puis nous descendîmes un petit talus.*

« *De hautes herbes, quelques buissons, une rangée de fils de fer barbelés que nous soulevâmes avec la main et sous lesquels nous pûmes passer, deux pas encore et nous nous trouvâmes dans un champ en Suisse* [1]. »

Quelques minutes plus tard, ayant quitté l'homme qui titube quelque peu et a peine à reconnaître son chemin, Nouveau attend, comme un paisible banlieusard, le tramway qui le mènera jusqu'aux surprenantes lumières de Genève.

★

Louis Rossier, dont la maison est située à trente mètres de la frontière suisse, fait passer presque chaque nuit les gens que lui envoient les curés de Vegy et de Douvaine ou ceux qui se présentent à lui après avoir échoué partout, souvent après avoir été rançonnés et poursuivis.

Non seulement il ne demande pas d'argent, mais souvent il lui arrive de nourrir et d'héberger ceux qui vont passer et pour lesquels il joue au moins sa liberté, peut-être sa vie. Cet homme, qui connaît

1. L.-H. Nouveau : *Des Capitaines par milliers.*

la frontière comme d'autres connaissent leur champ, varie les ruses pour déjouer les douaniers italiens. Tantôt, il entraîne les clandestins de buisson en buisson, tantôt il leur fait traverser la rivière Hermance, tantôt il troue le réseau barbelé qui garde la frontière.

Les incidents sont nombreux : petites juives, envoyées par un couvent, qu'il passe l'une après l'autre sur ses épaules en traversant l'Hermance dont l'eau très froide (novembre 1942) lui arrive à la taille, rencontre avec des patrouilles italiennes, soldat suisse qui s'affole et tire sur des clandestins rampant dans les barbelés... A ce jeu terrible, il est impossible de gagner sans cesse. Le 22 janvier 1943, après avoir fait échapper quelques jeunes qui fuient le S.T.O., Louis Rossier est capturé... Les Allemands multiplient les précautions. Ils rassemblent des meutes de chiens policiers. Demandent aux pêcheurs du lac de Genève de porter chaque soir au corps de garde lampes et rames. Qu'importe. D'autres personnes continuent à faire la chaîne...

*

La Petite Gironde des 23 juin, 4 juillet et 6 août 1940 publie un étonnant placard de publicité.

Etonnant dans la mesure où Bordeaux se trouve en zone occupée. Ce texte, véritable invitation au voyage, annonce que, chaque semaine, un bateau de l'*American Export Lines* quitte Lisbonne pour New York. John Bechmann, 83, rua dos Fanqueiros à Lisbonne, fournira les renseignements !

Si, pour quelques privilégiés, cette publicité a un sens, pour des millions de Français, soudain prisonniers à l'intérieur de leur pays, elle a toutes les apparences de la plaisanterie de mauvais goût.

On peut rêver sur ces services hebdomadaires à destination de l'Amérique, comme on peut rêver sur cette annonce parue dans *La Petite Gironde* du 6 juillet 1940 : « Cherche petit cotre ou similaire. Ecrire Agence Havas. Bordeaux (2 799). » Un petit cotre, pour quoi faire ? Pour partir pour la pêche ou tenter de gagner l'Angleterre ?

Nation de paysans, où les ouvriers eux-mêmes retrouvent très vite, pour cultiver le jardin du dimanche, les gestes de leurs grands-pères, la France est aussi une nation de marins. Ce que les uns demandent aux sentiers pyrénéens, les autres vont le demander à l'Océan.

★

Une île ? A peine une île. Une île évoque je ne sais quelle image de douceur et de paix. Le mot île fait contraste. On l'oppose à océan. Sein, c'est un morceau d'océan pétrifié. Un rocher sans arbres où les maisons blanches et grises, soudées les unes aux autres, s'épaulent, forment un bloc compact à peine troué par quelques ruelles où deux hommes se croisent difficilement.

En juin 1940, les îliens suivent par la radio l'agonie des armées françaises. Dans la cour du Grand-Monarque, ils écoutent la T. S. F. des gardiens du phare. Devant l'*Hôtel de l'Océan,* ils écoutent le poste à pile de Charles Menou [1]. Ce ne sont pas des exubérants. Le visage tourné vers ces fenêtres ouvertes, qui livrent passage à toutes les mauvaises nouvelles, ils restent impassibles sous les coups de poing de la défaite qui les bousculent comme ces lourds paquets de mer

1. Il n'y a pas d'électricité à Sein. L'électrification de l'île n'aura lieu que bien après la fin de la guerre.

après lesquels, toujours, ils reprennent l'équilibre.

Presque pas d'hommes de 20 à 25 ans parmi les auditeurs.

Ceux-là sont mobilisés. Ils sont à Dunkerque, ou en Méditerranée, ou dans les convois.

Le speaker s'adresse à un peuple d'enfants et d'anciens combattants de la Grande Guerre, à quelques réfugiés aussi qui sont arrivés du continent en clamant que les Allemands brûlaient tout devant eux et raflaient les hommes de 18 à 50 ans.

Ecoute-t-on l'appel du général de Gaulle le 18 juin 1940 ? Oui, disent les uns.

« C'est moi qui ai mis le poste, affirme Mme Jeanne Guilcher, alors employée à l'*Hôtel de l'Océan*.

— Non, nous n'avons pas entendu l'appel », réplique François Follic, mais sa femme le contredit.

C'est sans grande importance historique. L'appel du général de Gaulle a, le premier jour, touché très peu de Français. Sur les routes de l'exode, dans ces cafés de hasard où l'on happait plus sûrement un morceau de défaite qu'un morceau de pain, dans les champs où ils se battaient en retraitant, les Français ne songeaient pas encore à prendre la radio anglaise.

Quoi qu'il en soit, que les îliens décident de partir pour échapper aux envahisseurs qui approchent des côtes bretonnes, ou qu'ils aient la volonté de rejoindre avec de Gaulle « ceux qui continuent », ils partent. Non pas isolément. En bloc.

Rien d'ailleurs ne peut se faire isolément dans cette île aux rues trop étroites où les maisons siamoises abritent des familles fortement unies par la parenté, le travail quotidien et l'absence d'horizon terrestre. Mille îliens, cela représente sept ou huit « grandes familles », sept ou huit clans.

Rien ne peut se faire isolément dans cette île où le bateau et le café, le café et le bateau, réunissent, tour à tour, les mêmes hommes d'équipage.

Romantique et viscérale, la décision de départ est donc prise. Plus tard, pour l'histoire, je ne dis pas pour le roman, on ne lui trouvera aucun initiateur.

Autour des quelques marins qui occupent le phare, et qui veulent gagner l'Angleterre, des pêcheurs se groupent dans les journées des 22 et 23 juin.

Les Allemands n'ont pas encore franchi le raz de Sein. Mais si l'on veut leur échapper, il n'y a pas de temps à perdre [1].

Le 24, à la nuit tombante, toute la population de l'île se rassemble sur le port, sur la cale devant laquelle les bateaux de pêche sont groupés et bougent doucement. Les hommes du premier départ sont prêts. Les hommes ? Il y a parmi eux des gamins de 15 à 17 ans.

Jean Guilcher qui voit partir son frère saute dans le bateau. Il a 16 ans.

Les hommes ? Il y a parmi eux des pères de famille nombreuse que les autorités françaises ont démobilisés. François Follic a quatre gosses ; Jean-Yvon Porsmoguer, six enfants ; Jean Spinec est accompagné par son aîné qui a 18 ans. Chez les Spinec, le père parti, il reste huit gamins et bien peu d'argent.

Ces volontaires, pour une aventure dont ils ne peuvent deviner ni les péripéties ni la conclusion, partent les mains vides et laissent la misère derrière eux. Sur l'île, il n'y a pas de métier pour

1. Les Allemands ne débarqueront à Sein qu'au début du mois de juillet.

les femmes. La mer est ici le seul gagne-pain possible.

Lorsque Jean-Yvon Porsmoguer abandonne les siens, sa femme lui remet *tout* l'argent de la maison : 50 francs.

Ils s'embarquent pour l'Angleterre comme ils s'embarquent pour aller relever leurs casiers dans les parages de Tévenec : avec un casse-croûte et un litre de rouge. Quelques-uns ont pris un vêtement de rechange. Très peu ont, comme François Follic, une petite valise où la femme a entassé deux ou trois caleçons et autant de chemises !

Deux bateaux partent donc le 24, au coucher du soleil, par forte brise de nord. C'est la *Velléda,* une vedette des Ponts et Chaussées et la *Rouarnez-ar-Mor* (patron Maurice Couillandre). Sur la *Velléda,* 34 hommes, « armés » de cinq ou six fusils que les marins du phare n'ont pas abandonnés. Le recteur, l'abbé Guillarm, donne l'absolution générale aux hommes qui s'entassent sur les petits bateaux. Pas de cris, peu de gestes, parmi les femmes en coiffes noires qui se pressent sur le quai étroit ; peu de gestes parmi les hommes qui partiront le surlendemain.

Car c'est peut-être le plus extraordinaire de l'histoire.

La nuit ne porte pas conseil. La *Velléda* et la *Rouanez-ar-Mor* sortent du port, gagnent la nuit et le large, les femmes et les enfants retrouvent un foyer d'où l'homme est absent sans que cela modifie l'attitude des 60 ou 70 hommes valides qui partiront le 26.

Hommes de peu de paroles, hommes de parole, ils s'embarquent sur la *Rouanez-ar-Peoc'h,* la *Maris-Stella* et le *Corbeau-des-Mers.* L'équipage du *Corbeau-des-Mers* a trois fusils de chasse à bord...

comme si pareille mousqueterie pouvait être de quelque utilité.

Au total, 133 îliens, âgés de 14 à 51 ans, quittent l'île en deux jours. Si l'on ajoute à ces hommes les marins encore mobilisés, la population normale de 1 100 habitants se trouve, en juillet 1940, singulièrement réduite ! Dans beaucoup de maisons, il n'y a plus un sou et plus un homme pour sortir, pêcher et gagner quelque argent.

Mais lorsque, après leur traversée qui dura vingt-quatre heures, après leur première nuit passée à Falmouth, à bord du torpilleur français *La Suippe,* après les camps d'observation anglais, les îliens furent présentés au général de Gaulle, il eut ce cri qui marquait à la fois le sacrifice des uns et la timidité des autres : « L'île de Sein est donc le quart de la France [1]. »

Plus personne (à l'exception de Guennolé Fouquet et de ses deux fils en 1943), plus personne ne partit de Sein. L'île avait fait son devoir dès le premier jour.

★

Et d'ailleurs, il n'était pas facile de quitter les côtes bretonnes. Le docteur Vourc'h, qui fut l'un des plus intrépides organisateurs de la Résistance, affirme que les Pyrénées furent, plus que l'Océan, indulgentes aux Bretons qui cherchaient à rejoindre l'Angleterre. Il a certainement raison.

Le contrôle allemand, sans cesse renforcé, et le manque d'essence firent que les expéditions maritimes allèrent en décroissant d'année en année.

Le 19 juin 1940, le bateau *Oiseau-de-la-Tempête*

1. Sein est l'un des très rares villages français où il y eut plus de morts au combat pendant la guerre de 1939-1945 que pendant la guerre de 1914-1918 (respectivement 27 et 21).

quitte Le Primel, port de la commune de Plougasnou ; le 20, le 25 et le 30 juin, la barque *Le Primel,* patron Tanguy, emporte, à chaque voyage, 80 passagers vers les côtes anglaises ; le 21, le *Don-Michel-Noblet* part de Douarnenez, le langoustier *La Marie-Louise,* de Camaret, dépose tout son équipage en Angleterre ; d'autres encore, échappent aux Allemands, surpris par l'immensité de leur victoire et qui ne peuvent contrôler toutes les criques, inspecter toutes les barques.

Mais, passé les premiers jours, la surveillance s'organise.

Les candidats au départ doivent d'abord se procurer soit un bateau, soit une place sur un bateau. Ce n'est pas une petite affaire pour qui ne fait pas partie d'un réseau ou pour qui n'est pas marin-pêcheur.

Lorsque l'élève officier Guy Vourc'h arrive le 18 juin à Rochefort, il espère trouver un embarquement pour l'Angleterre. Mais son espoir est vite déçu. Il remonte alors vers la Bretagne, vers les rivages de son enfance. Lorsqu'il arrive le 28 à Plomodiern, son père lui dit :

« Comment, tu n'es pas déjà en Angleterre ? »

Guy raconte ses déboires.

« Mais d'ici tout sera facile ! »

A bicyclette, il parcourt le pays, allant de port en port, en quête d'une « occasion ». Vainement. Il y a bien des conciliabules et des promesses, mais autant en emporte le vin. Guy décide alors d'acheter un bateau. Il fait choix d'une pinasse à moteur Couach de 40 chevaux : *La Petite-Anna.* Le propriétaire, un pêcheur de Douarnenez, en demande 40 000 francs. C'est beaucoup pour le jeune démobilisé que ses parents ne peuvent guère aider.

Heureusement, son frère Jean a 25 000 francs

sur son livret de Caisse d'épargne et paye, à lui seul, la moitié du bateau.

L'affaire n'est conclue qu'en octobre, mais, propriétaires du bateau, Guy et Jean doivent, en attendant, rassembler cent quatre-vingts litres d'essence, quelques provisions et un baril d'eau douce. Puis, ils alertent l'équipage. Un équipage où personne ne sait naviguer. Il y a là deux amis de Guy Vourc'h, dont l'élève officier Charles P..., puis Robert Alaterre, ancien secrétaire de l'ambassade de France à Londres, qui reviendra fonder l'un des premiers réseaux français, et Bernard Schedauer, un jeune garçon qui se dit petit-neveu du général de Gaulle et solide marin. L'avenir ne devait pas confirmer cette prétention [1].

Les six s'embarquent le 19 octobre au soir. Pour mieux se déguiser en pêcheurs, ils sont habillés de rouge, mais Guy Vourc'h n'a pas oublié de prendre avec lui les *Pensées* de Pascal ! Et, lorsque le jour se lève, les Allemands, qui s'entraînent toujours à des exercices d'embarquement et de débarquement, ne font pas attention à ces garçons.

La *Petite-Anna* a pris en remorque la *Vierge-de-Massabielle,* un bateau de l'île de Sein à court d'essence. C'est à la fois une élégance et une habileté. Les novices de la *Petite-Anna* comptent sur les îliens pour les sortir du port et les mettre sur la bonne route. Tandis que les garçons se dissimulent dans l'entrepont, Alexis Richard et Stanislas Guilcher montent donc à bord de la pinasse, réussissent à tromper la surveillance de la douane alle-

1. Mauvais marin... mais soldat courageux, Bernard Schedauer, engagé dans les F. A. F. L., fut descendu une première fois, mais réussit à rejoindre l'Angleterre. Abattu de nouveau, il fut capturé et fusillé avec 47 aviateurs anglais qui, en 1943, cherchaient à s'évader du Stalag Luft III.

mande et de la vedette de police, guident la navigation jusqu'au soir.

Alexis Richard dresse un schéma sur le roof.

« C'est facile, c'est à l'ouest, puis plein nord-est. »

Mais ces mots, comme les noms des phares et des bouées, ne disent pas grand-chose à des adolescents qui ne sont jamais sortis de la baie de Douarnenez. Lorsque le soir tombe, Alexis Richard et Stanislas Guilcher quittent la *Petite-Anna.* Les jeunes gens leur ont donné deux avirons-souvenirs.

« Bon voyage. Vive de Gaulle ! »

La pinasse continue sa route. La *Vierge-de-Massabielle* fait voile vers Sein. A l'exception de Guy Vourc'h, malade depuis le départ, les six garçons de la *Petite-Anna* passent une nuit paisible. A l'aube ils s'attendent à découvrir les côtes anglaises. Qu'importent le froid et l'insomnie. Mais l'aube du 21 octobre n'amène rien d'autre que la panne d'essence. Panne sèche.

Plus tard, on découvrira que l'un des évadés avait gaspillé beaucoup d'essence en inutiles « essais » dans la baie de Douarnenez ! Pour l'instant, ils n'ont rien d'autre à faire qu'à attendre sur une mer vide et plate.

Pas de côte en vue, ni de fumée. Pas de vent non plus. Et, lorsque le vent se lève, le soir, ils ne savent qu'en faire. Vent du nord-est contre lequel ils sont incapables de naviguer. Le deuxième jour, le vent souffle toujours du nord-est, c'est-à-dire qu'il rejette les naufragés vers les côtes bretonnes.

Car ce sont déjà des naufragés. Et Guy Vourc'h, que la panne et le mauvais temps ont fait surgir de son malaise, institue un sévère rationnement des quelques vivres et des quarante litres d'eau.

Dès le quatrième jour, il n'y a plus de pain à bord, plus de pétrole pour la lampe emportée de Douarnenez. Les garçons doivent se contenter d'un quart d'eau matin et soir, de sardines et de thon à l'huile, mais sans pain.

Le septième jour, le temps change brusquement. Le vent passe au sud-est et le soleil succède aux nuages. Les naufragés ne grelottent plus. Mais leur situation n'en demeure pas moins critique. L'eau doit être rationnée plus sévèrement encore. Les garçons commencent à être gagnés par l'obsession de repas pantagruéliques. Charles P... délire. Il se croit chez lui, à Nantes, cherche l'ascenseur pour rejoindre son appartement, urine sur le moteur et lorsque ses camarades lui font des reproches, il réplique, sans comprendre :

« Depuis une demi-heure, je demande à la concierge de l'hôtel où se trouvent les waters. Elle ne veut pas me le dire. Je suis bien obligé de me soulager ici ! »

Dans la nuit froide, l'Angleterre a les trompeuses apparences d'un mirage.

Vers quoi voguent-ils maintenant ?

Et l'Angleterre existe-t-elle ?

Dans la nuit du huitième au neuvième jour, le temps se gâte de nouveau, devient si mauvais que Guy Vourc'h récite la prière des morts. Mais, cette fois, le vent, secourable, reste au sud-est.

Le 30 octobre, alors que leur mauvais sommeil est troué de cauchemars, le barreur se laisse glisser sous le pont, là où ses camarades sont affalés autour du moteur inutile.

« Un phare, j'ai vu un phare. »

Il a vu un phare et ils se secouent et ils montent et ils contemplent cette lumière lointaine sur laquelle, toute la nuit, ils vont se guider. Au matin, la côte est proche, mais le péril n'a jamais été aussi grand. Pris dans des remous, épuisés de fatigue, assommés sous les trombes d'eau célestes, grisés de toute cette eau qu'ils avalent pour la première fois à satiété depuis dix jours, n'apercevant même pas le cargo dont la sirène hurle près de là, ils sont sauvés enfin.

Leur randonnée au gré des vagues et du courage les a conduits jusqu'au canal de Bristol.

Ils sont partis le 20 octobre. C'est le 31 que le S.S. *Cairngorn* les recueille.

Le demi-litre de vin qui restait encore à bord a été bu par le premier qui a crié « Terre [1] » !

★

Pas plus qu'on ne peut dresser la liste des points de passage pyrénéens, on ne peut dresser la liste des ports qui, de jour ou de nuit, virent des départs vers l'Angleterre.

A côté des hommes qui partaient pour un seul voyage, comment ne pas évoquer ces passeurs bénévoles qui allaient d'une côte à l'autre, à travers les doubles périls des tempêtes et des navires allemands ?

Cinq jeunes pêcheurs de Guilvinec et de Tréboul : Baltas, Guénolé, Kerloc'h, Le Goff, Le Cosse, font ainsi *dix-neuf voyages* entre juillet 1940 et avril 1941, date à laquelle quatre d'entre eux sont arrêtés.

Comment ne pas évoquer Jacques Guéguen, ancien compagnon de Charcot, arrêté après son quatrième voyage en Angleterre, relâché à cause de son âge et que ses 75 ans n'empêchèrent nullement de gagner l'Angleterre en compagnie du plus jeune de ses fils, âgé de 16 ans ?

De Morgat, de Douarnenez, de Plouha, de Carantec, de Camaret, des bateaux partirent pour des

1. Témoignage du docteur Vourc'h.

fortunes diverses. Ceux qui paraissaient promis au naufrage abordèrent souvent. Et ceux qui semblaient le mieux armés pour la réussite échouèrent parfois.

Qui aurait parié sur les chances de Jean-Amaury Saladin s'embarquant à 15 ans et demi en compagnie de deux camarades dont l'un n'a que 16 ans, volant à la Wehrmacht l'essence nécessaire à son odyssée, chargeant, pour toutes provisions, deux douzaines de crêpes faites à la dernière minute par la mère d'un des garçons, laissant porter son bateau par le courant jusqu'au large de Morlaix et arrivant le 6 juin 1942, après dix-sept heures seulement de traversée, en vue des côtes anglaises ?

Qui aurait promis le succès à Henri Stephan ? Il n'a pour lui qu'une terrible obstination. Evadé d'un camp d'Allemagne à la fin de 1942, il s'est juré de rejoindre l'Angleterre.

Comment ? Avec ce qu'il a sous la main comme moyen de transport : son canoë.

Ce qu'il a sous la main comme mât : un manche à balai.

Ce qu'il a sous la main comme cloisons étanches : cinq chambres à air d'auto.

Et il part. En mer, pour la première fois de sa vie, il est malade. Incapable de continuer, il regagne la côte. Son échec ne l'a pas abattu moralement. Il décide de voler un petit bateau dans le port de Ploumanach. Aussi petit que possible car, pour être patriotique, un vol n'en reste pas moins un vol [1].

Il repère « son » bateau, guette la marée favorable et, le moment venu, fourre dans un sac tyro-

1. Dans la lettre qu'il laissait à ses parents, Henri Stephan insistait sur la nécessité de dédommager « le plus largement possible » le pêcheur dont il allait prendre le bateau.

lien ce qu'il trouve dans l'armoire familiale : 300 grammes de viande, 500 grammes de beurre (on est en Bretagne). Il court chercher un pain de trois livres, prend avec lui deux litres d'eau et un litre de cidre.

Arrivé à Ploumanach, dans la nuit du 27 mai 1943, il se déshabille, se met à l'eau et nage vers la barque repérée. Ne la trouvant pas, il monte, après quelques recherches, dans la première venue. Son canot, qu'il mène à la godille, s'échoue au pied de la garde allemande que le bruit ne tire pas de son assoupissement. Il le dégage et, après quelques centaines de mètres, hisse la voile. A l'aube seulement, il peut passer l'inspection de son canot qui porte les trois couleurs sur chaque flanc et, à l'arrière, les mots *Sainte-Anne, Lannion.*

Yves Stephan, qui a perdu un aviron, godille, puis se repose, godille de nouveau, se repose. Il dort même, dans la nuit du 27 au 28, sur la chambre à air qui doit lui servir éventuellement de bouée de sauvetage. Lorsqu'il se réveille à 3 h 30 du matin, il s'aperçoit que la chambre à air est crevée, ce qui n'altère nullement son optimisme.

Calme plat toute la journée du 28, mais la terre, encore invisible, lui délègue un petit papillon. Enfin, le 29, à 13 h 30, il aborde une côte anglaise.

Si, pour beaucoup, la mer reste extraordinairement vide, il n'en va pas toujours de même. Le sergent-chef Jean Magloire-Dorange, moniteur à l'Aéro-Club de Saint-Brieuc, réussit à quitter la baie de Fresnaye, près de Saint-Cast, le 12 février 1941.

Avec lui, sur le *Buhara BM* 401, quatorze jeunes gens, ses anciens élèves pour la plupart. Le *Buhara* tombe en panne au large de Guernesey. A l'aube, un bateau vient à leur secours, mais c'est un allemand. Deux mois plus tard, Dorange et Devouassoua (le jeune garçon dont la mère avait fourni les 40 000 francs nécessaires à l'achat du *Buhara*) sont fusillés à Saint-Lô [1].

1. Il y eut aussi (en petit nombre) des départs en avion. Je n'évoque pas ici les enlèvements d'hommes de la Résistance, mais les fuites équivalant aux passages par l'Espagne ou par l'Océan.

Les deux plus extraordinaires départs eurent pour héros : l'un, Maurice du Fretay, qui, le 15 novembre 1940, après avoir remonté entièrement son petit avion de tourisme, décolla depuis l'allée qui conduisait au manoir de ses parents, près de Rauléon ; l'autre, Jean Hébert et Denis Boudard, qui, le 29 avril 1941, s'envolèrent, de l'aérodrome de Carpiquet, sur un avion de liaison volé à un inspecteur de la Luftwaffe. Maurice du Fretay et Jean Hébert devaient être tués en opération aérienne.

CHAPITRE V

LE PAIN DE CHAQUE JOUR

Le 31 octobre 1941, plusieurs journaux publient l'avis suivant :

Mangeurs de chats, attention !

Par ces temps de restriction, certaines personnes affamées ne craignent pas de capturer des chats pour en faire un bon civet. Ces personnes ne connaissent pas le danger qui les menace. En effet, les chats, ayant comme but utilitaire de tuer et manger les rats porteurs de bacilles les plus dangereux, peuvent être, de ce fait, particulièrement nocifs...

C'est le temps où les corbeaux se vendent 10 francs pièce sur les marchés de Lyon, le temps où, à Bordeaux, le nombre des pigeons de la place Pierre-Laffitte passe de 5 000 à 89, le temps où, à Brive, un perdreau atteint 1 650 francs aux enchères à l'américaine, le temps du rutabaga, des poules installées sur un coin de balcon à la place du géranium, des lapins apprivoisés et pour lesquels on va dérober l'herbe des fossés, le temps des cartes de pain, des tickets vrais ou faux, bleus ou roses, des « lettres » qui donnent droit indifféremment au fromage ou au savon, des « lettres » non honorées, des queues, des complicités, des amitiés paysannes, des enfants qui ont faim, des restaurants pour riches où qui fait bonne chère est assuré de faire aussi œuvre pie, ce qui permet de sortir de table la conscience tranquille et le ventre plein [1] !

Le temps de ceux qui ne mangent jamais à leur faim.

Le temps de ceux qui mangent trop pour ne rien « laisser perdre » et parce qu'ils ignorent « de quoi demain sera fait ».

Le temps où Pierre Laval, regagnant Paris, emporte dans sa voiture son beurre et son fromage, où Sacha Guitry arrivant à Vichy s'y fait accompagner par ses provisions de la semaine. Le temps où les policiers qui protègent Jean Luchaire, président de la Corporation de la Presse Française, notent dans leurs rapports : *Le vendredi* 23 *juillet* (1943), *M. Luchaire a rapporté de ses visites* (*à deux fermiers belges*) 900 *francs de viande,* 6 *litres de crème,* 50 *œufs frais et* 20 *kilos de beurre.*

Le temps du marché noir.

Des tromperies sur le poids, sur le nom, sur la qualité.

Du fromage à 0 pour 100 de matière grasse, du tabac sans tabac, du sucre échangé contre un pneu de bicyclette.

1. Un certain nombre de restaurants parisiens avaient le droit de ne pas observer les prix fixés et, cela va sans dire, de donner à leur clientèle toutes les nourritures désirées et toutes les quantités demandées. Le dixième du montant de l'addition était alors versé au Secours national.

Les acheteurs ne battent plus la campagne seulement avec un portefeuille bien garni. Dans leurs valises, ils ont les chaussures, les lainages, la vaisselle, la saccharine, sans lesquels on ne leur vendrait ni les poulets ni les porcs.

C'est le temps des vaches maigres. Des inspecteurs du ravitaillement. Le temps où, dans les prisons et les écoles, la nourriture devient une obsession, où, dans les foyers, elle ne cesse d'être l'unique pensée de millions de mères de famille soudain esclaves de l'épicier, du boulanger, du boucher, du crémier, de tous ces puissants barons qui ont pouvoir de vie et de mort sur une population tremblante, haineuse, courbée, révoltée et dont ils se font plaindre cependant lorsqu'un contrôleur trop pointilleux les envoie, pour quelques semaines, en prison [1].

C'est le temps où les enfants apprennent à voler pour manger et où les pères se vantent des scandaleux tours de force qui ont amené jusqu'à la table familiale le pain et le vin.

« Donnez-nous notre pain de chaque jour... »

Sur la riche terre de France, des millions d'hommes et de femmes découvrent soudain qu'ils peuvent, en quelques semaines, se trouver réduits à la condition d'Hindous.

★

La riche terre de France ? Tout un peuple vivait sur un mirage.

La défaite et l'occupation vont lui prouver qu'il

1. Le commissaire de police de Charleville se heurtera, en mars 1941, lors d'une vérification, dans les boucheries de la ville, à une très violente opposition des clientes qui refuseront de faire connaître le prix qu'elles ont payé la viande. Ce n'est, certes pas, un cas unique.

était, plus profondément encore qu'il ne l'imaginait, tributaire de l'étranger et de ses colonies.

Jusqu'au mois de juin 1940, la guerre n'a pas dérangé ses habitudes. Il peut acheter tout ce qu'il désire. Les privations n'existent que pour le voisin allemand. Et l'on s'en moque.

Une des images d'Epinal de la force française c'est le beurre sans les canons. Ce plaisant paradoxe ne résiste pas aux batailles de juin.

Au moment où toute la navigation est, sinon stoppée, du moins difficile, la France métropolitaine découvre qu'elle recevait chaque année, en moyenne, de 7 à 8 millions d'hectolitres de vin d'Afrique du Nord, que 600 000 tonnes d'arachides partaient de Dakar vers ses ports, que le cacao, les bananes, l'huile de palme, le riz, le sucre, le caoutchouc arrivaient de nos colonies lointaines, la viande d'Amérique du Sud, le blé du Canada, l'essence du Moyen-Orient, la pâte à papier de Finlande, le charbon d'Allemagne, la laine d'Australie.

C'est au plus creux de notre malheur qu'il nous faut apprendre la signification du mot autarcie.

Encore les faibles quantités dont nous disposons (sur le plan alimentaire comme sur le plan industriel) nous sont-elles disputées par les Allemands, cependant que leur répartition, à l'intérieur même de la France, se heurte à d'innombrables difficultés et à ces nouvelles frontières que sont les lignes de démarcation [1].

1. « Très rapidement, note René Belin, ancien ministre du Travail, les Allemands admirent que les marchandises françaises franchissent la ligne dans le sens Sud-Nord. ... Par contre, ils interdisaient strictement tout passage de marchandises dans le sens Nord-Sud.

Par mesure de représailles, le gouvernement de Vichy décide de soumettre à autorisation préalable toute sortie de marchandises de la zone Sud. »

« *La France du Sud n'avait ni blé, ni sucre, ni pommes de terre, ni graines potagères, ni charbon, et fort peu d'orge et d'avoine,* écrit Bouthillier, qui fut ministre de Vichy. *La France du Nord n'avait ni vin, ni huile, ni savon.* »

Le trafic par chemin de fer entre les deux zones est suspendu. Aux ponts coupés s'ajoutent les interdictions allemandes. Peuple de paysans, qui engrange facilement conserves et jambons, peuple prudent qui, par sentimentalisme autant que par superstition, ne jette jamais rien, les Français ne s'apercoivent pas immédiatement des conséquences alimentaires de la défaite.

Juin est un mois abondant en désastres militaires sur les champs de bataille, en fruits dans les vergers.

Dans la *Petite Gironde* des 20, 21 et 23 juin 1940, d'incurables optimistes offrent ce qu'on leur arracherait à prix d'or quelques semaines plus tard.

« *A vendre huile de table* 10 *litres. Café torréfié à partir de* 5 *K. Huilerie Roubaud fils, Marseille.*

« *A.V. beurre fermier frais extra* 16 *f.* 50 *le k. Expédition par* 5 *et* 10 *K. et ttes quantités. Mme Coudray d'Hangest, Louvigné-du-Désert (I.-et-V.).*

« *Sucre synthétique disponible* 500 *K. saccharine en cristaux sucrant* 450 *fois. G. Naeyaert, réfugié,* 5, *rue Leroy, Biarritz.* »

Qui prête attention, dans cette abondance qui se prolonge, comme le dernier cercle d'un ricochet, aux premiers appels à la prudence ?

Pourtant, ici et là, dans les villes, l'exode, déjà, a provoqué la pénurie d'où naîtra le marché noir.

A Rouen, la viande et la farine manquent ; d'ailleurs, il n'y a plus d'électricité pour faire marcher moulins et frigorifiques. A Dunkerque, quelques jeunes de la J.O.C. vont ramasser le ravitaillement abandonné par les Anglais afin de le distribuer aux rescapés des bombardements. A Toulouse, dont la population a sans doute doublé sous la poussée des réfugiés, il n'y a plus de pommes de terre à la fin de juin 1940. Dans les casernes et les restaurants, on ne sert plus que des tomates. Le tabac a disparu et, en vingt-quatre heures, le prix du paquet de Gauloises est passé de 3 à 80 francs...

★

Dans un pays sur lequel la guerre a passé comme un ouragan, où 80 000 paysans sont morts, où plus de 700 000 sont prisonniers, où l'administration est dispersée, les transports intérieurs bouleversés, les communications avec le monde extérieur interrompues, le ravitaillement de la population est fonction d'abord de la reprise des importations, ensuite du maintien et, si possible, de l'extension de la production agricole.

Le gouvernement court au plus pressé. Mais la reprise des relations avec l'Afrique suppose l'accord des Allemands comme des Anglais [1]. Pour des belligérants qui se heurtent rudement sur mer et cherchent également à gagner la bataille du tonnage, on comprend que les 1 650 000 tonneaux qui restent à la flotte commerciale française constituent une proie tentante.

Il faut annuler ces appétits, sauver son bien, tenir ouvertes, malgré les croisières anglaises plus ou moins soupçonneuses, malgré les pressions allemandes plus ou moins fortes suivant le déroulement de la bataille, tenir ouvertes les lignes qui relient l'Afrique aux ports méditerranéens.

1. L'armistice a suspendu tout le trafic maritime français. Pas un navire ne peut appareiller de nos ports méditerranéens sans l'accord préalable des commissions d'armistice.

Car les ports de l'Atlantique, occupés par l'armée allemande, sont pratiquement fermés aux navires français. Au début de l'occupation, l'amiral Auphan a bien tenté d'envoyer sur Nantes et Bordeaux quelques navires chargés de vin et de bananes, mais un torpillage à l'ouest de Saint-Nazaire provoque l'arrêt presque immédiat de ce trafic dangereux et compromettant.

En novembre 1940, Bordeaux recevra sept navires morutiers dont la pêche importante (120 000 quintaux) alimentera, pendant de longs mois, un fructueux marché noir de la morue. En avril 1941, le *Notre-Dame-du-Châtelet*, le *Martin-Pêcheur*, l'*Izarra*, le *Bassilour*, le *Madiana*, le *Cancalais*, l'*Angelus* reprennent la mer. Mais ils ne reviendront pas au port. Le premier sera coulé par les Anglais, les autres capturés, et Bordeaux, comme tous les ports de l'Atlantique, ne connaîtra plus d'autres navires que les sous-marins et croiseurs allemands.

★

Puisque la Méditerranée est devenue une mer de remplacement, il faut multiplier les passages, élargir au maximum le gant que nos adversaires et nos alliés de la veille nous ont abandonné et qui n'est pas encore à notre pointure.

Au début, les Italiens n'autorisent que 16 passages par semaine entre Marseille et les ports d'Afrique du Nord, mais, bientôt, ce chiffre est porté à 70 et, finalement, jusqu'au débarquement anglo-américain en Afrique du Nord, la marine française transportera, d'une rive à l'autre de la Méditerranée, presque autant de marchandises qu'en temps de paix.

En Méditerranée, les incidents graves sont rares et les Anglais n'appliquent pas leur menace de blocus total des côtes françaises [1]. Mais, dans l'Atlantique, il en va tout autrement.

L'humeur des Anglais est fonction de leurs succès, de leurs défaites, de leurs besoins en tonnage, des réactions françaises. La Royal Navy fait alterner sourires et coups de force. Elle arrête trois navires isolés sur la route de Dakar puis, lorsque l'Amirauté française décide d'organiser des convois protégés, d'Oran à Cotonou, cesse pendant quelques mois ses attaques, les reprend en janvier 1941 et capture un convoi entier, pille le trafic en provenance d'Indochine et de Madagascar, se casse les dents sur un petit convoi de quatre navires porteurs de riz, de laine et de rhum.

L'amiral Auphan calculera que 1 750 bâtiments de commerce français groupés en 540 convois ont ainsi, en vingt-six mois, pu franchir Gibraltar dans l'un ou l'autre sens.

★

La reprise des importations en provenance

1. Menaces dont le gouvernement de Vichy prit connaissance le 31 juillet 1940, lorsque M. Baudoin, ministre des Affaires Etrangères, vint informer ses collègues que l'Angleterre considérait désormais la France et l'Afrique du Nord comme territoires occupés par les Allemands.

Dans le secteur méditerranéen, les incidents avec les Anglais eurent surtout pour cause les transports de phosphates que nous opérions à moitié pour le compte de l'Axe.

« En vingt-sept mois de navigation, nous eûmes, en Méditerranée, 10 navires coulés et 3 avariés, savoir 4 sur mines italiennes, 2 par bombe allemande ou torpille de sous-marin allemand, 7 par bombes ou torpilles anglaises. » Amiral Auphan : *La Lutte pour la vie*.

d'Afrique s'avère cependant bien insuffisante à combler le déficit alimentaire français.

Le gouvernement et les particuliers vont donc multiplier les initiatives destinées à augmenter la production.

Vichy ordonne la mise en culture (volontaire ou forcée) des terres abandonnées et particulièrement des grands espaces de Sologne et de Crau.

Les « jardins ouvriers » sont encouragés, dotés de subventions [1], de conseils, d'instruments. Sous la surveillance plus ou moins exacte de commissions de contrôle on voit se grouper dans les établissements religieux, les usines, les bureaux, tous ceux qui n'ont pas oublié leurs origines paysannes.

« L'Amicale des jardins des prévoyants de Lutèce » et les « Jardiniers de la Condamine » éclosent dans l'hiver 1940 et supputent déjà les récoltes printanières.

Financièrement et psychologiquement, le gouvernement encourage également le retour à la terre. Ces citadins que l'exode a souvent ramenés dans leur village natal, village parfois désert, pourquoi ne s'y fixeraient-ils pas ? On leur promet des concessions exemptes de fermage, des capitaux au taux de 1 pour 100, un bon de transport gratuit pour eux, leur famille et leur mobilier, un petit pécule, l'aide de l'Etat pour la formation agricole de leurs enfants...

Les journaux chantent le courage et l'intelligence de ceux (ils sont 25 000, paraît-il) qui ont su

1. Une subvention forfaitaire de 150 francs pour tout jardin d'au moins 200 m² mis en exploitation dans une ville de plus de 2 000 habitants. Le *Journal Officiel* du 18 septembre 1940 publiait une loi relative à la mise en exploitation des terrains urbains inutilisables, terrains mis à la disposition des jardins ouvriers et des chefs de famille.

revenir à la terre pour mieux manger sans doute, mais aussi pour faire revivre une parcelle de sol français [1].

Voici M. et Mme Bourguet qui, près d'Etampes, ont repris une ferme de 30 hectares en accord avec plusieurs de leurs amis du groupe parisien Saint-Louis.

Pierre Dubard interroge Mme Bourguet [2].

« Terminons par une confidence, une vraie. Si c'était à refaire, partiriez-vous ? Quitteriez-vous Paris ? Je vous pose la question, car je suis sûr de l'honnêteté de la réponse.

— Je ne sais si j'aurais le courage de recommencer. Nous avons été beaucoup aidés par la Providence. Nous avons eu énormément d'audace... Sans nous en rendre compte. »

★

Afin de réduire le gaspillage (à une époque où le gaspillage administratif sera effréné), on mobilise les enfants des écoles pour la récolte des châtaignes et des glands. La lutte contre le doryphore est intensifiée. Le service civique rural organisé. Le remembrement favorisé.

Dans la volonté de ne laisser aucun lopin de terre inutilisé, on ira jusqu'à mettre en culture le jardin des Tuileries. Une fois mûres, les tomates,

1. Car la propagande insiste sur la nécessité de délaisser les villes, où règne bien souvent le chômage, au profit de la campagne. Dans l'un de ses premiers appels (25 juin 1940), le maréchal Pétain déclare : « Un champ qui tombe en friche, c'est une portion de France qui meurt. Une jachère de nouveau emblavée, c'est une portion de France qui renaît. »

2. *La Gerbe*, 9 janvier 1941. M. et Mme Bourguet avaient, d'ailleurs, commencé leur expérience avant le début de la guerre.

poussées à la place des fleurs, seront distribuées au Secours National.

Mesures spectaculaires à l'influence limitée.

De 1940 à 1944, les surfaces cultivées diminuent de 16 p. 100 pour le blé, de 22 p. 100 pour les betteraves sucrières, de 29 p. 100 pour l'avoine et l'orge. Elles n'augmentent sensiblement que pour les légumes frais et pour les cultures oléagineuses (colza, œillette, navette) où elles passeront de 9 000 hectares à 267 000.

Quant aux récoltes, comment ne diminueraient-elles pas dans un pays où les engrais font défaut ainsi que les machines neuves, l'essence, les semences sélectionnées et jusqu'aux fers à chevaux depuis que l'armée allemande s'est emparée des stocks de l'unique usine de Duclair [1].

Lorsqu'ils écrivent, les paysans énumèrent tout ce qui leur fait défaut. Voici une lettre en provenance de la Somme :

« *Si j'avais pu trouver un bon tracteur de* 35 *C.V. à l'huile lourde, au lieu d'un* 10/20 *Fordson, et le carburant nécessaire, j'aurais pu semer* 40 *hectares en blé, au lieu de* 25 *et* 15 *hectares en seigle au lieu de* 3. *Pour l'avoine, la même chose ; les chevaux me manquent aussi. Je n'ai pu trouver aucun matériel roulant : chariot, tombereaux, déchaumeuse, pas d'engrais ou presque pas, pour l'automne j'ai eu* 1 500 *kg de super,* 400 *kg de sulfate d'ammoniaque. Si vous croyez qu'avec ça je vais avoir une bonne récolte. Enfin, inutile de continuer. J'espère quand même arriver à mener le tout pour le mieux.* »

1. Les paysans français qui consommaient annuellement, avant la guerre, 181 000 tonnes d'azote, 323 000 tonnes de phosphate n'ont plus à leur disposition que 100 000 et 79 000 tonnes. Pour l'essence et le gas-oil, la consommation tombe de 300 000 m³ en 1939 à 145 000 m³ en 1941, 88 000 m³ en 1943, 52 000 m³ en 1944.

Faut-il s'étonner, dans ces conditions de pénurie généralisée, de voir la production se stabiliser difficilement pendant quatre ans à des chiffres éloignés de 25 p. 100 au moins de ceux d'avant-guerre [1] ?

Quand tout manque, quand les importations sont soumises à des conditions politiques qui en rendent la poursuite aléatoire, la France agricole ne dispose ni des hommes ni des moyens techniques nécessaires à donner aux Français leur pain quotidien, le beurre pour l'accompagner, la poule au pot dominicale, le litre de vin de chaque jour et les pommes de terre qui entourent le bifteck sur les tables familiales.

★

Les Français ne sont d'ailleurs pas les seuls consommateurs.

A côté d'eux, disposant de priorités indiscutables, de moyens d'achat puissants et d'un change scandaleusement favorable [2] : l'armée allemande. Non plus l'armée allemande de juin 1940, où des soldats de légende dévorent des omelettes de vingt-quatre œufs et meurent étouffés pour avoir mangé trop de pêches, non plus l'armée allemande de juin 1940, dont l'amour pour les fruits de nos vergers et les gâteaux de nos pâtisseries constitue comme un dérisoire hommage — un hommage

1. 55 millions de quintaux de blé en 1942 contre 73 en 1940, 69 millions de quintaux de pommes de terre contre 103, 35 millions d'hectolitres de vin contre 49, etc.

2. A la suite d'une décision du commandement allemand, le mark vaut 20 francs, alors que sa valeur réelle ne dépasse pas 10 ou 12 francs.

tout de même — au traditionnel bonheur de vivre français.

Mais, très vite, une armée allemande organisée qui, dès le 25 août 1940, à Bordeaux, réquisitionne caoutchouc et savon, et, le 12 septembre, commande 20 000 caisses de Bénédictine dont 300 livrables immédiatement. Ses réquisitions et ses achats ont pour but, non seulement de nourrir les troupes campant sur le sol français, mais aussi les civils allemands et, plus tard, les soldats de l'Est.

Lorsqu'on effectuera le recensement des denrées emportées (achats amiables, prises de guerre, réquisitions), on arrivera, pour la période allant de juin 1940 à juin 1944, à 2 845 000 tonnes de blé (la moitié d'une récolte annuelle) et presque autant d'avoine, 845 000 tonnes de viande (soit plus que la consommation de 40 millions de Français pendant l'année 1941), 711 000 tonnes de pommes de terre, 220 millions d'œufs, 750 000 chevaux, etc.

Les représentants français à la Commission d'armistice de Wiesbaden ont beau attirer l'attention sur la disparité des rations françaises et des rations allemandes [1], réclamer l'arrêt des exportations hors de France de toutes les denrées alimentaires, solliciter une réduction des achats des troupes ainsi que des livraisons de compensation de pommes de terre et de sucre allemand, la

1. Voir notamment une lettre adressée le 19 février par M. de Boisanger à M. Hemmen. Le délégué français signale que « dans l'ignorance où l'on était des ressources exactes du pays, faute d'avoir pu encore en dresser l'inventaire, le Gouvernement français a fixé, en accord avec les autorités allemandes, un taux de rations inconditionnellement bas » ; il rappelle que les consommateurs allemands bénéficient de rations qui sont plus élevées (de 15 à 150 %), que les rations françaises et que les exportations en direction de l'Allemagne sont nombreuses : 1 400 000 quintaux de blé expédiés depuis les départements du Nord et du Pas-de-Calais, 5 000 têtes de bétail, soit une semaine de consommation pour la ville de Paris, etc.

plupart de ces réclamations restent sans effet. Elles provoquent même la colère du maréchal Gœring qui, le 6 août 1942, expose, devant les commissaires du Reich pour les territoires occupés, sa conception de la situation alimentaire en France.

La France ? Il en vient. Les paysans français ? Tous des paresseux. Les citadins ? Des gens « *qui s'empiffrent de nourriture, que c'en est une honte* ».

Le gros maréchal bien nourri tremble de colère et pointe un index accusateur.

« J'ai vu des villages où ils ont défilé avec leurs longs pains blancs sous le bras. Dans les petites villes, j'ai vu des oranges à pleins paniers, des dattes fraîches d'Afrique du Nord... Si une voiture allemande est aperçue devant un café ou un restaurant français, on prend aussitôt son numéro. Mais qu'une file de voitures françaises se trouve derrière et que ces voitures bouffent de l'essence, pas un chat ne s'en occupe. Je vais envoyer une quantité d'acheteurs en France qui auront tout loisir, d'ici Noël, d'acheter à peu près tout ce qu'ils trouveront dans les belles boutiques et les beaux magasins et, cela, je le ferai mettre en vitrine pour le peuple allemand dans les boutiques allemandes, et il pourra se le procurer [1]. »

★

Les acheteurs n'ont pas eu besoin des injonctions de Gœring pour se mettre à l'œuvre.

En dehors des achats officiels, payés sur les frais d'occupation et qui devraient, *en principe,*

1. Cité par *Les Cahiers d'histoire de la Seconde Guerre,* tome IV.

être effectués en présence d'un fonctionnaire français, admis à discuter les prix avec les fournisseurs, les Allemands multiplient les achats clandestins qui détraquent l'économie française.

Tous les grands organismes allemands civils et militaires ont, à Paris comme en province, bureaux d'achats et acheteurs qui se fournissent uniquement au marché noir. Les prix ne comptent pas pour ces intermédiaires, avides de faire fortune en quelques mois et à qui les complicités ne manquent pas.

La plupart ont déguisé leur nom. L'Espagnol Macias se fait appeler Jean Bell, Wirstch le Luxembourgeois, Dubois, et, sous le nom d'Otto, se cache le colonel Brandel.

Le bureau Otto, créé en 1941 à Paris par le colonel Brandel, le major Perschel et le capitaine Radœcke, a bientôt à sa disposition, pour ses 200 employés, non seulement les bureaux de la rue Adolphe-Yvon, mais aussi les docks de Saint-Ouen où il entrepose les cuirs, ceux de Saint-Denis pour les métaux, de Nanterre pour l'outillage, ainsi que le fort de Satory pour les bicyclettes.

Car les Allemands ne s'intéressent pas au seul ravitaillement. D'octobre 1942 à juin 1943, pour faire cuire la viande, ils expédient, vers le Reich, 76 tonnes de poêles à frire ; pour se distraire après le repas, 10 tonnes de cartes à jouer ; pour cultiver la terre allemande, 76 tonnes de manches de pioche et 145 tonnes de chaussures suivies, comme il se doit, de 34 tonnes de cirage...

En quelques mois, les acheteurs réalisent de monstrueuses fortunes. Le réfugié russe Michel Szokolnikoff, principal fournisseur du bureau d'achats Reichfuhrung S. S., a encaissé plus de 2 milliards (1944) de profits. Sa maîtresse, l'Allemande Hélène Samson, commande chez les plus grands couturiers de la capitale cinquante robes par an, possède pour 100 millions (1944) de bijoux et trois puissantes voitures pour lesquelles les restrictions d'essence n'existent naturellement pas...

Lorsque les acheteurs allemands se jettent sur une marchandise (qu'il s'agisse du beurre ou de brouettes à destination de l'organisation Todt, de camions ou de bétonnières, de sucre ou de parfums), les prix sont comme frappés de folie. Les occupants sont-ils suffisamment pourvus, les prix se dégonflent.

C'est ce qui se produit le 15 avril 1943. Mais, cette fois, pour cause de fermeture définitive.

A midi, tous les bureaux allemands et officines clandestines ont fermé leurs caisses et mis fin à tous les marchés en cours. Le dollar-or, qui avait atteint 1 400 francs en novembre 1942, tombe à 710 francs le 16 avril 1943, et ce n'est là qu'une des conséquences de la fin — du moins sur une échelle géante — du marché noir allemand en France [1].

De la fin du marché noir, mais non, bien entendu, des prélèvements officiels et des achats de la troupe.

★

Puisque le ravitaillement n'arrive qu'avec parcimonie et que, sur les denrées coloniales, les Allemands prennent une part plus ou moins importante [2], puisque l'armée d'occupation campe

1. Pour plus de précisions sur ce marché noir, cf. *Les Cahiers d'Histoire de la Seconde guerre mondiale*, qui, dans le tome IV, ont largement reproduit un rapport établi par l'administration du Contrôle Economique.

2. Notamment 25 % de l'huile des arachides transportées depuis Dakar dans l'automne 1940 (Cf. Auphan : *La lutte pour la Vie*).

et mange sur notre sol, puisque la production métropolitaine, loin d'augmenter, diminue notablement, il faut se rationner.

Cette solution, pénible aux Français, les Allemands l'imposent, la bataille à peine achevée, dans les villes qu'ils occupent.

L'annexe n° 2 des Instructions spéciales n° 6 du commandant en chef des forces allemandes en France fixe, le 24 juin 1940, les taux des rations alimentaires pour réfugiés. Ils auront droit à 530 grammes de viande par semaine, 2 kilos 400 de pain, 175 grammes de beurre, 100 grammes de confiture, 250 grammes de sucre, 62,5 grammes de fromage, 93 grammes de café.

Les occupants supervisent également les prix. Le 3 août 1940, sur les murs de Mézières et de Charleville, où un seul épicier est rentré depuis l'exode, paraissent des affiches blanches rédigées en français et en allemand. Signées conjointement de MM. Gamen, Bogaert, Magny « maires provisoires » de Mézières, Charleville et Mohon, du docteur Bridoux, « maire supérieur », et du « major und Kommandant » Paetcher, elles fixent de nombreux prix. Le beurre vaudra 15 francs la livre, le sucre 6,90 le kilo, les pommes de terre 3,50, le vin pesant neuf degrés 4 francs le litre, le savon noir 7 francs et le savon blanc 8 francs le kilo, etc.

A l'autre bout de la France, à Bordeaux, capitale provisoire d'un gouvernement qui va céder ses bureaux, ses fauteuils et ses lits à l'ennemi, les autorités françaises se sont préoccupées elles aussi du rationnement, mais en prenant encore des formes. L'été a été très beau, les vergers sont riches, et les nombreux réfugiés n'ont pas tout dévoré des réserves préparées pour les grandes vacances !

Le rapport, daté du 18 juin, sur lequel le Président de la République s'appuie pour créer un Commissariat général au Ravitaillement, n'évoque que les désordres de l'exode et lorsque le maire de Bordeaux invite la population à se restreindre, il laisse les commerçants libres de refuser ou de livrer la marchandise.

Cependant taxations, interdictions, restrictions vont aller s'amplifiant et créer dans le pays une psychose de hausse, un vertige de stockage.

On achète parce que, demain, tout sera plus cher, on achète parce que, demain, tout manquera.

En veut-on un seul exemple, choisi hors des produits de première nécessité ? La campagne de 1942 a donné lieu, pour les foies d'oie et de canard, dans le seul département des Landes, à la vente de 85 tonnes de foies, quantité qui correspond à 125 000 volailles d'un poids total de 1 000 tonnes. Or, la collecte des oies par le Ravitaillement général n'a rapporté que... 7 tonnes de volailles dans toute l'année !

Des législateurs, sans doute bien intentionnés, placent partout des barrières de papier qui n'arrêtent que les plus pauvres et les plus vieux des Français.

Les lois nouvelles, les inspecteurs et les policiers, loin de procurer par leur action quotidienne un peu plus de ravitaillement aux consommateurs, accélèrent la hausse des prix et la fuite des marchandises.

L'on estime ainsi qu'en 1943 les « consommateurs ordinaires » n'ont disposé que de 191 000 tonnes de viande sur un total de 1 150 000 tonnes abattues ! On pourrait citer mille autres exemples.

Pendant les quatre années d'occupation (cela continuera par la suite) la France va se trouver en pleine anarchie alimentaire. Les textes ne manquent pourtant pas qui prétendent organiser la misère et répartir les miettes. Mais ils n'allouent aux Français que des quantités dérisoires.

La ration officielle coûte bon marché, il est vrai, et l'on a calculé qu'il faut 5,78 fr. en 1942 pour se procurer les denrées allouées chaque jour par le Ravitaillement général ; mais ces 5 ou 6 francs ne permettent de fournir à l'organisme que 1 200 calories quand 2 400 au moins sont nécessaires. Les calories manquantes coûtent trois, quatre, cinq fois plus cher que les calories officielles et l'argent ne suffit même pas à les obtenir.

A l'argent, il faut joindre la patience, l'entregent, la dialectique. Il faut pouvoir affronter le froid de l'hiver et la rigueur des queues dans l'obscurité, il faut posséder un réseau d'informateurs et d'amis, ne pas craindre les bousculades dans les trains qui reviennent de province, savoir se faire une âme tranquille à l'instant de franchir les barrages de l'octroi, se moquer des perquisitions, des amendes, des humiliations.

Pendant les premiers trimestres cependant, des millions de Français honnêtes (beaucoup d'entre eux n'étaient pas pauvres) s'efforcèrent de vivre avec les seules denrées procurées par le Ravitaillement général.

Il fallut de longs mois avant que la fraude et le marché parallèle parussent excusables à toute cette partie de la population qui, par morale et entêtement patriotique, refusait d'abord de se ravitailler auprès des trafiquants.

Les lois qui ont la prétention de tout codifier, et qui vont en effet réglementer sous peu la vente des corsets, des cotillons, des escargots et du pain, les lois portent d'ailleurs en elles-mêmes leur principe de destruction.

La loi du 15 mars 1942, qui définit le marché noir, exclut en effet : « *les infractions qui ont été uniquement commises en vue de la satisfaction directe de besoins personnels ou familiaux* ».

Et l'Eglise, plus prompte encore à réagir, a, depuis décembre 1941, déclaré que « *ces modestes opérations extra-légales par lesquelles on se procure quelques suppléments jugés nécessaires se justifient tout à la fois par leur peu d'importance et par les nécessités de la vie* [1] ».

Par ces brèches obligatoires, ouvertes dans la muraille de Chine des interdictions et des restrictions, ce sont des millions de tonnes qui vont s'engouffrer.

★

Muraille de Chine, occupée par une armée de mandarins.

Dès septembre 1940, les services du Ravitaillement sont détachés du secrétariat d'Etat à l'Agriculture et constituent un secrétariat d'Etat distinct qui, au fil des mois, deviendra un organisme monstrueux, régentant toute la vie du pays et dont l'activité, qui se manifeste en communiqués, assurant aux journaux une clientèle obligatoire, occupe la première place dans les soucis quotidiens des Français.

Son rôle est triple. Il doit réduire la consommation grâce à des interdictions de fabrication et de vente, ainsi qu'à l'établissement de rations, recenser les ressources et les rassembler par la création

1. Instructions de Mgr Suhard, cardinal-archevêque de Paris, *Semaine Religieuse de Paris*, 13 décembre 1941.

On peut citer un autre exemple de la tolérance du marché noir par l'Etat. Le Comité d'organisation du Cuir décide de considérer toute peau apportée à une tannerie comme appartenant à une bête morte accidentellement ; jusque-là, les peaux des bêtes abattues clandestinement — c'étaient les plus nombreuses — étaient perdues pour tout le monde.

de groupements d'achat et de répartition, assurer la distribution et la répartition individuelle des produits collectés.

Tâche prodigieusement complexe dans un pays partiellement en état de rébellion morale et où tromper le Ravitaillement, c'est, à tort ou à raison, tromper d'abord l'occupant.

Le premier rôle du ministère du Ravitaillement est d'interdiction et de rationnement. La liste des denrées alimentaires rationnées s'allongera avec les mois. Après le pain, les pâtes alimentaires, le sucre (2 août 1940), c'est le tour (23 octobre 1940) du beurre, du fromage, de la viande, du café, de la charcuterie, des œufs, de l'huile, puis du chocolat, du poisson frais (juillet 1941), des légumes secs, de la triperie (octobre 1941), des pommes de terre, du lait, du vin et même, à certaines époques, des légumes frais.

Les rations diminuent d'année en année et les difficultés de production ou de transport entraînent souvent, en dehors de toutes dispositions légales, des restrictions supplémentaires.

Anodines, au début, les interdictions se précisent et se précipitent rapidement.

Qui se souviendra, en avril 1942, lorsque Max Bonnafous, préfet régional de Marseille, annonce que les Français sont menacés de six semaines sans pain, qui se souviendra de l'interdiction faite en 1940 aux boulangers de vendre du pain frais ?

De plus en plus rare, le pain devient également de plus en plus noir. En 1939, on obtenait la farine panifiable en retirant de 100 kilos de blé 75 kilos de farine. Le 25 novembre 1940, on en retire 82 kilos ; le 9 mars 1941, 85 kilos ; le 8 janvier 1942, 90 kilos ; le 1er avril 1942, 98 kilos ! Un triste record.

Ce pain si mesuré, ce pain qu'on ne trempe plus

jamais dans la sauce, les soldats allemands en distribuent gracieusement les miettes aux cygnes, dans les jardins publics où il reste encore des cygnes [1].

La pâtisserie est, également, soumise à réglementation sévère. La farine de blé en est bientôt chassée pour faire place à la farine de sarrasin, de châtaignes ou de tourteaux.

La charité elle-même n'est pas toujours une excuse à faire « bonne chère ».

En mars 1943, plusieurs préfets écrivent aux responsables de la Légion et d'autres organisations pour leur rappeler les instructions du président Laval suivant lesquelles « *les galas, fêtes de bienfaisance, ventes de charité ne pourront comporter ni buffet, ni déjeuner, ni dîner ou souper, ni ventes aux enchères de denrées alimentaires (rationnées ou non) sous quelque forme que ce soit* ».

Finies donc (en principe tout au moins) ces pieuses ventes aux enchères, organisées souvent au profit des prisonniers, où un lapin de garenne atteint 600 francs, un perdreau 1 650 (Brive, 16 octobre 1941), un lièvre 3 020 francs, 2 palombes 270 francs, 2 écureuils 110 francs (Pau, 21 octobre 1941).

★

On institue, pour commencer, des jours sans viande : les mercredi, jeudi et vendredi, mais c'est le 25 novembre 1940 que les boucheries bordelaises affichent, pour la première fois, le fatidique « Fermé faute de viande ». Bientôt, il faut s'inscrire chez un boucher, ce qui a pour but de

1. Journal de M. B... à la date du 14 juin 1941. L'épisode rapporté se passe au Jardin Public de Bordeaux.

décourager les clients qui battent la ville et vont de boutique en boutique. Un jour, on sert 25 personnes, un autre jour 50... En octobre 1941, le Parisien qui consommait quotidiennement 111 grammes de viande en 1939 en reçoit officiellement 28 grammes. Le chiffre tombe à 20 grammes pour janvier 1942.

Peu de pain, pas de viande, et lorsque les fruits sont abondants peu de sucre. Dès le mois de juillet 1940, les consommateurs sont avertis qu'il leur faut renoncer aux confitures familiales.

La confiserie est interdite, mais les mères de famille qui mettent au monde des jumeaux ont cependant droit à 2 kilos de dragées !

Les bonbons au chocolat font également défaut. Et pour les fêtes de Noël 1940, quelques confiseurs mettent en vente, à 70 francs la livre, des bonbons que l'on payait 22 francs l'année précédente et qui étaient, certes, de meilleure qualité.

La réglementation des restaurants est d'une complication qui serait décourageante... si elle était observée.

Classés en quatre catégories : A de 35 francs 10 à 50 francs ; B de 25 francs 10 à 35 francs ; C de 18 francs 10 à 25 francs ; D égal ou inférieur à 18 francs [1], ils doivent afficher à partir de 10 heures, non seulement le menu, mais aussi la valeur des tickets à remettre par le client.

Pour la composition des menus (tout service à la carte étant interdit), quatre formules sont admises entre lesquelles le consommateur a le choix.

1. Arrêté ministériel publié le 7 mai 1941. Ces textes seront modifiés à plusieurs reprises, notamment le 1er octobre 1943. Le principe des quatre catégories est toujours maintenu, mais alors qu'en mai 1941 le législateur avait mentionné qu'aucun restaurant ne servant des repas de plus de 50 francs ne serait autorisé, on voit apparaître une catégorie exceptionnelle dont les prix vont de 50 à 100 francs par repas.

La nature des hors-d'œuvre, qui doivent obligatoirement être servis froids, est déterminée : pas de poissons, pas de salades contenant des œufs. Ni beurre, ni sucre à la disposition des clients. 20 centilitres de vin seulement à chaque repas.

Enfin, le restaurateur n'a même pas le droit de tenter un éventuel client. Tous les fruits et plats doivent être rigoureusement invisibles de l'extérieur.

Les restaurateurs qui enfreindraient ces règles (et bien d'autres encore), qui n'afficheraient pas le menu à l'heure, s'abstiendraient de découper les tickets convenables, les consommateurs qui mangeraient du cheval le jeudi, du poisson le samedi, du pain trop tendre ou trop blanc, qui boiraient du café ou de l'alcool après 15 heures sont passibles de peines qui vont de six jours à deux mois de prison, de 16 francs à 2 000 francs d'amende.

Epargnant les plus fortunés des consommateurs, ceux que n'arrêtent ni les prix, ni les suppléments (50 % pour le caviar, les marennes, le gibier), la répression touche rudement les humbles : petits cultivateurs, ouvriers, petits fonctionnaires, employés pris au hasard d'un contrôle économique.

A toutes ces difficultés, s'ajoutent bientôt les difficultés de chauffage. Dès le mois d'octobre 1940, il est « conseillé » aux usagers de réduire de 30 % leur consommation de gaz ; quant au charbon, on leur rappelle qu'avant la guerre nous importions d'énormes quantités d'Allemagne. Des « conseils », on passe très vite aux restrictions imposées. Le gaz n'est plus qu'une flamme vacillante et pauvre, chichement mesurée, lorsqu'elle n'est pas simplement supprimée.

Alors c'est le triomphe de la marmite norvégienne construite par les bricoleurs de la famille à l'aide d'une caisse et à grand renfort de couvertures. Là mijotent, une journée entière, les rutabagas nauséabonds de la dernière répartition !

★

Grand maître du ravitaillement, le gouvernement remplace peu à peu, ou contrôle étroitement, les professionnels qui, avant la guerre, rassemblaient, expédiaient, répartissaient, distribuaient.

On voit naître partout, et pour tout, des groupements d'achat, d'importation, de répartition. Pour empêcher l'accaparement et le détournement des denrées, on s'efforce de « suivre à la trace » chaque produit. La circulation du ravitaillement est interdite sans autorisation et sans carte d'expéditeur. Le gouvernement tente de lutter ainsi contre le marché noir, mais il n'évite ni l'anarchie, ni la paralysie, ni le gaspillage, si bien que l'on se demande si le remède n'est pas, à la fin, pire que le mal.

Anarchie. Incohérence et lenteurs. En août 1941, Nouzonville (Ardennes) où vivent 3 000 personnes reçoit exactement le même nombre de casiers de vin (40) que Neufmanil : 700 habitants.

Les 135 000 habitants du Havre n'ont à se partager, en janvier 1941, que 279 bœufs, 23 veaux, 3 moutons, 91 porcs, tandis que les Rouennais disposent, pour une population moins nombreuse, de 555 bœufs, 302 veaux et 365 porcs ! Dans le Nord, les légumes font défaut, alors que la production s'avère de cinq à six fois supérieure à la consommation.

Toutes ces complications paperassières, ces lenteurs, ces malveillances, ces preuves de mauvais vouloir, l'inadaptation aussi de fonctionnaires provisoirement détachés aux services du Ravitaillement (ceux de la ville du Havre passent de 50 employés au 1er janvier 1941 à 140 au 16 février 1943), l'établissement de véritables barrières policières et douanières à l'intérieur du pays et non plus seulement de zone à zone, mais de département à département, ont pour conséquence d'allonger sérieusement les distances et délais qui séparent le ravitaillement du consommateur.

La taxation favorise d'ailleurs, bien souvent, la culture d'aliments pauvres. C'est ainsi qu'au printemps 1942, un hectare planté en rutabagas rapporte deux fois plus qu'un hectare planté en pommes de terre. Erreur tardivement redressée, mais on continuera à vendre au poids, c'est-à-dire à favoriser l'écoulement des produits de seconde ou troisième qualité : haricots géants, lentilles non triées, carottes avec leurs fanes.

La même administration, qui organise, en dix articles, le jour où les Allemands envahissent la zone libre, le marché des escargots « bouchés » et celui des escargots « coureurs [1] » bloque le beurre jusqu'au moment où il faut, soit le jeter, soit le livrer aux fabricants de savon et réduit de moitié, sans motif, le nombre des cartes de lait attribuées aux nourrissons.

★

Les possesseurs de cartes d'alimentation, 40 millions de Français dont le plus connu, le maréchal Philippe Pétain a la carte n° 50 084 T, doivent tenir une très sérieuse comptabilité.

Entre le moment de la distribution des cartes, de l'inscription pour une denrée et celui de la dis-

1. *Journal Officiel* du 11 novembre 1942.

tribution, il s'écoule souvent des semaines, parfois des mois.

Le rhum pour lequel les consommateurs se sont inscrits en décembre 1941 ne leur sera distribué qu'au mois de mars 1942.

D'inexplicables mutations se produisent. L'inscription d'oranges, prise à Paris en novembre 1942, donne lieu à une vente de figues le 15 janvier 1943 contre le ticket DM de novembre !

Il faut donc veiller attentivement à ne pas égarer ces légers tickets de couleur qui, même inutilisés (mais non détachés par d'autres ciseaux que ceux de l'épicier) peuvent, un jour, se voir dotés de quelque valeur par un Ravitaillement soudain généreux.

La perte des tickets représente, dans les foyers modestes, un véritable drame, et l'on imagine sans peine le désespoir de cette Parisienne, Mme Videux, qui, ayant déposé ses cartes d'alimentation près de son lapin domestique, arriva trop tard pour les disputer au rongeur !

★

Dans un très gros portefeuille, la mère de famille range donc, côte à côte, les cartes de vêtements et d'articles textiles, les cartes d'alimentation, les cartes de tabac, de jardinage, de vin, les bons d'achat pour une veste de travail ou une culotte de bain, les coupons permettant l'acquisition d'une paire de chaussures et de produits détersifs, les tickets pour les articles de ménage en fer et les articles d'écolier, etc.

Il faut se tenir au courant des « déblocages » annoncés par la presse ou l'épicier, tenir à jour ses inscriptions, deviner l'heure à laquelle commencera la queue favorable, surveiller le compteur à gaz et le compteur d'électricité, marchander une fausse carte de pain moins chère qu'une vraie, mais plus difficile à « faire passer ».

Imprimées au *Moniteur*, le journal de Laval, distribuées par les mairies, soumises, lors des demandes de renouvellement, à des formalités qui ont pour but de réprimer les fraudes, mais sont sans grande efficacité[1], les cartes de ravitaillement classent les Français en huit catégories.

Désormais, on n'est plus bourgeois ou prolétaire, mais A ou T.

L'adolescence, cet anonymat aux frontières troubles, se voit arbitrairement découpée et le législateur, aidé par la longueur des restrictions, fera passer le mot J 3 du langage administratif à celui du théâtre et du cinéma.

Voici quelles sont les catégories de rationnaires :

E : Enfants âgés de moins de 3 ans.

J1 : Enfants âgés de 3 à 6 ans.

J2 : Enfants âgés de 6 à 13 ans.

J3 : Adolescents de 13 à 21 ans.

A : Consommateurs de 21 à 70 ans, ne se livrant pas à des travaux donnant droit aux catégories T ou C.

T : Travailleurs de force (de 21 à 70 ans). La carte T donne droit à des suppléments de pain, de viande, de vin, etc., etc. Objet, à ce titre, de bien des convoitises, elle est attribuée suivant des règles parfois incompréhensibles. Y ont droit ceux qui fabriquent des billards ou des armures de théâtres, mais non les fabricants de parapluies : ceux qui travaillent dans une usine de conserves de poisson, mais non ceux qui sont employés par une usine

1. Notamment lors du renouvellement général qui eut lieu entre le 15 et le 30 juin 1941.

de conserves de légumes; ceux qui confectionnent des yeux de poupées, mais non les horlogers !

C : Consommateurs de plus de 21 ans se livrant à des travaux agricoles.

V : Consommateurs de plus de 70 ans.

On a tenté [1] d'établir des comparaisons entre la valeur calorifique des rations reçues par les différentes catégories de rationnaires et leurs besoins énergétiques. C'est une tâche presque impossible.

Il n'existe, en effet, que des cas d'espèce.

Peut-on comparer le ravitaillement officiel à Mont-de-Marsan, à Rennes, à Montpellier et à Paris ?

Peut-on ne pas tenir compte des saisons, des années, des conditions géographiques différentes ?

Pour avoir une idée non seulement de ce que les Français reçoivent, mais surtout de ce qui leur manque et des denrées qu'ils devront donc se procurer au moins partiellement au marché noir, il faut se contenter de chiffres très généraux.

Que mangeait chaque mois, en 1939, le Parisien moyen, non pas le travailleur de force mais l'employé de banque, le fonctionnaire, l'artisan, le commerçant, celui qui fera partie, quelques mois plus tard, de l'immense armée des A ?

13 kilos 500 de pain : il en touchera 8 kilos 525 en janvier 1942.

15 kilos de pommes de terre : on lui en distribuera 2 kilos.

3 kilos 500 de viande : il en aura officiellement 620 grammes.

1. Lucie Randoin et J. Maillard : *Bulletin de la Société scientifique d'hygiène alimentaire* (1947).

Il buvait 12 litres de vin : on ne lui en accordera plus que 4 litres et demi [1].

Il faut donc, pour survivre, se procurer une partie de la différence. A des prix défiant toute concurrence.

Calculant le prix de revient d'un panier de provisions (un grand panier) qui contiendrait la consommation annuelle approximative d'une famille de quatre personnes [2] avant la guerre, l'Institut National des Statistiques a estimé qu'en 1939 ce panier coûtait 3 070 francs environ. En 1942, le même panier était estimé 6 421 francs aux prix taxés (soit une hausse de 109 %) et 12 076 francs aux prix réels (292 % de hausse [3]).

★

Pour contrarier quelque peu l'effet de ces hausses, le gouvernement s'efforce de favoriser les familles nombreuses, ainsi que les catégories sociales financièrement les plus démunies.

Il institue [4] la carte nationale de priorité accordée aux mères de famille ayant au moins 4 enfants de moins de 16 ans (ou 3 de moins de 14 ans, ou 2 de moins de 4 ans), aux femmes enceintes et aux mères allaitant un enfant.

Ces cartes permettent d'échapper (parfois non

1. Comparaisons établies pour un mois de 1939, octobre 1941 et janvier 1942 par Mandelstamm et Paulette et Louis Baudin.

2. Soit beurre : 25 kilos ; œufs : 40 douzaines ; pommes de terre : 325 kilos ; haricots : 20 kilos ; porc : 45 kilos ; poulets : 15 kilos ; lapins : 25 kilos.

3. En 1943, respectivement 7 916 francs 50 et 18 604.

4. Loi du 18 juin 1941.

sans querelles et incidents) aux queues qui rassemblent des centaines de personnes devant la boutique — souvent close — du boucher, de l'épicier, du charcutier.

Elles ont pourtant été interdites, ces files d'attente (à Lyon d'abord, puis à Paris le 1er juillet 1941) ; on croit les éviter en multipliant les inscriptions, mais elles se reforment chaque fois que la plus petite denrée en vente libre apparaît dans un quartier.

Faire la queue est devenu une sujétion, un divertissement, un métier. Le 27 septembre 1940, la police parisienne doit séparer Suzanne V... et Germaine M... Devant une boutique de la rue Lafayette, Suzanne et Germaine ont en effet roulé à terre et continuent, sous les rires de la foule, d'échanger horions et insultes. Suzanne, qui gagnait de 4 à 5 francs par heure en faisant la queue pour le compte de personnes peu soucieuses d'attendre, n'a pu admettre la concurrence illicite de Germaine qui vend ses services deux fois moins cher...

Il y a la queue à relais faite par les membres d'une même famille qui se succèdent d'heure en heure le long du trottoir. La queue à surprise qui consiste à attendre la voiture de l'épicier sans savoir ce que la voiture apportera. Et parfois, elle est vide...

Les mères de famille nombreuse échappent du moins à cette astreignante discipline où les bavardages, la lecture et le tricot ne font oublier ni le froid ni la pluie...

A mi-chemin entre la solidarité et la charité, il existe enfin de nombreuses initiatives nationales ou municipales. C'est ainsi qu'en 1941, à l'occasion de la fête des Mères, la ville de Pau offre à chaque famille comprenant quatre enfants de moins de

16 ans « la poule au pot d'Henri IV ». 198 poules, 1 coq et 1 dindon furent sacrifiés !

Dans toute la France, le Secours national rassemble argent et vivres au cours de collectes d'hiver où les générosités se manifestent en grand nombre.

Au terme de la campagne 1941-1942, les habitants du petit village d'Arette, dans les Basses-Pyrénées, ont versé 5 871 francs 50, ainsi que plusieurs tonnes de denrées alimentaires, dont 218 kilos de maïs, 89 kilos de haricots, 116 kilos de châtaignes, 129 kilos de pommes de terre.

Les paysans proches du Havre acceptent de vendre, au prix de la taxe, un millier de poulets et de lapins aux familles sinistrées.

Dans l'Isère, des communes cultivent le « champ du pauvre », tandis que les curés du Tarn recueillent en une semaine 117 000 œufs.

Le clergé prend souvent la tête d'initiatives charitables. A Lille, le chanoine Detrez s'occupe de l'Entraide Française et des Soupes Populaires, grâce auxquelles 867 000 repas sont distribués dans les neuf premiers mois de 1941. Il lui faut, chaque semaine, 3 200 kilos de pois cassés, 2 400 de pâtes, 800 de matières grasses, 8 000 kilos de confitures et des quantités énormes de pommes de terre.

Pour trouver la soupe quotidienne des 24 000 Lillois : chômeurs, vieillards, enfants, femmes de prisonniers, qui lui font confiance, le chanoine Detrez n'hésite pas à solliciter les paysans.

Le voilà devant eux, le 1er décembre 1940, après la sortie de la messe, dans le village de Steenwerck.

Le cabaret où le chanoine Detrez parle est envahi de fumée. Attentifs, les hommes, qui se sont réunis pour la fête corporative de la Saint-Eloi, l'écoutent évoquer, en débutant, des jacqueries possibles.

S'ils ne peuvent pas prévoir ces petits écriteaux « ferme à brûler » que l'on posera un jour ici et là, ces raids d'ouvriers mécontents, ils savent bien que les citadins menacent parfois.

Le chanoine Detrez parle de tous ceux à qui il donne à manger.

« 12 000 enfants fréquentent nos cantines scolaires, 5 000 adultes nos restaurants populaires ; nos soupes quotidiennes sont attendues par 24 000 personnes. Tous ces gens, ce n'est pas avec de l'eau claire que nous pouvons les alimenter. Il nous faut 1 000 tonnes de pommes de terre, 500 tonnes de haricots et de petits pois.

« Cette nourriture, je viens vous la demander, mais nous ne sommes pas des mendiants ; nous sommes des acheteurs décidés à vous offrir le juste prix. »

Le chanoine Detrez a vite convaincu son auditoire. Les paysans qui sont là acceptent de renoncer à tout bénéfice irrégulier ; sur la feuille de papier qui circule, ils s'inscrivent pour 100, 200, 1 000 kilos de pommes de terre qui seront entreposées dans la crypte de l'église de Steenwerck, ou bien encore dans celle (très vaste) de l'église Saint-Pierre--Saint-Paul de Lille.

★

Ces initiatives contribuent quelque peu à dissiper le malaise qui règne entre ville et campagne.

L'une est tributaire de l'autre. Mais si bien des paysans, bénéficiant tout à coup des avantages d'un métier qu'ils rêvaient d'abandonner, profitent de la situation pour s'enrichir brutalement, beaucoup se souviennent aussi des cousins ou des neveux citadins, de ceux qui ont abandonné un jour la Vendée ou les Landes pour le métro, la petite maison auvergnate pour la loge de concierge [1].

A l'intention de ceux que l'on jalousait hier et qui mendient aujourd'hui, les paysans confectionnent donc des « colis familiaux », gratuits ou payants, mais officiellement admis par le Ravitaillement qui, sur le papier du moins, en réglemente sévèrement le contenu.

Car, très rapidement, la décision gouvernementale, en date du 25 août 1941, est détournée de son but. De véritables agences commerciales se constituent un peu partout. De braves paysans se retrouvent parents de citadins hier totalement inconnus. Les colis familiaux ne sont plus que l'antichambre du marché noir et l'on estime à 300 000 le nombre des Parisiens qui en auront été, quotidiennement, les bénéficiaires.

Aussi, le 13 octobre 1941, le gouvernement réglemente-t-il le poids (pas plus de 50 kilos) et la composition de ces colis qui ne devront comporter ni farine, ni pommes de terre, ni légumes secs, ni matières grasses. Sont autorisés les fruits frais, les légumes, le poisson, le gibier (5 kilos), les poulets ou lapins (3 kilos), les œufs à concurrence de deux douzaines.

Entre le ravitaillement officiel, trop réduit, et le marché noir, trop cher, les colis familiaux constituent donc un appoint précieux.

Est-ce suffisant pour apaiser la grande faim des Français ? Certes non. Aussi, chaque caté-

1. Jean Guéhenno note à la date du 3 janvier 1941 : « La vie à Paris devient très difficile. Nous avons des tickets mais ils ne permettent plus de rien obtenir. Les boutiques sont vides. A la maison, nous n'avons vécu depuis quinze jours que des envois d'amis et de cousins bretons. »

gorie sociale fait-elle effort pour créer sa coopérative (il y en aura 3 168 en 1942 groupant 2 197 852 sociétaires), sa cantine d'usine ou d'atelier.

On distribue des repas chauds et des biscuits vitaminés dans les écoles.

Lys Gauty, Charpini, Rouché, directeur de l'Opéra, inaugurent le 7 octobre 1941, boulevard Saint-Germain, le restaurant d'entraide des étudiants où, pour 8 francs, 300 repas sont servis chaque jour.

Ceux qui disposent d'un revenu de moins de 6 000 francs pour 4 personnes à charge peuvent prendre leurs repas dans les « Rescos » (restaurants communautaires), où les prix : 8, 10, 12, 14, 16 et 18 francs, depuis l'arrêté du 10 mars 1944, sont fixés suivant les ressources des bénéficiaires. Le repas, identique quel que soit le prix, comprend obligatoirement un potage (ou hors-d'œuvre), un plat garni, un légume, un fromage et 20 centilitres de vin. Les « Rescos » mettent également en vente, par l'intermédiaire des charcutiers et crémiers, des plats cuisinés dont les prix vont de 4,50 F à 8,50 F.

Il y a, à Paris, des cantines pour juifs (rue Richer, rue Vieille-du-Temple, rue Elzévir, rue Béranger) où de vieilles gens viennent quêter un bol de soupe en attendant qu'on les prenne aisément au piège.

Il existe, en zone libre, des restaurants légionnaires qui doivent, d'après le journal *La Légion*, *« être parrainés par une zone bien définie où des camarades paysans légionnaires, ayant satisfait à la réquisition, mettraient à la disposition du restaurant les produits non encore contingentés qu'ils ont encore en réserve. »* Restaurants où l'on trouve non seulement des plats à emporter

(6 francs) et des repas (9 francs), mais aussi les publications de *La Légion* [1].

Les administrations et ministères « s'organisent ».

Le directeur parisien des services de la Marine marchande sollicite, le 18 septembre 1941, l'administrateur de l'Inscription maritime de La Rochelle et lui demande de faire envoyer du poisson frais chaque semaine au groupement du personnel des services de la Marine marchande, 3, place Fontenoy. Deux colis de 150 kilos devront donc être expédiés hebdomadairement «*suffisamment à temps pour que le premier envoi parvienne dans la journée du mardi et le second dans celle du jeudi.* »

Trente-trois personnes se partageront ces 300 kilos ! Pour ces Parisiens privilégiés, le poisson de La Rochelle constituera un appoint alimentaire sérieux mais aussi, et surtout, une précieuse monnaie d'échange. Car les Français, se souvenant du temps où leurs ancêtres, au Canada ou en Afrique, donnaient poudre et colliers de verre lorsqu'ils recevaient des peaux et de l'or, ont redécouvert le troc.

« Donne-moi de quoi que t'as, je te donnerai de quoi que j'ai... » Le troc, aux lois mouvantes, naît avec les premières restrictions. Un chroniqueur de la *Petite Gironde* en révèle les mystères à ses lecteurs, le 26 septembre 1940 :

Ma voisine, de retour de son voyage stratégique en Dordogne, a retiré 20 litres d'essence de sa voiture, vouée désormais au repos. 10 litres d'es-

1. En mars 1943, à Lyon, R. Lachal a inauguré cinq nouveaux restaurants légionnaires pouvant servir 10 000 repas. Ces restaurants « sont ouverts à tous les Français inscrits ou non à la Légion, avec priorité pour les Légionnaires en cas d'affluence. »

sence, c'est, pour l'instant, une valeur-or, une petite fortune !

« Il est naturellement facile de trouver un acquéreur.

— Vendre de l'essence, vous plaisantez, c'est une monnaie d'échange trop précieuse, j'aurai, en la divisant en plusieurs lots, des pâtes, du beurre et ces merveilleuses denrées que sont le café et le sel !

— Dans ces négociations ténébreuses, il doit y avoir, pensez-vous, quelque cours réglant les échanges ?

— Détrompez-vous. Les cours s'établissent suivant la rareté momentanée des denrées en cause. »

Cependant, les statisticiens essaient de saisir sur le vif, et de fixer pour la postérité, le cours de ces échanges.

Ils établissent qu'en août 1944, on donne, à Paris, deux kilos de tickets de pain pour un litre de vin ; ils ont entendu parler de ce négociant en vins de Sète qui expédie des fûts à Pau et les récupère lestés de jambon, de lard, d'avoine, de pommes de terre ; ils relèvent dans le journal de l'Indre *Le Département* cette annonce significative (17 août 1944) : *Echangerais belles oies contre poste T.S.F. avec ondes courtes. A. Dubois,* 19, *route de Bossay, Preuilly-sur-Claise* (*I.-et-L.*) ; ils savent que, dans le Puy-de-Dôme, on obtient un kilo de beurre avec deux kilos de sucre ou quatre paquets de cigarettes, un porc avec un costume, que l'on paie le menuisier, le maréchal-ferrant en lait, beurre, œufs, lapins.

Mais, un jour ou l'autre, les ressources officielles, comme celles du troc, ne suffisent plus et les Français, tous les Français, riches ou pauvres, font connaissance avec le « marché noir ».

CHAPITRE VI

LE CRÉMIER-ROI

Le *Petit Larousse* donne, pour la première fois, dans son édition de 1942, une définition du marché noir.

« *Marché noir : marché clandestin où les objets sont vendus à un prix supérieur à la taxe.* » C'est la consécration d'un mot qui fait fortune et fera la fortune d'un monde de grands et de petits trafiquants.

La chose, pourtant, n'est pas nouvelle. Le marché noir fait son apparition chaque fois qu'il y a pénurie. On lit aussi, dans la Bible, qu'au cours d'une grande famine à Samarie, une tête d'âne se vendait 80 sicles d'argent (soit 240 francs 1941) et les pois chiches 5 sicles d'argent le kilo (15 francs 1941).

Et quelques petits vers écrits sous le Directoire dépeignent, sans qu'il soit besoin d'en changer un mot, l'atmosphère des années 1940-1944 :

La fureur de l'agiotage
A métamorphosé les gens
Le cordonnier vend des rubans
Et la coiffeuse du fromage.

Partout l'agioteur s'exerce
Pour tromper à bon escient
Enfin tout le monde commerce...
Excepté le négociant...

Qui fait du marché noir ?

Peu ou prou, tout le monde. Celui qui vend comme celui qui achète au-dessus de la taxe.

Dans un pays dominé par la faim, et où ceux qui ont assez à manger manquent d'essence ou de chaussures, dans un pays où la taxe, fixée trop bas, prive les marchés de ravitaillement, où tout est rationné, le marché noir est l'affaire de la mère de famille, du lycéen, du militaire, du postier, du pharmacien, du pêcheur, du paysan, de l'épicier bien sûr, bref de M. Tout le Monde.

Il est impossible de donner une « physionomie générale » du marché noir. Il a pour double caractéristique d'être (relativement) clandestin et de varier de nature avec les régions, et même à l'intérieur d'une région, suivant les villes, les villages, les quartiers et les rues.

*

Pour qui veut trafiquer, il est essentiel, non seulement de se procurer la marchandise, mais aussi de la transporter et de la cacher de telle façon qu'elle parvienne entre les mains de la clientèle et non entre celles des agents du ravitaillement.

D'où mille ruses, un combat perpétuel contre les

policiers et les agents du contrôle économique. Comme le ravitaillement ne peut venir que de la campagne et que les routes sont vides d'autos, il suffit donc, en principe, de surveiller trains et gares pour saisir des montagnes de vivres ?

C'est vrai et c'est faux. On ne peut arrêter tous les voyageurs, inspecter toutes les valises, sonder tous les colis, interroger ces galants soldats allemands à qui des voyageuses ont confié leurs trop lourds bagages...

A-t-on le temps de « passer au crible » un train et ses occupants, on va de surprise en surprise.

Passe pour les 53 kilos de beurre et les sept litres d'alcool découverts sous le charbon dans un train qui, en août 1941, se rend en Belgique, mais que dire de ce train de la ligne Clermont-Nîmes dont les passagers transportent 2 500 kilos de lentilles par quantités inférieures à cinq kilos ?... On imagine, en gare de Langeac, 600 ou 700 personnes, vidant de leurs sacs à provisions, de leurs valises (sur des tables ? sur le quai ?) qui trois kilos, qui quatre kilos de lentilles !...

Que dire de ces véritables convois de fraudeurs qui, dans les trains se rendant en Belgique, transportent, par quantités inférieures à 50 kilos, plus d'une tonne de blé [1] ?

Que dire de ces wagons aux compartiments truqués grâce à des doubles cloisons et qu'il faudra retirer de la circulation ?

Il y a plus fort encore, car si les routes sont vides d'autos, elles sont envahies de bicyclettes en plus

1. Entre la France et la Belgique, il existe de grandes différences de prix qui favorisent le trafic.

C'est ainsi que le beurre acheté 60 francs le kilo en France (août 1941) est revendu 160 francs en Belgique. Par contre, le tabac valait bien moins cher en Belgique qu'en France et il servait souvent de monnaie d'échange.

ou moins bon état, bicyclettes dont le chiffre officiel passe de 8 320 042 en 1939 à 10 711 808 en 1942. En août 1941, une centaine de cyclistes, hommes et femmes, arrivent vers minuit à Roubaix et s'arrêtent dans un café du boulevard de Colmar.

Ils en repartent une heure plus tard et foncent, comme un peloton du Tour de France cycliste, en direction de la Belgique. Les douaniers bondissent dans leur sillage, mais ils sont trop peu nombreux et ne réussissent qu'à saisir quelques-uns des contrebandiers. Les captifs parlent et révèlent que la bande transportait 4 000 kilos de blé !

Que dire de ces astucieux trafiquants qui cachent 38 kilos de sucre et 40 pains d'épice dans un piano à queue (c'est avenue de Clichy) ; 20 morceaux de viande, déjà étiquetés, 6 jambons, 11 litres de genièvre et 7 litres d'eau-de-vie dans leur lit (c'est à Villers-du-Bois, dans le Pas-de-Calais) ; des pâtes alimentaires, de la viande et de la charcuterie dans un caveau vide du cimetière (c'est à Saint-Germain-en-Laye) ; un petit veau (c'est à Béthune), dans une voiture d'enfant, où le bébé voisine d'ailleurs avec l'animal ; 10 000 kilos de viande dans les écuries de Maisons-Laffitte !

Que dire de ce garagiste de Douai qui, pour vendre du porc, emploie le vocabulaire de son ancienne profession ? Vient-on lui demander une livre de pont arrière, il découpe du jambon, du lubrifiant, il sert de la graisse, des pots d'échappement, il va quérir des tripes.

L'ingéniosité du peuple français trouve quotidiennement à s'exercer dans cette lutte contre la police. Pour une ruse découverte, combien passent inaperçues !

Au début de février 1942, les contrôleurs économiques interpellent une voyageuse, en gare de Lyon.

« Qu'avez-vous à déclarer ?
— Rien.
— Et ça ?
— Ça, c'est Médor. »

Un Médor trop sage. Le gabelou pousse plus avant et découvre que Médor est en peluche et qu'il cache dans son ventre deux kilos de beurre et une bouteille de cognac.

Ailleurs (gare Montparnasse), un contrôleur plonge un poinçon dans le sac d'une jeune femme dont le train vient d'arriver en gare. Le poinçon est un admirable détecteur de matières grasses. L'arme cette fois revient grasse, non de beurre... mais de sang. Dans le sac, un Médor bien en chair agonise et la voyageuse parle de porter plainte...

★

Chaque jour amène des confiscations et des arrestations par centaines. Mais la répression ne semble avoir d'effet que sur le prix des denrées. Plus leur quête et plus leur transport s'avèrent difficiles, plus leurs prix augmentent.

Lorsque les citadins sont découragés de battre la campagne et tremblent devant les risques d'amende, de prison et de déshonneur, ils sont remplacés par de véritables « écumeurs », chômeurs de la veille ou de l'avant-veille qui s'embarquent, valises pleines de chaussures, de boîtes de conserves vides, de cigarettes, de pétrole, de saccharine, de café, d'huile, de savon à barbe pour le fermier et de bas pour la fermière, bref de tout ce qui peut inciter les paysans à se démunir — contre argent — de leurs victuailles et de leurs légumes.

L'écrivain Maurice Sachs a donné un récit plein de feu de ces expéditions à la campagne. Muni de deux valises vides, il quitte Paris pour Vendôme en compagnie d'un ami. Il faut descendre à une station de banlieue par crainte des contrôleurs du ravitaillement, rejoindre à pied la ville, frapper à une porte inconnue suivant un rythme de conspiration.

« *La porte s'ouvre. C'est l'arrière-boutique d'un boucher qui nous remet nos valises pleines et reçoit son dû à raison de 70 francs le kilo. Nous sortons à pas feutrés, la marchandise bien lourde au bras ; nous atteignons une maison particulière où l'on nous ouvre. Une triste chambre de campagne à crucifix, vieux buis et papier ramagé* [1]. »

Les deux compagnons dorment quelques heures, après avoir pris soin d'ouvrir les valises, pour que « la viande prenne l'air ». « *Effrayant spectacle,* écrit Sachs, *comme d'un cadavre frais haché en morceaux.* »

A l'aube, il leur faut repartir, soudoyer un porteur à domicile, afin d'éviter les risques de l'octroi parisien, répartir la viande entre les acheteurs...

★

Où vont les professionnels du ravitaillement ?

Ils connaissent admirablement la France agricole, ils ont « leurs » producteurs, comme ils ont, à Paris ou dans les grandes villes de province, leurs revendeurs : concierges, garçons de café, coiffeurs et coiffeuses...

Ils vont acheter les pommes de terre à 3 francs le kilo dans la Vienne, 4 ou 5 francs dans la région lilloise et les revendent de 12 à 15 francs à Bordeaux ou à Paris.

Ils vont chercher le jambon dans l'Aube, le

1. Maurice Sachs : *La Chasse à courre.*

paient 180 ou 200 francs le kilo et le revendent 1 000 francs à Lyon.

Les œufs, qui viennent au deuxième rang pour la fréquence des contraventions, sont payés de 20 à 35 francs la douzaine dans les régions de production et revendus de 96 à 120 francs aux Lillois, 180 francs aux soldats allemands, 240 francs aux Belges !

Dans les trains — le train des haricots, le train des pommes de terre — il n'est question que de ravitaillement. Après quelques mots sur le froid, la guerre, les prisonniers, chacun aborde le seul sujet qui soit constamment à l'ordre du jour : le ravitaillement.

La nourriture, d'ailleurs, envahit le compartiment par des odeurs et des bruits. Dans une boîte à chaussures percée de trous, l'un rapporte un lapin, l'autre une poule.

« Vous croyez que vous pourrez la nourrir ?

— Oh ! oui, j'ai du grain, mon mari l'échange contre du tabac, on la logera sur le balcon. Vous réussissez avec les lapins ?

— Ben ! Avec la maladie, c'est difficile. »

Les valises, sévèrement cordées, contiennent du beurre, des choux, des pommes de terre, du jambon, du vin dont on proclame fièrement les prix mais dont on tait l'origine. Chacun est conscient d'avoir réalisé, en quelques heures de marché parmi les villages, une excellente affaire.

« Dire qu'à Paris on vend le beurre 450 francs le kilo. Si c'est pas malheureux. Vous croyez que ça va durer ? »

Ils énumèrent ce qu'ils ont mangé, ce qu'ils vont manger, les menus d'avant-guerre, les astuces d'aujourd'hui.

« Un restaurant où vous mangez la purée avec

un couteau, oui mon cher, parce que, sous la purée, il y a une entrecôte comme ça. »

L'observateur qui aurait noté les conversations entendues dans les trains de 1942 donnerait, des préoccupations de nos concitoyens, une image fidèle, quoique sans grande noblesse.

Image confirmée par les rapports des préfets qui signalent souvent (surtout en 1941-1942) que la politique intérieure fait l'objet de beaucoup moins de conversations que le mauvais ravitaillement [1].

Image confirmée par les conversations téléphoniques dont Maurice Sachs donne une idée :

« *Allô, chéri, écoute, j'ai* 3 000 *kilos de sucre à* 60 *francs le kilo.*

— *Et moi* 100 *litres d'huile.*

— *Allô, mon vieux, j'ai besoin de* 5 000 *kilos de cuivre. Très sérieux, pour les Allemands.*

— *Tu n'aurais pas besoin de riz ?*

— *Peut-être... à combien ?*

— *Allô, comment allez-vous, cher monsieur ? Connaîtriez-vous des locomotives pour voies étroites et* 100 *kilomètres de rail ? Si vous pouviez me les procurer, je vous ferais bénéficier d'un camion de tabac belge.*

— *Oh ! Je n'ai pas cela, mon cher... on vient de me proposer du cognac d'origine, sur wagon, carte rouge ; et des jambons.* »

★

Naturellement, les grandes villes jouent le rôle

1. Le commissaire de police de Charleville note ainsi, en janvier 1941, qu'il semble bien que « le président Laval n'ait pas les faveurs du peuple trop intéressé aux problèmes du ravitaillement et du logement pour se passionner actuellement pour les faits marquants de l'action générale du gouvernement ».

d'énormes aspirateurs. Dans certaines zones de concurrence entre Paris et Bordeaux, Lyon et Marseille, Lille et Paris, tous les prix sont perturbés.

D'un trimestre à l'autre, parfois d'un mois à l'autre, ou d'une semaine à l'autre, les prix augmentent en fonction de l'ardeur de la répression, des difficultés d'approvisionnement et de transport, des aléas de la production.

Les salaires, eux, demeurent presque immuables. Leur progression, lorsque progression il y a, reste sans aucune commune mesure avec les hausses fulgurantes qui « travaillent » le marché noir [1]. Tandis que les manœuvres continuent à gagner 1 200 francs par mois (1941) ; les dactylos, 2 200 (1943) ; les employés de banque, 3 500 ; et ceux des grands magasins, 2 250 ; le beurre au marché noir passe de 250 francs le kilo en mai 1942, dans les Basses-Pyrénées, à 350 en janvier 1943, ce qui représenterait, en 1970, 7 000 anciens francs ; la graisse de 150 à 300 ; la saccharine de 80 francs les 100 pastilles à 150 ; le café de 1 000 à 2 000 francs (40 600 anciens francs si l'on souhaite un chiffre de 1970) ; les pommes de terre de 7 à 10 francs, les haricots de 20 à 35 francs.

Si l'on veut avoir une idée de ce que la journée de travail d'un *Français moyen,* journée qui lui est payée entre 60 et 80 francs en 1941, entre 70 et 100 francs en 1943, permet de se procurer au *marché noir,* voici quelques chiffres :

Avec son salaire *quotidien,* M. Dupont, âgé de

1. Dès l'ouverture des hostilités, le gouvernement a, par deux décrets-lois (27 octobre et 10 novembre 1939) maintenu en vigueur les conventions collectives, mais stabilisé les salaires aux taux pratiqués le 1er septembre 1939.

En mai 1941, une augmentation horaire de 1 franc 15 est accordée portant le salaire horaire du manœuvre ordinaire de 8 francs 10 à 9 francs 25. L'arrêté du 21 juin 1943 fixe le barème horaire à 10 francs.

trente-cinq ans, fonctionnaire, ouvrier, petit employé, mais qui entre dans cette catégorie de Français (la plus nombreuse) dont les salaires sont à peine plus élevés que ceux des manœuvres, peut acheter au marché noir *soit* 500 grammes de sucre, *soit* trois kilos de navets [1], *soit* cinq litres de vin ordinaire à 13 francs le litre (en mai 1941) [2], *soit* un kilo de haricots, *soit* 250 à 350 grammes de beurre, *soit* encore 4 à 5 kilos de pommes de terre.

Le manœuvre provençal qui aurait la folle idée d'offrir un litre d'huile d'olive à sa famille devrait consacrer près d'un mois de salaire à l'achat de cette denrée de haut luxe, qui se vend de 1 000 à 1 500 francs le litre dans les arrière-boutiques [3].

★

Le provincial qui se rend à Paris, s'il déjeune, en avril 1941, au wagon-restaurant, paie 7 francs 50 le petit déjeuner (pain, café noir, sucre et confiture de pommes), et 35 francs le déjeuner (potage à la farine de sarrasin, une mince tranche de bœuf, chou-fleur béchamel, gâteau de pommes de terre, orange, demi-bouteille de Vittel). Le vin, fourni par la Maison Eschenauer, coûte 7 francs 50 la demi-bouteille.

Le wagon-restaurant ignore certes le marché noir, mais si notre provincial souhaite inviter quel-

1. Ils sont vendus 20 francs le kilo au marché noir à Bordeaux, le 13 mai 1941.

2. La même année, en décembre, un tonneau de Château-Yquem 1940 est vendu 160 000 francs, ce qui met la bouteille à 120 francs.

3. Baudin, *op. cit.*, p. 192, cf. également l'enquête sur les prix réels de certaines denrées en 1942 (Service national de Statistiques).

ques Parisiens, il a le choix entre cinquante restaurants où, suivant l'année, pour 100 à 200 francs par tête, on lui servira tout ce qu'il réclame sans exiger de tickets.

Galtier-Boissière a noté quelques-uns de ces prix qui font scandale au début et auxquels, pourtant, une certaine « élite » s'habitue très vite, prix qu'elle se transmet d'ailleurs avec les adresses, qui sont parfois adresses de bistrots aux nappes graisseuses, ou plutôt aux toiles cirées écaillées, aux murs humides, mais à la cuisine sérieusement approvisionnée.

Le 25 décembre 1940, Galtier-Boissière et sa femme sont invités à déjeuner par Marcel Herrand et Jean Marchat « chez la mère Coconnier » qui, dans sa jeunesse, tenait, rue Lepic, le *Restaurant des Artistes.* « *Comme je ne vais guère au restaurant, l'addition me semble exorbitante :* 400 *francs à quatre pour des huîtres, un bœuf à la mode et un fromage, arrosé de Crépy.* »

Autre repas, le 2 août 1941,«chez un mastroquet du quartier de la Bastille ». C'est Desnos, le poète, qui règle l'addition. Non point celle, fort sage, orthodoxe, destinée au fisc et au contrôle économique, mais celle du client : 650 francs à quatre (21 000 anciens francs), pour soles, gigot, escalopes.

La folie des prix alimentaires s'exprime « à l'air libre » dans les ventes aux enchères.

Les produits de gueule sont devenus, eux aussi, objets de spéculation. On les pousse, comme on pousse un tableau ou un bijou.

En août 1941, dans une ferme de Saint-Denis-en-Vals, près d'Orléans, au cours des enchères, un porc atteint le chiffre record de 3 700 francs, auxquels s'ajoutent 15 % de frais, ce qui met le kilo vif à 71 francs. Une paire de poulets se vend 400 francs, une autre 500 francs [1].

Le 20 février 1942, à l'*Hôtel des Ventes* à Paris, une bouteille de Château-Yquem 1921 atteint 470 francs et une bouteille de Grande Chartreuse Verte 2 000 francs [2] !

Et, pour mettre le vin au frais, le réfrigérateur de Pierre Cot, vendu à Chambéry en octobre 1941, dépasse la coquette somme de 20 000 francs [3].

★

Qui peut payer ?

Voilà bien la grande question.

Si l'on en croit Céline, mais peut-on croire Céline? « *La guerre* 39 *est une affaire mirifique pour* 30 *millions de Français.* 10 *millions sont victimes à plaindre, pas davantage.* » Et P.-A. Cousteau de renchérir : « *En France,* 20 *millions de paysans échappent par définition aux conséquences alimentaires de la défaite et sur les* 20 *millions de citadins qui restent,* 10 *millions se débrouillent plus ou moins somptueusement, alors que les autres* 10 *millions supportent à eux seuls tout le poids de la pénitence* [4]. »

Fixer des chiffres de façon aussi brutale, c'est se moquer de la vérité. Cependant toute une population paysanne et commerçante, à laquelle il

1. Soit, pour le kilo vif de porc, 19,6 NF, pour la paire de poulets, 112 et 140 NF.

2. 2 000 francs 1942 égalent environ 504 NF.

3. 560 000 anciens francs à peu près. Au cours de la même vente, une baignoire en tôle émaillée est acquise pour 3 350 francs (1 000 NF) + 17% de frais. Mais baignoires et réfrigérateurs neufs commencent à être rares.

4. *Je suis Partout,* 29 octobre 1943 et 11 février 1944 .

faut ajouter une foule d'intermédiaires récents, est ainsi — plus ou moins directement — enrichie par le marché noir.

Il n'y a pas de règle générale dans un domaine (celui de la fraude presque obligatoire des lois) où la conscience personnelle, la morale publique, la position sociale, les stocks existants, le passé, les relations familiales, la distance des grands centres, jouent un rôle.

Certains se contentent de vendre aux amis, ou aux clients d'avant-guerre, à un prix certes plus élevé que le prix ridiculement bas de la taxe, mais à un prix raisonnable encore.

D'autres n'ont pour objectif qu'une immense et rapide fortune.

D'autres, encore, mettent mille et une nuances dans leur marché noir quotidien. Ils « rendent service » aux familiers, ils « assomment » les clients de passage.

Certains se contentent de trafics modestes, juste suffisants pour nourrir leur famille.

D'autres « se tuent à la tâche », sillonnent les campagnes dans des trains toujours encombrés, parfois mitraillés, glacials l'hiver, torrides et puants l'été, déploient pour convaincre les paysans des trésors d'éloquence et pour tromper les gendarmes des trésors d'ingéniosité, font de leur femme et de leurs enfants les défenseurs de leurs cachettes, les espions de leurs voisins, leurs commissionnaires, leurs agents et leurs revendeurs. Comment, dans ces conditions, mal acquise, mais non sans risques, la fortune ne serait-elle pas au bout ?

Pas de règle générale donc, mais de nombreuses enquêtes menées dans les départements éclairent bien des détails.

Elles permettent d'établir qu'en 1942 les paysans

français ont mangé le quart de leur beurre, le tiers des œufs pondus par leurs poules, la moitié de leurs porcs, le tiers de leurs poulets, et 41% des pommes de terre récoltées.

Ils ont vendu, soit aux trafiquants du marché noir, soit à des parents ou amis 31 % du beurre, 32 % des œufs, 33 % des porcs, 57 % des poulets, 22 % des pommes de terre produits par leurs fermes.

Ils ont livré... le reste au Ravitaillement général [1].

Il y aurait, d'ailleurs, une passionnante étude à faire sur l'augmentation générale du niveau de vie des paysans français pendant la période 1940-1950 comme sur les nouvelles habitudes de vie engendrées par l'argent plus facile et le ravitaillement plus abondant.

Il est remarquable, par exemple, que le chiffre des postes de T. S. F. déclarés diminue sensiblement pendant la guerre dans tous les départements « ouvriers », passant de 1 329 663 pour la Seine et Seine-et-Oise en 1939 à 1 189 681 en 1943, de 358 978 dans le Nord en 1939 à 327 402 en 1943, tandis qu'il augmente sans cesse dans les départements paysans.

C'est ainsi que dans l'Allier, le Finistère, les Côtes-du-Nord, la Vendée, la Haute-Vienne, départements où les animaux de boucherie sont les plus nombreux, il ne cesse de croître, passant, pour ces

1. Enquête sur les prix et consommations de 1942 à 1944 (S.N.S.).

D'une enquête effectuée, non sans peine, par la Direction Départementale du Ravitaillement général du Cantal, il ressort qu'en janvier-février 1943 le beurre est réparti de la manière suivante. Part du producteur : 25% ; du ravitaillement : 40% ; des amis : 15% ; du marché noir : 20%.

Pour la viande de porc on trouve respectivement : 62% ; 10% ; 10% et 18% ; pour les légumes secs : 20% ; 48% ; 10% ; 22%.

cinq départements seulement, de 142 840 en 1939 à 180 674 en 1943, soit une augmentation de plus de 26 %, alors que, pour la France entière et pour la même période, l'augmentation dépasse à peine 5 %.

★

Quant aux commerçants, ils connaissent une prospérité que l'on peut mesurer... *a contrario,* par le petit nombre des faillites et des liquidations judiciaires. Alors qu'il n'y a plus rien à vendre, plus personne ne fait de mauvaises affaires ! Ce serait incompréhensible si le marché noir n'expliquait tous les mystères.

Le chiffre des faillites, qui était de 10 266 en 1935, tombe à 1 084 en 1941 et 439 en 1944. Celui des liquidations judiciaires de 2 222 en 1937 à... 48 en 1943.

Dans le même temps, au plus creux des restrictions, des interdictions, des suppressions, le nombre des commerces de denrées rationnées ne cesse d'augmenter.

Pour la seule année 1943, 1 478 épiceries nouvelles s'ajoutent à toutes celles existant déjà, pour les aider sans doute à distribuer les maigres rations officielles. Plus de 1 500 entreprises de transport se créent alors que les gazogènes triomphent et que les routes sont vides. 715 commerçants en textiles et 4 567 fabricants de vêtements et bonneterie viennent coopérer avec tous ceux qui diffusent parcimonieusement les étoffes en fibres de genêts !

Bourreau de millions de Français, le marché noir est la providence de millions d'autres Français.

★

Mais si toute une partie de la population échappe aux restrictions, comment vivent les ouvriers, les fonctionnaires, les employés du métro, des autobus, des banques à qui un petit salaire ne permet pas de se porter acheteur et à qui leur métier ne procure pas les avantages du troc ?

Comment vivent les femmes de prisonniers ?

Et les vieillards ?

Tous ceux-là — ils sont plusieurs millions, ils sont peut-être, malgré Céline, la majorité — tous ceux-là vivent et mangent de plus en plus mal. Une littérature abusive a accrédité l'image de la France s'adonnant aux délices ruineuses du marché noir. Or le marché noir complet, total, celui qui permet de vivre « comme avant », ou presque comme avant, demeurera le privilège de quelques-uns.

Entre le 1er juin et le 5 juillet 1943, l'Institut Dourdin, dont c'est l'une des premières enquêtes menées suivant la méthode des sondages, envoie ses collaborateurs visiter 2 600 foyers d'assurés sociaux à Paris et dans la banlieue parisienne.

Ces 2 600 foyers abritent 6 729 personnes. 83% des foyers visités bénéficient d'un ou plusieurs salaires et plus du tiers ont d'autres ressources que le salaire : sursalaire familial, allocations militaires, pensions, etc.

Lorsqu'ils ont additionné tout l'argent gagné chaque mois, et de quelque façon que ce soit, par ces 6 729 personnes, les enquêteurs de l'Institut Dourdin obtiennent une somme de 5 893 400 francs, ce qui représente une moyenne mensuelle de 2 266 francs par foyer et de 876 francs par personne [1].

1. Soit, en nouveaux francs, environ 412 par foyer et 158 par personne.

Or, 876 francs, cela représente, en 1943, le prix de deux kilos de beurre au marché noir !...

Ce sont donc les achats de nourriture qui absorbent la plus grande part de ces faibles mensualités. Les personnes interrogées consacrent 71 % de leur budget (contre 62 % en 1940) au ravitaillement, rognent sur l'habillement (7 %), l'éclairage et le chauffage, d'ailleurs officiellement limités, pour acheter un peu plus de pain et de viande.

Mais les enquêteurs ne se contentent pas de ces conclusions.

Interrogeant, dépouillant les livres de compte et les feuilles de paye, refaisant parfois les calculs de la ménagère, ils découvrent que ces Français, qui disposent mensuellement de 876 francs par personne, en dépensent 907, d'où un déficit permanent, accusé surtout par les familles nombreuses et les personnes âgées.

Lorsque les enquêteurs tirent leurs conclusions, c'est pour écrire que 94 % des personnes interrogées ont déclaré manquer d'aliments, que 71% d'entre elles n'achètent pas au marché noir, que les matières grasses, le pain, la viande et les pommes de terre sont les denrées les plus souvent réclamées.

Et ceux-là même qui disent bénéficier d'autres denrées que les denrées officielles les achètent très rarement au marché noir (13 %). La plupart du temps (72 %), ils doivent leur ravitaillement supplémentaire aux précieux colis familiaux.

Lorsqu'ils achètent au marché noir, les ouvriers et petits bourgeois français ne se laissent tenter ni par le café, ni par l'huile, ni par le jambon.

Ils réservent leur argent aux cartes de pain d'abord, aux pommes de terre ensuite.

Le pain sans beurre est indispensable à l'homme qui n'a plus assez de viande ni de vin.

Le pain sans chocolat est indispensable à l'enfant qui n'a pas assez de lait ni assez de beurre.

Cartes de pain ? Elles valent des prix différents, non seulement suivant l'époque, mais aussi suivant leur origine. Volées dans une mairie, c'est-à-dire « vraies », elles sont payées plus cher que les fausses cartes imprimées clandestinement par quantités monstrueuses, mais plus aisément décelables par le boulanger ou le contrôleur.

En août 1941, les policiers marseillais arrêtent 49 personnes qui, en accord avec l'imprimeur Louis B..., revendaient dans les cafés et les bars de fausses cartes de pain sur la base de 35 francs pièce.

En septembre de la même année, on découvre une imprimerie parisienne qui « lance sur le marché » 400 000 cartes par mois revendues 50 francs pièce.

Encore ces prix sont-ils des prix de 1941. Ils datent d'une époque où les spéculateurs du marché noir n'ont pas encore découvert tout le parti que l'on peut tirer de la famine.

En 1943, les fausses cartes valent 150 francs ; les cartes volées (on en vole de plus en plus dans toutes les mairies) de 300 à 375 francs.

Naturellement, les fabricants de fausses cartes restent insensibles aux foudres de la loi du 16 octobre 1941 qui prévoit la peine de mort pour les contrefacteurs de titres de ravitaillement. Ils savent bien qu'en France, le marché noir n'a jamais conduit personne à l'échafaud et que, pour 40 millions de Français, le pain demeure l'aliment le moins cher et le seul qui soit indispensable !

★

Il est faux que l'histoire se répète. Mais les hommes, eux, ne changent pas. Les inventeurs de la Révolution nationale de 1940 utilisent, devant les mêmes périls (inflation, restrictions), les mêmes armes que les défenseurs de la Révolution de 1789. L'analyse, faite par Taine, du programme jacobin est applicable — la corruption comprise — au programme anti-spéculation des années 1940-1944.

« *Pour plus de commodité, nous saisissons les choses directement et à l'endroit où elles sont : les grains chez le cultivateur, le fourrage chez l'herbager, les bestiaux chez l'éleveur, le vin chez le vigneron, les peaux chez le boucher, les cuirs chez le tanneur, les savons, les suifs, les sucres, les eaux-de-vie, les toiles, les draps et le reste chez le fabricant, l'entrepositaire et le marchand. Nous arrêtons les voitures... Nous emportons les batteries de cuisine pour avoir du cuivre... Nous disposons des personnes comme des choses* [1]. »

Cette répression de la fraude, de la spéculation, du marché noir est d'autant plus difficile que les Français meurent de faim et que, de l'avis officiel, le rationnement ne fournit que 1 150 calories, alors que 2 500 à 2 800 sont nécessaires.

La France est un pays doublement occupé.

Occupé par les Allemands, mais occupé également par une armée de contrôleurs dont l'action est souvent en proportion inverse du délit. Entre la répression nécessaire, la punition des trafiquants importants, envers lesquels l'autorité fait preuve d'autant plus d'indulgence que contrôleurs, policiers et juges sont des hommes, et qui ont

1. Taine : *Les Origines de la France contemporaine,* ch. VII, cité par Anatole de Monzie : « La Saison des Juges ».

faim, et la « chasse au lampiste », il y a une marge que les fonctionnaires n'hésitent pas à franchir [1].

Lorsque la Direction générale du contrôle économique fera son bilan pour les années d'occupation, elle pourra prouver, en effet, que deux chefs de famille sur dix ont, plus ou moins légitimement, souffert de son action.

Le nombre de procès-verbaux n'a cessé de croître, de 27 528 en 1940, il est passé à 214 016 en 1941, 199 485 en 1942, 379 405 en 1943.

Les infractions au ravitaillement sont au nombre de 149 368 en 1943 et 107 411 en 1944.

Les sanctions pécuniaires atteignent 1 214 000 000 de francs en 1943 [2]. Plus de 4 000 Français en 1942, plus de 8 000 en 1944 sont condamnés à la prison pour marché noir. De 511 en 1940, le nombre des magasins fermés par autorité judiciaire passe à 1 763 en 1942 et 4 339 en 1943. Ainsi de suite...

Cette ivresse répressive entraîne naturellement une récession de la marchandise, une ascension foudroyante des prix.

A côté des faussaires arrêtés, et justement punis, des trafiquants ou des stockeurs condamnés, il y a toute l'armée des petites gens que l'on pourchasse, au nom de lois et d'arrêtés qui se

1. Pendant l'occupation, la répression du marché noir s'appuie sur trois textes essentiels :

1°) La loi du 21 octobre 1940 codifiant la législation sur les prix.

2°) La loi du 15 mars 1942 tendant à réprimer le marché noir.

3°) La loi du 31 décembre 1942 sur la répression des infractions à la législation économique.

Le contrôle des prix fut confié en 1940 à un service spécial de contrôle institué par décret du 20 mai 1940. Puis, en janvier 1942, ce service devient Service général de contrôle économique et, par la loi du 6 juin 1942, Direction générale du contrôle économique.

2. Somme ramenée à 757 millions par suite des transactions.

chevauchent et qu'ils ignorent, pour un œuf gobé, un verre d'alcool avalé.

A côté des 7 440 voleurs de colis dans les gares jugés en correctionnelle en 1943, il y a cette femme de 23 ans, Renée J..., que la gendarmerie de Bolbec arrête pour avoir utilisé les tickets d'alimentation de son bébé mort un mois plus tôt.

A côté de ces trafiquants arrêtés pour avoir vendu, 58 francs le litre, sous le nom d'huile d'arachide, de l'huile de lin, qui valait 6 francs à peine, il y a cet Izeck D..., interné comme juif au camp de Gurs, que les juges de Pau condamnent à un mois de prison pour vol d'*une* botte d'asperges.

A côté de ce marchand de fromages parisien qui a vendu, en mars 1941, 980 kilos de gruyère à 50 francs au lieu de 21,50 francs, 66 kilos de parmesan à 70 francs au lieu de 40 francs et qui entreposait, dans son arrière-boutique, 144 meules de gruyère, une meule de parmesan, plusieurs douzaines de fromages de chèvre, 38 caisses de crème de gruyère ; il y a cette Henriette P... qui, à Saint-Jean-Lespinasse (Lot), fabrique avec le lait de son unique chèvre des cabecous, petits fromages odorants qu'elle vend 20 sous pièce à Saint-Céré. Henriette ignore, comment le saurait-elle, que, pour son infime commerce, il lui faut une carte d'autorisation du Comité Interprofessionnel laitier.

Le Tribunal correctionnel de Figeac la condamne donc, pour vente irrégulière de fromage, à 200 francs d'amende ! 200 francs d'amende, c'est peu direz-vous, mais pour une fille, à la campagne, une fille ignorante, éberluée, ne comprenant rien à la justice, à son arroi et à ses ridicules, c'est la honte et le déshonneur.

L'épicier parisien aux innombrables meules de

fromage s'en tire avec quatre mois de prison, ce qui, toutes proportions gardées, est pour rien [1]. Sorti de sa geôle — s'il y entre jamais — il rattrapera le temps et l'argent perdus en vendant plus cher, à l'image de cet épicier en gros de la Somme qui, ayant vendu du vin à des prix illicites et accepté une transaction de 100 000 francs, fit payer l'amende par ses clients. Il facturait simplement 10 francs de plus par litre sur toutes les livraisons antérieures à l'amende en précisant : « *Part contributive sur transaction du Contrôle économique, faisant suite au procès-verbal du 22 mai 1942 !...* »

Si, pour beaucoup de citadins, une contravention ou une condamnation émanant des contrôles économiques n'a aucun caractère infamant, il n'en va pas toujours ainsi à la campagne, où la morale est plus stricte, plus grande aussi la peur du gendarme et du juge.

Que fait Louis Lalande, grand mutilé de la guerre 1914-1918, boulanger à Thenon (Dordogne), lorsqu'il est menacé par le contrôle économique ?

Il se tue.

Lalande, qui avait vendu du pain chaud à un paysan qui ne pouvait revenir le lendemain, voit sa boulangerie fermée pour quinze jours et le motif de la fermeture affiché sur la porte. Seule la vente de pain rassis étant licite, le contrôle économique avait puni son crime comme il se devait. Mais il n'avait pas prévu la suite : ni le suicide de Lalande, incapable de supporter ce déshonneur ; ni le cortège de paysans et de nomades — les

1. Pour rien, si l'on songe que, pour avoir acheté un kilo de fromage au marché noir, le nommé Samuel Auerbach « hébergé au camp de Gurs », est condamné le 22 juillet 1941, par le Tribunal de première instance d'Oloron-Sainte-Marie, à huit jours de prison avec sursis et 100 francs d'amende. Pour un kilo de fromage, on passe en France devant les tribunaux !

femmes en habit de fête — accompagnant le cercueil ; ni les discours sur la tombe de cet homme qui, ayant versé son sang pour sa patrie en 1914-1918, donna sa vie en 1941 pour satisfaire les mesquineries de quelques fonctionnaires.

Dans le temps où l'on surveille si activement la vente des fromages de berger dans nos montagnes et la vente du pain chaud dans nos campagnes, un chargé de mission revient de Marseille, le 16 juillet 1941, en annonçant que 96 000 tonnes de denrées de toutes espèces, plus ou moins avariées à la suite d'un trop long stockage, sont définitivement perdues !

★

Ce qui irrite d'ailleurs le plus les Français, et blesse en eux ce sens de l'honneur qui exige l'uniforme pour le policier, c'est l'hypocrisie où se complaisent certains contrôleurs.

Il y a l'homme qui pénètre dans une boulangerie et murmure :

« Je n'ai plus de tickets et j'ai trois gosses à la maison. On peut s'arranger, hein ? »

Le voyageur à l'allure joviale qui s'attable au restaurant et commande :

« Un bifteck et une sole... Je sais bien, c'est jour sans viande, mais, allons ma petite dame, vous aurez bien un bon mouvement. Je viens de la part de Durand. »

L'acheteur qui glisse dans l'oreille de l'épicier :

« Vous avez bien du vrai café. Tant que vous y êtes, ajoutez du gruyère et un kilo de sucre. Je discute pas le prix, moi. »

Au moment de payer le pain, l'addition, le sucre et le café, l'anonyme sort une carte et se transforme en Jupiter tonnant : je veux dire en agent du contrôle économique.

Cette escroquerie morale déplaît fort ; elle s'apparente aux méthodes de l'espionnage et de la Gestapo. Certains tribunaux retiennent même la provocation comme une excuse absolutoire. Ils ont raison : la provocation des agents du contrôle économique ne dédaigne pas d'utiliser la misère et la faim des enfants, de faire appel aux bons sentiments, de donner, en somme, l'impression au commerçant qu'il gagnera de l'argent tout en rendant service. Il y a là une étrange bassesse de cœur.

Il est inutile d'évoquer longuement, à propos des difficultés de ravitaillement, cette guerre civile qui fait rage entre les Français et a la lettre anonyme pour arme.

Si votre ennemi politique mange mieux que vous, dans un temps où bien manger est *a priori* suspect, n'y a-t-il pas là comme un déni de justice, comme une offense qui exige réparation ?

La politique n'épargnera donc pas le ravitaillement.

Voici la lettre savoureuse adressée, le 21 novembre 1941, par le capitaine Sézille, secrétaire général de l'Institut d'études des questions juives, à von Valtier, du service de l'Information de l'ambassade d'Allemagne :

Monsieur,

J'ai l'honneur de vous rendre compte que M. P..., qui tenait la librairie à l'Exposition « Le Juif et la France », a été arrêté pour marché noir.

J'ai attendu jusqu'à ce jour pour vous confirmer le fait d'avoir des renseignements par la police.

Or, je viens de recevoir du Commissaire divisionnaire, M. Magneval, les précisions suivantes :

« M. P... a été arrêté le 17 novembre pour trafic

illégal de fruits coloniaux (des dattes qu'il achetait 4 francs et vendait 18 francs) et d'autres produits.

« M. P..., depuis quelque temps, était affilié même avec un juif nommé R... et avec un repris de justice... »

Ceci prouve combien il faut faire attention chez nous à notre entourage.

L'alliance des antisémites professionnels et des juifs autour de quelque affaire de marché noir, voilà qui ne manque pas de saveur !

★

Comment le marché noir, qui existe dans les écoles, n'existerait-il pas également dans les prisons et les camps de concentration ? Là, plus qu'ailleurs, difficile, obligatoire, secret.

A Drancy, le cours des cigarettes oscille entre 200 et 500 francs le paquet. Il varie quotidiennement, dépendant de la plus ou moins grande « complaisance » (rétribuée) des gendarmes, de l'argent que les internés ont pu dissimuler sur eux [1], de l'imminence des grands départs qui exacerbe, chez les intéressés, le désir de fumer et d'oublier un peu.

Denise Aimé raconte [2] qu'elle a vu une femme vendre les bouillies de ses enfants pour pouvoir fumer et, d'après le témoignage d'un prisonnier, six personnes se cotisèrent, la veille d'un départ en déportation, pour acheter *une seule cigarette* 150 francs [3] ... Les plus pauvres des

1. Les internés ne pouvaient pas posséder plus de cinquante francs.
2. Denise Aimé : *Relais des Errants.*
3. C.D.J.C. - CCXIII - 106.

plus pauvres s'offrent une bouffée pour 10 francs.

Mais dans ces camps, où un prisonnier perd « aisément » 20 kilos en quelques mois, les cigarettes ne sont pas le seul objet de trafic. Le prix de la ration quotidienne de pain est de 250 à 300 francs. Pour qu'elle baisse, jusqu'à 50 francs, il faut que le principe du colis de vivres aux internés soit enfin admis par l'administration franco-allemande.

Dans ce désert alimentaire, un morceau de sucre vaut de 12 à 15 francs, une ration de viande (quelques grammes) : 150 francs ; un petit-suisse : 40 francs ; une pastille Valda : 5 francs ; un oignon : 80 francs ; une allumette, pas une boîte, une seule allumette : 2 francs. 2 francs, c'est également ce que coûte une feuille de papier à cigarette [1] !

Additionnant les rations du Ravitaillement général, les colis familiaux, les denrées achetées au marché noir, les Français ont vécu. Plus ou moins mal.

Trop d'éléments personnels et géographiques entrent en ligne de compte pour qu'il soit possible d'évoquer la position du Français moyen face au ravitaillement.

Du moins peut-on esquisser quelques situations en précisant bien, une fois de plus, qu'elles n'ont de valeur que localisées et pour un temps très court.

Désespérant de trouver, auprès d'un public encore plus méfiant que d'habitude, tous les renseignements chiffrés qui permettraient d'établir exactement ce que mangent et boivent les Français, la direction du Service national des Statistiques décida de demander un jour aux auxiliaires

1. Ce qui met le morceau de sucre à 2,10 NF, le petit-suisse à 7,28 NF, etc.

et commis des quinze directions régionales de lui servir de « cobayes ».

On ne demandait nullement aux intéressés *où,* ni par *quel moyen* ils s'étaient procuré les denrées consommées. Indifférente au marché sur lequel on s'approvisionnait, la direction du Service national des Statistiques se montrait par contre très pointilleuse sur le nombre de personnes vivant dans chaque foyer, le nombre des repas pris au dehors, la nature et le poids de chacune des denrées consommées quotidiennement.

Les renseignements devaient être scrupuleusement notés pendant trois périodes : la première allant du 24 janvier au 6 février 1944 ; la seconde du 22 mai au 4 juin ; la troisième du 25 septembre au 8 octobre.

Au terme de cette enquête passionnante, l'une des plus sérieuses, la seule sérieuse sans doute, menée sur la question, on constate que le chiffre de calories le plus bas est atteint à Toulouse, où la moyenne quotidienne ne dépasse pas 1 800 pour la période allant du 24 janvier au 6 février 1944.

Pendant la même période, certaines familles toulousaines, soumises au questionnaire, ont vécu avec 1 270 calories. Or, d'après les travaux du professeur Richet, *la ration de 1 600 calories est insuffisante et conduit à la mort.*

C'est à Montpellier que l'on mange *le moins* de pain, *le moins* de viande, *le moins* d'œufs, que l'on boit *le moins* de lait, mais, avec Bordeaux, le plus de vin (7 litres par mois).

Si l'on veut résumer cette enquête, qui a porté, pendant six semaines, sur plusieurs centaines de personnes, réparties sur l'ensemble du territoire, on peut écrire que les villes déshéritées ont nom : Dijon, Lyon, Marseille, Montpellier, Nancy, Orléans, Reims et Toulouse.

Les villes relativement plus favorisées l'ont été soit à cause de leur position au centre ou à proximité d'une zone agricole : Bordeaux, Clermont-Ferrand, Limoges, Rennes, Rouen, Lille, soit à cause du rôle joué par le marché noir : essentiellement Paris.

★

Paris, centre important de marché noir, où les riches peuvent vivre presque aussi bien que par le passé, souffre cependant terriblement de sa position de capitale aux effectifs énormes (5 545 000 rationnaires en juillet 1943, dont 1 115 000 enfants), de capitale qui dispute au reste de la France toutes les richesses des provinces, mais dont le ravitaillement est sans cesse à la merci de quelques bombardements sur les ports et les gares, où les distances multiplient toutes les difficultés quotidiennes, où l'argent abondant engendre l'ascension des prix, où un étonnant réseau de renseignements fait courir des foules ménagères du marché à l'ail qui se tient à l'entrée du métro Saint-Augustin au marché au tabac de la station Strasbourg-Saint-Denis, du marché aux sardines au marché aux éponges métalliques, aux harengs saurs, aux enveloppes, aux fils électriques qui ont la plupart du temps pour « carreau » les couloirs du métro, où des mendiants, astucieux et patriotes, jouent la *Marseillaise*. En tout temps difficile, c'est dans l'été 1944 que le ravitaillement de Paris connaît ses heures tragiques.

Encombrées par l'armée allemande qui livre sur les côtes françaises la bataille de la dernière chance, écrasées par l'aviation anglo-américaine, coupées sporadiquement par la Résistance, les voies de communication indispensables au ravitaillement ne jouent plus leur rôle [1]. L'essence manque, malgré les efforts de M. de Staël, qui détourne, au profit de la ville, une partie du carburant attribué aux Allemands.

Sur les routes, les camions que Pierre Taittinger, président du Conseil municipal, a munis d'un émouvant laissez-passer, qui joue souvent son rôle auprès des maquis, doivent ruser pour échapper aux avions. « *Le camion,* raconte Edmond Dubois [2], *était signalé aux aviateurs alliés par un large fanion blanc ; des observateurs étaient étendus sur les ailes avant, yeux au ciel. Le ronflement du moteur empêchait, en effet, d'entendre le ronronnement des avions. Il fallait les découvrir et signaler aussitôt leur inquiétante présence au conducteur. Le signal d'alarme était transmis par un système de ficelles, dont chaque observateur tenait une extrémité en main et dont l'autre était nouée au bras du conducteur.* »

Malgré ces précautions, les camionneurs se découragent. Les risques sont trop grands. Le 25 août 1944, les camions qui passent les lignes (car la bataille se rapproche de Paris) ne sont plus que 70. Un peu partout, les moulins sont en flammes, les S.S. interviennent, les appareils américains mitraillent... 70 camions pour 5 millions d'habitants, la proportion est dérisoire.

Sur ces mois tragiques et cependant pleins d'espoir, le docteur Jean-Marie Musy, ancien président de la Confédération helvétique, chargé de mission en France du gouvernement suisse et de la Croix-Rouge internationale, a dressé un rapport dramatique.

1. En juillet 1944 la moyenne journalière des wagons chargés par la S.N.C.F. tombe à 3 706 et en août à 1 507 contre 23 218 et 21 351 pour juillet et août 1943.

2. *Paris sans lumière.*

Ayant accès à toutes les sources d'information, il note que, pour satisfaire les besoins journaliers de pain (14 000 quintaux avant la guerre), il n'est arrivé que 8 000 quintaux par jour en juin.

Pour le lait, la chute est encore plus brutale : 1 800 000 litres par jour avant la guerre ; 220 000 litres en juin, alors que la ville compte 250 000 nourrissons.

La viande fait défaut (90 grammes par semaine), malgré les efforts de Pierre Taittinger qui a essayé, dès 1943 et en prévision des batailles futures, d'organiser dans la banlieue de vastes parcs à bestiaux, puis, lorsque les transports chaotiques furent totalement interrompus, d'acheminer « à pied » vers Paris d'importants troupeaux de bœufs.

Peu de légumes (les arrivages ne permettent que des distributions de 50 grammes par jour), pas de fruits, presque pas de pommes de terre.

En juin, l'on a pu distribuer encore deux litres de vin par consommateur, mais en juillet, toute distribution est suspendue. Les maigres denrées que l'on se procure à prix d'or (Jean Guéhenno note, le 9 août 1944, qu'un kilo de petits pois coûte 45 francs, soit, en 1970, l'équivalent de près de 7,25 francs ; un kilo de pommes de terre, 40 francs [1]), encore faut-il les faire cuire.

Or, privées de charbon (les arrivages tombent de 5 500 tonnes par jour, en mars 1944, à moins de 1 000 du 10 au 15 juillet), les usines à gaz ne dispensent plus qu'une maigre flamme, à peine un peu plus haute à l'heure du déjeuner et du dîner, flamme que les malins « sollicitent » à l'aide de « tire-gaz » achetés dans le métro ou fabriqués

1. Dans d'autres quartiers, elles valent 60 francs, ce qui est également le prix d'un concombre. Pierre Nicolle : *Cinquante mois d'armistice.*

à la maison grâce à un tube d'aspirine fendu à une extrémité et resserré à l'autre.

Les ménagères sont épuisées, exaspérées, par des attentes inutiles devant les boutiques vides ou qui ne s'ouvrent, à la nuit tombée, que pour quelques privilégiés fortunés.

La pénurie est absolue et les autorités municipales songent à créer des restaurants populaires où l'on cuirait chaque jour 600 000 repas, simples (une soupe chaude, un plat de légumes), bon marché (10 francs), pour ceux qui manqueront de provisions et de combustible !

Pendant ces jours d'août où le beurre coûte 1 000 francs le kilo à Paris, il vaut 30 francs au Mans puisque la pénurie des transports maintient le ravitaillement sur les lieux de production.

Pendant ces semaines, tragiques pour les consommateurs parisiens, la région de Clermont-Ferrand est excédentaire en produits de toute nature, le beurre et le fromage s'accumulent dans le Cantal, la viande est enfin délivrée, un peu partout dans les campagnes, sans tickets.

Pendant ces jours où le marché noir connaît, dans les grands centres isolés, ses heures de gloire, il s'effondre dans les villages sous la double pression des stocks provisoires et des maquisards qui, la mitraillette à la main, fixent les prix et exigent que cesse « *la comédie des arrière-boutiques où riches et échangistes trouvent tout au prix fort* [1]. »

Etranges contradictions d'une époque troublée.

★

Pour chaque région, pour chaque ville, pour

1. Extrait d'une affiche apposée à Tournus, où le maquis fixe, en juin 1944, le prix du kilo de beurre à 80 francs ; à 30 francs celui de la douzaine d'œufs ; à 5 francs celui des pommes de terre nouvelles.

chaque famille, pour chaque individu, les moments les plus critiques se situent, d'ailleurs, à des époques différentes.

Pour les uns, il s'agit du premier hiver. Sous un vent féroce et glacé (la température tombe à — 14° à Toulouse dans la nuit du 3 au 4 janvier 1941, à — 20° au Puy-de-Dôme ; il y a un mètre de neige à Grenoble, les trains ne peuvent plus quitter Lyon), la France, selon le mot de Brasillach, n'ayant « pas encore réinventé le système D », apprend à faire la queue et fait la connaissance de cet inconnu : le rutabaga [1].

Pour les autres, il s'agit du dernier été lorsque les colis familiaux ne peuvent plus percer le rempart des armées adverses.

A la campagne, lorsque la bataille approche, les paysans enterrent quelques vivres. C'est ainsi que Benjamin Valloton qui habite près de Belfort enfouit, le 25 septembre 1944, une marmite de saindoux dans une cave, cinq bocaux de rôti dans une autre cave, une bonbonne de goutte et 50 litres de vin de Tunisie ailleurs...

Pour certains, le drame se prolonge jusqu'en mai 1945. C'est le cas des Rochelais qui connaissent huit mois de siège, au cours desquels troupes françaises et allemandes finissent par conclure des accords qui permettent le transport vers les assiégés soit par terre, soit par mer, à bord des chalutiers *Messidor* et *Roland-Raymonde,* de bois de

1. Le premier hiver fut cependant le plus favorisé pour les rations : 450 grammes de beurre par mois contre 150 en 1943 et 50 en 1944 ; 350 grammes de pain contre 275 ensuite ; un kilo de viande par mois contre 400 grammes, mais l'absence d'organisation nationale et surtout familiale fit cruellement sentir les restrictions. Par ailleurs, il est certain que, sur le plan psychologique, les Français, qui sortaient de l'abondance, furent péniblement surpris par les premières mesures de rationnement. L'habitude vint ensuite.

boulange et de quelque ravitaillement, dû en partie à la générosité de la Croix-Rouge suédoise.

★

Pendant toute la guerre, les îles sont comme des forteresses entourées d'ennemis.

Sein, privée d'hommes et où, malgré les restrictions d'essence, les vieux ont dû se remettre à la pêche, accompagnés de gamins de douze ans ; Sein, où l'on n'a plus de bois et où les femmes se disputent le goémon qui, une fois sec, donne un combustible de mauvaise qualité [1], où, pour nourrir les vaches, il faut aller chercher le foin à Audierne, où l'on distribue 4 600 repas par mois aux enfants des écoles qui grignotent des carottes et des rutabagas pendant les récréations, où les Allemands partagent parfois leur pain avec une population qui en manque vingt jours durant, Sein connaît des heures tragiques.

Sur le continent, quelques braves gens en sont émus et le docteur Vourc'h, qui habite Plomodiern, lance, en 1941, 72 lettres vers des cultivateurs du voisinage.

Il réclame pour Sein du beurre, du lait, des œufs, ajoutant : « Le tout vous sera payé au prix de la taxe. » Le jour convenu, les paysans se succèdent dans le salon et la cuisine de Mme Vourc'h. Le lendemain, six tonnes de ravitaillement et deux « culasses [2] » de farine partent de Camaret pour l'île déshéritée.

1. Un bateau anglais chargé de bois s'était échoué dans les parages au début de la guerre. Le bois avait été entreposé sur le quai. Lorsque cette provision fut achevée, on dut passer à l'utilisation du goémon et, comme aux Indes et en Egypte, à celle de la bouse de vache séchée.

2. La « culasse », mesure locale, équivaut à 100 kilos.

Les îliens dans leur île et les gardiens de phare sur leur rocher... Ce sont les femmes qui, à terre, doivent s'occuper du ravitaillement. Avec les 6 francs 10 de la prime quotidienne de nourriture, il leur faut accomplir des miracles. Mais le pain, qu'elles envoient tous les quinze jours par le ravitailleur, moisit très vite et les hommes doivent se contenter de poisson séché au soleil lorsqu'il fait beau et de pommes de terre. Peu ou pas de vin, ce qui est cruel au cœur des gardiens...

Le Gall qui, de 1941 à 1944, « habita » Ar-Men, le terrible Ar-Men, où il n'est pas rare de voir du goémon collé sur la lanterne, c'est-à-dire à 28 mètres de hauteur, Le Gall se souvient de cette nuit de Noël 1943 où un sergent allemand lui offrit un verre de rhum en disant :

« Nicht égal 14-18. »

Car des soldats allemands vivent en permanence dans les phares en compagnie des gardiens français. Ce sont eux qui indiquent les heures d'allumage des phares, heures qui coïncident avec le retour de navires allemands. Les « équipages », français et allemands, font cuisine à part mais, parfois, on dérobe à l'ennemi, mieux pourvu, un peu de nourriture...

★

Avec les années, quelles sont les conséquences des restrictions ? Sur le plan moral, d'abord, elles entraînent une désagrégation plus ou moins rapide de toutes les valeurs reçues.

Dans l'impossibilité de faire vivre sa famille avec son salaire insuffisant, l'ouvrier et le fonctionnaire « se débrouillent » ; le commerçant fait fortune au marché noir, le paysan se laisse emporter par un vent de trafic et chacun légitime comme il le peut une illégalité plus ou moins profitable.

L'homme que la gendarmerie de Vierzon a arrêté en mai 1941 pour avoir vendu, sous le nom de chèvre, des gigots de chien était sans doute, avant la guerre, un fort honnête Français, comme ce manœuvre d'Arras qui, muni d'un brassard, s'était placé dans un petit chemin emprunté par des cyclistes en quête de beurre et les arrêtait pour prélever une partie de leurs achats illégaux. Et ce vieux Bordelais, qui tue sa femme parce qu'elle lui refusait un morceau de pain, pourquoi n'aurait-il pas été, avant les restrictions, un excellent mari ?...

Mais, ici plus que jamais, l'occasion fait le larron.

Des millions de Français volent. Ouvertement ou non. Entre ceux qui volent pour faire fortune et ceux qui volent pour manger, nul, jamais, n'établira les pourcentages.

On vole dans les gares et, en janvier 1942, les règlements d'indemnité pour petits colis volés atteindront 30 millions.

On vole dans les champs.

M. Dumesnil, cultivateur près de Bolbec, surprend deux hommes qui coupent des épis de blé dans son champ. Le champ de pommes de terre de M. Bellet, agriculteur à Tourville-les-Ifs, est retourné sur une superficie de 450 m². Le tribunal correctionnel de Pau inflige un mois de prison à la femme B... qui a volé dix pommes et une poignée de trèfle. Emile G..., de Mougins, tue d'un coup de gourdin Gino G... qui déterrait des pommes de terre.

On vole dans les boutiques. Le 17 mars 1941, vers 15 heures, une femme de 70 ans s'empare d'une côte de veau à l'étal du boucher Villars, sous la halle de Mirande, et disparaît sans remettre ni argent ni tickets...

L'opposition entre citadins et campagnards prend des formes aiguës. *Trop de paysans des environs,* écrit, à la date de 1942, Guillemard dans son livre « *l'Enfer du Havre* », *se conduisent comme d'infâmes fripouilles. Sachant que nous manquons de tout, ils nous ont vendu* 5 *francs les pommes de terre taxées à* 2 *francs* 50 *le kilo ; on a porté la taxe à* 6 *francs le kilo, ils en demandent* 10, *voire* 12. *Et nombre d'entre eux exigent en échange du sucre, du chocolat, du linge.*

De son côté, Pierre Nicolle signale, le 16 octobre 1942, que « *des expéditions sont organisées dans les grandes fermes de Normandie et du Vexin par des groupes de* 100 *à* 150 *ouvriers* ».

Les restrictions font des victimes chez les adolescents. Le marché noir aussi.

Au lycée et au collège, on trafique et souvent le trafic porte sur des objets volés aux parents. Dans un climat familial troublé, comment les jeunes échapperaient-ils à la dictature de l'argent, aux prestiges de la « combine » ?

Roger-Ferdinand, auteur des « *J 3* », fait rire tout Paris en représentant quoi ? Des écoliers qui proposent à leur surveillant une canadienne contre de l'alcool à 90°, qui élèvent un cochon en classe et sortent de leur poche, devant le proviseur, piles électriques, flacons de parfum, billets de banque, boîtes de saccharine, paquets de cigarettes, briquets à mèche, stylos, etc.

Le sommet de la délinquance juvénile se situe tout naturellement en 1942, année pendant laquelle 34 695 mineurs ont été jugés pour crime ou délit dont 26 035 pour vol contre 7 820 en 1938 !...

★

Sur le plan de la santé des Français, les restrictions ont également de lourdes conséquences.

Bien entendu, l'alcoolisme a diminué mais, à côté de cette conséquence heureuse, que de troubles et de maux durables !

La loi du 23 août interdisant la fabrication des apéritifs à base d'alcool, réglementant les heures de vente de l'alcool et surtout le rationnement du vin (en 1941) ont pour effet d'abaisser considérablement la mortalité par cirrhose du foie [1], ainsi que les internements pour alcoolisme et les crimes commis sous l'influence de l'ivresse.

Par contre, les difficultés de ravitaillement, la mauvaise qualité des aliments, le peu de calories obtenues, le froid, l'absence de moyens de transport facilitent les progrès de la maladie particulièrement chez les nouveau-nés (plus du quart d'entre eux pèsent moins de 3 kilos) et chez les vieux.

C'est ainsi qu'en janvier 1942 la mortalité de la population parisienne dépasse de 46 % le niveau moyen des années 1932-1938.

★

Une étude attentive des mouvements de population permet de constater que les départements agricoles sont les seuls (à partir de 1942) où l'on relève un excédent des naissances sur les décès.

Voici d'ailleurs les départements où les proportions de naissances sont les plus fortes en 1943 : Manche, 192 naissances pour 10 000 habitants ; Sarthe, 191 ; Calvados, 189 ; Maine-et-Loire, 188 ;

1. 12 161 en 1936, 3 388 en 1943.

Haute-Savoie et Doubs, 187 ; Ille-et-Vilaine, Mayenne, Pas-de-Calais, 185, etc.

Non seulement les naissances sont plus nombreuses mais, encore, la mortalité décroît dans ces départements paysans. Par rapport à la période 1936-1938, elle diminue de 11 % dans l'Indre, 10,9 % dans la Mayenne, 10,4 % dans l'Orne, 7,8 % dans la Sarthe, toutes régions où le chiffre de calories absorbées est souvent supérieur à ce qu'il était avant la guerre.

Dans les départements industriels, par contre, dans les villes et dans ces agglomérations particulièrement défavorisées que sont les hospices et les asiles, la mortalité ne cesse de croître (Bouches-du-Rhône + 57 %, Rhône + 29 %, Seine + 24 %).

En 1939, la proportion des morts est de 63 pour 1 000 dans les asiles d'aliénés. Elle passe à 170 pour 1 000 en 1942. La progression est presque aussi forte dans les hôpitaux où sont hébergés infirmes et incurables (18,9 % en 1938, 28,4 % en 1942) dont les souffrances physiques sont aggravées par les souffrances morales, car ils ne comprennent pas les nécessités des restrictions et veulent vivre « comme avant ».

En novembre 1944, dans les arrondissements les plus pauvres de Paris, les déficits de croissance atteignent 7 centimètres pour les garçons et 11 centimètres pour les filles de 14 ans.

A Suresnes, en 6 mois, 35 % des filles et 41 % des garçons qui fréquentent l'école ont maigri.

Les médecins attachés au Laboratoire de physiologie de la Faculté de Montpellier (région de monoculture donc particulièrement défavorisée), après une longue enquête (de 1941 à 1945) portant sur plusieurs centaines d'enfants, notent que 72 % des sujets présentent une faculté rétinienne nettement inférieure à la normale, que 73 garçons sur 137 et 110 filles sur 174 souffrent de déficit de croissance...

★

Dans leur âme comme dans leur chair, dans leur fortune comme dans leur standing social, les restrictions ont profondément modifié les Français de tous âges et de toutes conditions.

Divisés sur bien des choses, ils réagissent identiquement à un seul mot : « manger ».

De bouche à oreille, on se passe plus de recettes que de slogans politiques, plus de bonnes adresses que de noms d'hommes à abattre.

Suprême consécration, le dictionnaire et l'usage accueilleront et garderont presque tous les mots inventés ou ressuscités pour les besoins des restrictions. De J 3 à travailleur de force, de déblocage à marché parallèle, de soudure à monnaie-matière, ils ont leur place dans notre mémoire et dans l'histoire.

Serviteurs indispensables pour les temps difficiles.

CHAPITRE VII

UN JEUNE MÉNAGE S'INSTALLE

Au mois de novembre 1941, le secrétariat d'Etat à la Santé organise un vaste référendum sur les causes de la dénatalité.

Dans l'espoir de se partager 400 000 francs de prix, les concurrents s'efforcent de choisir, parmi quinze raisons, celles qui sont avant tout, à leurs yeux, responsables de la dénatalité française.

Faut-il incriminer le cinéma, l'auto, « l'absence ou l'insuffisance de religion », « l'abandon des campagnes », les difficultés de logement, la vie chère, les douleurs de l'accouchement [1] ?

Ils cherchent, ils s'interrogent en famille sur les causes de la stérilité française, et ce grand jeu n'est qu'une arme dans la panoplie gouvernementale. Une façon amusante et aimable de dénoncer les fils uniques et l'égoïsme des ménages sans enfants.

1. La plupart des réponses (il y en aura plus de 500 000) indiqueront comme raison essentielle « l'absence ou l'insuffisance de religion ».

★

« Trop peu d'enfants, trop peu d'armes, trop peu d'alliés, voilà les causes de notre défaite. »

Dès le 20 juin 1940, le maréchal Pétain, qui est resté longtemps célibataire et qui n'a pas d'enfant, a établi le diagnostic.

« Trop peu d'enfants. » Bien avant la guerre, le déficit en hommes est encore plus inquiétant que le manque d'armes et de machines. Les spécialistes prévoient pour 1970 une France de 30 millions d'habitants. Une France de vieillards. Chaque année les décès l'emportent sur les naissances. De 35 000 unités en 1938, 30 000 en 1939, 200 000 en 1940.

La défaite augmente les inquiétudes du gouvernement. Les prisonniers, derrière les barbelés, ne participent plus à la vie française. Retirés de la nation, ces jeunes hommes sont perdus pour le mariage et la paternité.

Au cours des trois premiers mois de 1941, le chiffre des mariages baisse de 30 % par rapport au premier trimestre de 1940, celui des naissances de 38 % [1]. Dans la Seine, il y a deux fois plus de décès que de naissances, deux fois plus également dans le département du Nord, les Bouches-du-Rhône, les Alpes-Maritimes, près de trois fois plus en Seine-et-Oise.

Chaque année, la France perd une nouvelle bataille plus importante que celle de juin 1940. Il faut renverser la situation, créer un climat favorable à la famille. Une mystique. Donner de l'argent mais aussi forger des lois.

1. A Paris, le nombre des mariages baisse de près de 50 %. De 30 055 en 1939, il passe à 15 568 en 1941 ; 18 105 en 1942 ; 14 785 en 1943 ; 13 784 en 1944. En 1945, avec le retour des prisonniers, il atteindra 27 583.

L'occupation, avec ses restrictions, ses menaces ne crée nullement un climat favorable.

Les années troublées, celles au cours desquelles il est presque impossible de voyager, de s'habiller, de se loger, où il est difficile de nourrir les enfants, où les femmes enceintes tombent de fatigue dans la rue, où les bombes s'ajoutent aux menaces du S. T. O., des arrestations, du chômage sont cependant les années où la France amorce sa révolution démographique.

En 1943, les naissances équilibrent presque les décès. Elles sont plus nombreuses en tout cas (d'un millier) qu'en 1938 ! Dans 36 départements (en majorité agricoles), elles sont en excédent sur les décès. Pour revivre, la France choisit l'une des années les plus sombres de son histoire.

Pour s'accrocher à la vie, les Français préfèrent les temps difficiles. Les malheurs de la patrie leur font-ils oublier leurs malheurs personnels ? Jamais, en tout cas, les suicides n'ont été moins nombreux. De 1940 à 1942, ils diminuent de plus de moitié (4 216 contre 8 798) [1].

Etrange preuve de vitalité donnée par un peuple que le désastre éveille. Au bord des ruines, inquiet de l'avenir, non seulement il refuse de s'abandonner au désespoir, mais il crée ces existences nouvelles qui, plus tôt venues, auraient peut-être modifié le sort des batailles.

1. Les Allemands ayant exigé la remise des armes à feu dans toute la zone occupée, ce mode de suicide est abandonné. Par exemple, en 1942, pour le ressort de la Cour d'appel de Caen, on trouve un seul suicide par arme à feu contre 93 par pendaison ; pour la Cour d'appel de Douai, 17 contre 210 pendaisons ; pour la Cour d'appel de Paris, 64 contre 461 pendaisons. Il en va différemment en zone libre : Cour d'appel de Riom, 16 suicides par armes à feu et 53 pendaisons ; Cour d'appel de Montpellier, 25 et 46 ; de Lyon, 54 et 151 ; d'Agen, 18 et 35.

★

En vérité, les mesures en faveur de la famille ont précédé la guerre et la défaite. Le code de la famille date du 29 juillet 1939, mais le gouvernement de Vichy va aménager et amplifier le décret-loi Daladier.

Avec le Travail et la Patrie, la Famille constituera l'une des trois divinités du nouveau régime. La femme mariée sera relevée de la condition juridique inférieure dans laquelle elle était tenue encore [1] ; le divorce retrouve le caractère exceptionnel qu'il avait perdu au fil des années, il est même rendu impossible pendant les trois premières années du mariage, et ces mesures ont pour conséquence immédiate de faire tomber le chiffre des divorces de 24 318 en 1938 à 14 900 en 1942 [2].

L'abandon de famille est plus sévèrement puni que par le passé. Les restrictions facilitent également la répression de l'alcoolisme.

La lutte en faveur de la santé du foyer est basée, non seulement sur le certificat prénuptial obligatoire [3], mais également sur de nombreuses mesures sociales, que des brochures, largement répandues, copieusement illustrées, font connaître

1. Loi du 22 septembre 1942 par laquelle la femme peut, dans tous les cas où le mari est hors d'état de manifester sa volonté, exercer de plein droit les attributions de chef de famille.

2. En additionnant tous les délais envisagés par la loi du 2 avril 1941, on constate que sept années pouvaient s'écouler avant que les époux désireux de se séparer puissent obtenir satisfaction.

3. *J. O.* du 22 décembre 1942. Ce certificat ne comporte aucune indication sur le résultat de l'examen. Seul l'intéressé connaît l'avis favorable ou défavorable et se trouve ainsi instruit de ses responsabilités.

au pays et dont le gouvernement revendique, parfois abusivement, toute la paternité [1].

★

Le pain, le lait, la viande, le beurre font défaut et de nombreux médecins signalent, un peu partout, le mauvais état de santé des femmes enceintes. Pourtant, le gouvernement attribue à celles-ci des suppléments de nourriture : un demi-litre de lait par jour depuis le moment où la grossesse est constatée jusqu'à la fin de la période d'allaitement, la carte J 3, qui donne droit à de légers suppléments de pain et de viande, à des attributions de confitures, de chocolat, d'œufs, de fruits secs, une carte spéciale de suralimentation...

Ces mesures, ces maigres mesures, ont-elles une influence sur la reprise de la natalité ? On n'ose l'affirmer.

Les avantages financiers constituent sans doute pour de nombreux ménages une garantie et une invitation à peupler leur foyer. Prime à la première naissance, allocation de salaire unique, dégrèvements fiscaux, allocations familiales contribuent à améliorer la situation des jeunes ménages, mais n'expliquent pas tout.

Il semble que l'extrême péril où se trouve la race soit la cause profonde de cette remontée démographique. Privée de divertissements, menacée par mille périls, prisonnière du couvre-feu, la jeunesse française de 1940, cette jeunesse, pourrie de traditions égoïstes, livre pour son propre compte, et pour celui de sa patrie, le combat obscur et quo-

1. Examens médicaux obligatoires pendant la grossesse, repos et indemnités aux femmes enceintes, protection médico-sociale de l'enfant en bas âge, etc. Il s'agit généralement de textes anciens complétés par les lois des 15 janvier et 22 décembre 1942.

tidien de la vie familiale, alors que toutes les jeunesses du monde s'anéantissent dans la terreur et l'ivresse des combats.

Paradoxalement (et malgré l'absence des prisonniers), 1940 répare 1918. La défaite épargne les adolescents qu'une guerre longue et victorieuse aurait fauchés.

★

Mariage. Pour se mettre en ménage, il faut une maison, des meubles, du linge de table, des assiettes, des draps, un poêle et du mauvais charbon ou du bois dans la cave.

Il n'y a rien. Rien sans tickets. On ne demande plus à ses amis que des cadeaux utiles et la moindre casserole représente une victoire du système D.

Rares sont ceux qui ont la chance de trouver un appartement (à Paris aucune autorisation de bâtir n'est plus accordée depuis juin 1942) ; n'est-il pas d'ailleurs préférable de s'installer chez parents ou beaux-parents alors que les difficultés s'accumulent ? Ceux qui veulent tout de même tenter leur chance et s'évader de la protection familiale, ceux qui « partent de zéro », sans greniers derrière eux, ni armoires garnies, ni costumes anciens, ces costumes que l'on transforme sans cesse et qui passent d'un sexe à l'autre, vivent un véritable roman d'aventures.

Comment faire pour acheter douze assiettes alors qu'assiettes et verres ne se vendent plus qu'à l'unité ? Il faut mobiliser plusieurs personnes. Les étudiants convoquent leurs camarades de Faculté qui prennent leur tour dans la queue.

Les jeunes ménages ont théoriquement droit à un lavabo, mais il est préférable d'appuyer ce droit d'un gigot si l'on veut être rapidement servi ; qui possède un poêle n'a pas les tuyaux et réciproquement ; il faut donc acheter des bons-matière en fraude ; la fiancée emprunte ses chaussures à une amie mariée d'avant-guerre, la robe blanche, prévue pour être utilisée « après », représente soit une véritable fortune, soit la valeur de plusieurs colis familiaux, le marié loue son costume, les parents envoient sur cartes interzones des faire-part à toute une famille qui ne pourra franchir la ligne de démarcation et se plongent dans l'établissement d'un menu suspendu aux variations du marché noir.

Voici venu le jour du mariage.

Pour se rendre à l'église, les invités utilisent les moyens de transport les plus divers, à l'exception, bien entendu, de l'automobile. Il n'y a plus d'essence d'ailleurs que pour quelques rares privilégiés, assez souvent trop bien vus des Allemands, puisque les médecins eux-mêmes ont dû abandonner très rapidement l'auto pour la moto, puis la bicyclette [1].

Suite logique de ces restrictions, les accidents d'auto régressent considérablement (1 281 morts

1. Un exemple : en mai 1940, la ville de Pau consommait 300 000 litres d'essence par mois ; en janvier 1941, elle en reçoit seulement 20 000 litres. En 1939, la France consommait l'équivalent de 3 millions de tonnes de carburant. Après la défaite, elle ne possédait plus que 200 000 tonnes de stock et ne pouvait compter, les importations étant stoppées, que sur une production locale annuelle de 50 000 tonnes d'équivalents-essence.

Grâce à la mise en service de véhicules à gazogène et à accumulateurs, le ravitaillement essentiel peut être assuré, un certain nombre de lignes de transport sont demeurées ouvertes et l'on estime que la production nationale (surtout de charbon de bois) maintient la consommation française à 25 % des chiffres d'avant-guerre pour les carburants.

Ajoutons que, sur 260 000 camions et autobus constituant le parc français avant la guerre, 105 000 furent détruits par la guerre ou pris par l'ennemi, tandis que 645 000 voitures particulières sur 2 105 000 disparaissaient également.

en 1942 contre 2 839 en 1938), moins considérablement cependant que la circulation, car les conducteurs allemands happent bien des piétons insouciants [1].

Alors, vive le métro.

Le métro qui sert de théâtre à des millions de combats singuliers.

De nombreuses stations ont été fermées, les trains sont espacés, mais le chiffre des voyageurs ne cesse d'augmenter. On délivre 2 225 924 billets *par jour* en décembre 1940, 2 614 239 en décembre 1941 et ce n'est pas fini, ce n'est jamais fini. Si l'on tient compte de la diminution de 15 % de la population parisienne, l'augmentation du trafic est de l'ordre de 50 %.

Pour 1 franc 50 en deuxième classe, pour 1 franc 90 en première classe [2], les voyageurs sont transportés avec tous leurs bagages, puisque la direction, indulgente à la peine des Parisiens, a abrogé certaines mesures restrictives. Chiens et chats sont admis dans des paniers spéciaux. Ils ajoutent leur odeur à celle des choux, du fromage, du poisson qui embarquent aux Halles, à l'odeur des fleurs, à l'odeur des hommes et des femmes mal lavés, aux fortes odeurs qui s'échappent des colis familiaux à l'emballage plus ou moins assuré et que leurs propriétaires couvent comme de fabuleux trésors.

Pieds écrasés, chapeaux cabossés, bras tordus, corps pressés contre les corps et qui jaillissent sur la pointe des pieds à la recherche d'un air vicié, contrôleurs qui courent sur le quai pour fermer les portes, pousser un gros Allemand avec ses muset-

1. Pour l'année 1943, deux départements (le Gers et la Creuse) ne compteront aucun mort par accident d'auto.

2. La proportion des voyageurs de première classe passe de 4,2 % en 1939 à 7 % en 1941.

tes, son masque à gaz, son fusil, ses paquets-souvenirs.

« Allons, messieurs-dames... Un peu de compréhension... Tout porte à croire que ça doit être un étranger [1]. »

Cris, jurons, poussées brutales qui font basculer toute la masse humaine.

Ah ! non, le métro, malgré ses avantages, ne représente pas le meilleur moyen de se rendre à un mariage.

★

On peut utiliser un fiacre : c'est un moyen de transport pittoresque, d'une élégance vieillotte, mais qui coûte cher. De cent à deux cents francs la course, suivant la distance. Il est vrai que, dans certains cas, on a la chance d'être conduit à destination par la célèbre écuyère Rachel Dorange qui vient d'abandonner le cirque.

Les vélos-taxis ont toutes les faveurs d'une population qui ne se résigne pas à la promiscuité de l'autobus à gazogène ou du métro et qui hèle le conducteur d'un vélo-taxi en se donnant l'illusion que les beaux jours n'ont jamais pris fin.

Le taxi 1942 se compose d'une bicyclette ou d'un tandem, attelés à une caisse plus ou moins bien suspendue, plus ou moins bien rembourrée, plus ou moins bien protégée par une toile de tente. L'hiver, les passagers ont droit à un pare-brise, à une toile cirée qui remonte sur les genoux.

Portant sur leur flancs des noms pittoresques *La Belle Equipe, A la grâce de Dieu, Les Turfistes, Pourquoi pas moi ? Les temps modernes, Sécurité-*

1. Cité par Edmond Dubois : *Paris sans lumière*. Les soldats de la Wehrmacht circulent sans billet dans le métro.

confort-rapidité, les vélos-taxis sont rassemblés près des carrefours et des gares. Cuirassés d'imperméables et de jambières l'hiver, à l'aise l'été, en short de plage et chandail léger, les pédaleurs n'ont guère à attendre le client.

Cinq francs de prise en charge, neuf francs du kilomètre pour une personne, cinq francs par colis de plus de 20 kilos, ce sont là, en 1943, des tarifs officiels auxquels on donne de nombreux « coups de pouce ». Les équipages qui se partagent quotidiennement de 700 à 800 francs ne sont pas rares. Intermédiaires et confidents du marché noir, de la galanterie et des plaisirs, les conducteurs de vélos-taxis conduisent au champ de courses le turfiste pressé, à son rendez-vous l'amoureux, à son « petit restaurant » l'homme d'affaires gourmand.

On a pour eux beaucoup plus d'attentions que pour le chauffeur de taxi de naguère. Ils savent tirer avantage d'un long préjugé contre la traction humaine et, vraies ou fausses, d'innombrables histoires de vélos-taxis font le tour de Paris [1].

Les vélos-taxis sont réservés cependant aux gens aisés ou âgés. Les jeunes vont à bicyclette.

Les années d'occupation consacrent, en effet, le triomphe de la « petite reine ». Le chiffre des plaques de bicyclettes vendues passe de 7 430 526 en 1940 à 10 711 808 en 1942. Un vélo pour quatre Français en comptant les enfants au berceau et les vieillards ! Encore s'agit-il des chiffres officiels, certainement inférieurs à la réalité.

1. « L'homme qui triompha pendant les réunions de la grande semaine, l'homme qui eut du génie tout simplement, c'est celui qui utilisa un tandem. Son client, moyennant prix indiscutable, avait le droit d'enfourcher la deuxième selle et le devoir de pédaler pour atteindre le guichet du pari mutuel. Plus il pédalait ferme, plus vite il était rendu. Donc, notre uni tamdem battait à chaque voyage son temps horaire, car ses clients étaient de plus en plus pressés. » Edmond Dubois : *Paris sans lumière.*

Dans certains départements (Alpes-Maritimes, Indre, Lot), le chiffre des bicyclettes en circulation double en deux ans, il augmente de plus de 300 000 dans la Seine, de près de 100 000 dans le Rhône, de 80 000 dans les Bouches-du-Rhône, la Haute-Garonne et la Gironde.

Les vélos, qui coûtent de 2 500 à 4 000 francs en 1941, constituent, entre voleurs et propriétaires, l'enjeu d'une bataille quotidienne. A Paris, malgré garages, chaînes et antivols, 22 000 vélos sont volés dans les trois derniers mois de 1940. Des bandes opèrent devant les cinémas, les bureaux de poste et d'allocations familiales, devant les mairies... Chaque membre de la bande a sa spécialité : vol, démontage, maquillage, revente.

Les policiers arrêtent assez souvent les voleurs, mais ils sont impuissants à retrouver les précieuses machines que l'on prend très vite l'habitude de ne jamais abandonner la nuit dans quelque couloir, que l'on monte, sur son épaule, jusqu'au quatrième étage, jusqu'au palier, jusqu'à l'appartement.

★

Voilà nos invités arrivés. Qui grâce au métro, qui grâce au vélo-taxi, à la bicyclette, à ces étranges voiturettes que des bricoleurs fabriquent, en enveloppant leur bicyclette d'une carcasse de bois qui ressemble à la carlingue d'un avion.

Qui grâce aux autos à gazogène qui circulent encore péniblement en réclamant tant de patience.

De quoi parlent les invités en attendant les époux ? Des moyens de transport défaillants.

Ils connaissent tous des histoires de gazogènes capricieux et de mains sales.

« A Nantes, pour un mariage également, la famille

avait loué un tramway. Bonne idée, n'est-ce pas [1] ? »

Mais on parle surtout ravitaillement, tickets, ersatz de sucre, d'huile, de café, faux et vrai boudin, on parle du petit horloger qui vend du savon à barbe et de la couturière chez laquelle il est possible de se procurer du beurre.

Les chaussures à semelles de bois des femmes claquent sur la pierre du seuil. Semelles de bois astucieusement articulées, dont on fabrique 24 millions de paires en 1943 et qui rythment les bavardages.

Les hommes, eux, parlent tabac.

« Avez-vous essayé le topinambour, l'armoise, le tilleul ?

— Non, mon cher, moi je m'en tiens au tabac de mégots. La récupération, je ne connais que ça.

— Ah ! On voit bien que vous n'êtes pas gros fumeur [2]. Fort heureusement, ma femme se prive un peu pour moi. Et puis, je fais des essais. Pas toujours couronnés de succès. L'Eco-Tabac par exemple. J'ai appris par les journaux qu'il ne s'agissait que de feuilles d'orties et de marronnier hachées, ça sentait terriblement mauvais, mais, au moins, ça donnait une illusion... Je me demande si on a bien fait d'arrêter l'inventeur [3].

— Et le tabac belge ?

1. Il s'agissait, en juillet 1941, du mariage de Fernand Septier et Edith Bertho (qui habitaient aux deux extrémités de la ville). Le tramway spécial prit d'abord la fiancée et sa famille, puis les déposa, en compagnie de plusieurs invités, place du Commerce, avant d'aller chercher le fiancé.

2. Le 1er janvier 1943, le paquet de tabac gris passe de 8 à 10 francs, les gauloises bleues de 7 francs 50 à 9 francs.

3. Sous le nom d'Eco-Tabac, Alexandre R..., 26 ans, employé d'assurance en chômage, vendait ce mélange suspect 2 francs 80. Il en avait écoulé plus de 150 000 paquets lorsqu'il fut arrêté et jugé en décembre 1941 par la Xe chambre correctionnelle de la Seine. Sur les paquets, il écrivait : « Aesculus Hippocastanus, 60 gr. » ; « Juglaus Regia, 20 gr. » ; « Castanus Hippocastanus, 20 gr. ».

— Oui, bien sûr. Fameux. Mais 150 francs les 100 grammes ! Non, que voulez-vous, j'en suis réduit à passer de la feuille de betterave à un mélange de cassis, de menthe, de verveine et de topinambours, de la fleur de châtaignier à la mousse, des fanes de carottes à la feuille de tomate... au hasard des saisons, mon cher. Bienheureux, d'ailleurs, lorsque l'on n'est pas victime d'escrocs. Sur la foi d'une publicité, j'avais acheté des cigarettes Rexol. Savez-vous de quoi il s'agissait ? De cigarettes de bois pseudo-médicales, ces cigarettes, vous savez, qui servent par aspiration à protéger les gorges fragiles. Quelle époque [1] !

— Ah ! les voilà. Jolie fille.

— J'espère que nous pourrons monter dans l'autobus à gazogène pour aller jusqu'au restaurant.

— Vous connaissez le menu ?

— Chut, taisez-vous, on ne demandera certainement pas de tickets. »

Au nom du Père...

Orgues. Sermon. Quête. Orgues.

Repas vite dévoré et qui représente tant de courses à la campagne, de stations chez les commerçants du quartier, de ruses, d'ingéniosité, d'argent... Voyage de noces dans une région qui ne sera ni côtière, ni frontalière, elles sont interdites.

La vie à deux commence.

★

1. Le nommé D... avait fait passer, dans les journaux, l'annonce suivante : « Fumeurs. Ne souffrez plus du manque de tabac ; cigares et cigarettes Rexol ne vous feront jamais défaut. Renseignements gratis. Echantillons sur demande. » Il faisait payer son envoi, qui valait entre 6 et 10 francs, 34 francs 85. Il fut condamné, le 2 février 1942, à quatre mois de prison. *Gazette du Palais*, 1er semestre 1942.

Avec 1 600 à 2 500 francs par mois, la plupart des Français salariés découvrent qu'il est impossible de manger à sa faim, impossible de meubler un foyer.

Il faut donc « faire attention », se débrouiller, ne solliciter le marché noir que pour l'essentiel, éviter tout gaspillage...

Il fait froid et le charbon est rare.

Dans la journée, ceux qui ne travaillent pas fréquentent les bureaux de poste, les halls des banques, les bibliothèques dont le nombre des lecteurs, qui a déjà augmenté avec la guerre et la disparition de bien des distractions, grandit encore avec l'hiver [1].

Le matin, les oisifs et les vieillards restent au lit. Une paire de gants fourrés, un chandail à col roulé, un bonnet de nuit les aident à mieux supporter le froid de leur chambre. Les autres n'ont que la ressource de marcher aussi vite que possible dans la rue, de battre la semelle ou de tourner en rond dans le bureau, afin de se réchauffer un peu.

Les journaux conseillent la confection de semelles de papier journal et de gilets où des feuilles de papier prendront place entre deux épaisseurs de flanelle. Avec le poussier accumulé dans les caves, les bricoleurs fabriquent des boulets et des briquettes.

Les nouveaux mariés inspectent les greniers où ils jouaient enfants. Ils ouvrent des malles couvertes de poussière, riches de trésors.

Le costume d'homme, l'habit ou la redingote du grand-père, en beau et solide tissu, servira à faire

1. Voici quelques chiffres pour la Bibliothèque municipale de Bordeaux. Le nombre de lecteurs passe de 44 336 en 1939 à 60 346 en 1940, 57 940 en 1941, 48 248 en 1942, 47 671 en 1943, 49 827 en 1944.

un tailleur de dame. Les couturiers ont, depuis longtemps d'ailleurs, attiré l'attention de leur clientèle sur ce procédé : « *Faites comme tout le monde. Retournez vos vêtements. Prix modérés. L'envers parfait. La première maison de Paris. Faites-vous faire un tailleur, Madame, dans un costume que votre mari ne porte plus. Jacques Debray, tailleur.* »

Les journaux multiplient les conseils sur l'art d'utiliser les restes. Un pull-over défraîchi et une vieille jupe de jersey deviendront une chaude combinaison-jupon ; dans une robe ancienne, il est conseillé de tailler une culotte droite s'arrêtant aux genoux, culotte que l'on prolongera de guêtres assorties.

Malgré tant de restrictions, la mode continue cependant à régir le vêtement féminin.

Aucune maison de couture ne peut présenter de collection de printemps supérieure à 75 modèles, les grands sacs sont interdits par la loi, les ceintures de cuir ne doivent pas dépasser 4 centimètres, les fourrures sont rares, on fait de la laine avec de la caséine, avec du genêt d'Espagne, avec du « lanarté [1] », avec des cheveux dont les coiffeurs rassemblent 7 tonnes en avril 1942, 21 tonnes en septembre sans arriver jamais aux 600 tonnes espérées par les experts, le Secours national instaure l'échange des vêtements [2], les hommes sont condamnés au costume national, Berlin tente de ravir à Paris la première place dans le domaine de l'élégance vestimentaire, qu'importe tout cela ?

Plus ou moins bien, à l'aide de mille astuces,

1. Matière comprenant 15 % de laine, 80 % de fibrane et 5 % de poil de lapin.

2. Contre deux costumes de laine usagés, on peut recevoir un bon d'achat pour un costume neuf et laineux, sinon « pure laine ».

les femmes suivent toujours la mode parisienne.

En 1941, elle est à l'Orient : burnous en lainage noir, garni d'un capuchon en astrakan, grande cape en lainage gris-fumée garnie de loutre noire. Elle est aussi à l'écossais qui annexe vestes, jupes, chapeaux, chaussures. Pour « l'heure des visites », Henry à la Pensée imagine une jupe-culotte de tissu écossais portée avec une jaquette de ton uni, Madeleine de Rauch un tailleur en lainage rouge à poche en bénitier accompagné d'un volumineux turban, exécuté dans une soie rayée noir et blanc.

Fabuleux, presque monstrueux, défiant les lois de l'équilibre, les chapeaux féminins constituent une éloquente protestation contre les restrictions de tissu. Les femmes portent sur la tête l'étoffe qu'elles ne peuvent utiliser pour leurs jupes.

Turbans volumineux, « jardinières » copieusement garnies, feutres de mousquetaires, faux rubans vernis en copeaux de bois artistement taillés par le menuisier du coin, immenses bérets, autant de coiffures d'un maniement difficile lorsqu'il s'agit de se glisser dans la cabine d'un vélo-taxi, de lutter pour une place dans le métro, de courir d'une boutique à l'autre, mais qu'importe : grâce au chapitre des chapeaux, les femmes oublient, un instant, les difficultés de l'époque.

★

Sources d'inquiétude pour les uns, les restrictions sont prétextes à extravagance pour les autres.

Les journalistes exercent leur verve contre une partie de la jeunesse parisienne, ces « zazous » qui annexent les terrasses de quelques cafés et les sous-sols d'une centaine de dancings clandestins : bistrots ou cours de danse le jour, boîtes où l'on s'initie au swing le soir venu [1]. Les « zazous » à l'argent facile (ils ne sont pas les seuls) constituent une faune spéciale. Ils ont choisi de faire scandale par la longueur de leur veston et de leurs cheveux. Leur révolte vestimentaire n'est pas très honorable, mais elle a du moins le mérite de battre en brèche l'hypocrisie des temps. Ils sont sujets d'indignation à une époque où les prétextes plus sérieux ne manquent pourtant pas.

Voici, vus par un journaliste de l'*Illustration*, les zazous et leurs compagnes : « *Les hommes portent un ample veston qui leur bat les cuisses, des pantalons étroits froncés sur de gros souliers non cirés et une cravate de toile ou de laine grossière... Ils lustrent à l'huile de salade, faute de matières grasses, leurs cheveux un peu trop longs qui descendent à la rencontre d'un col souple maintenu sur le devant par une épingle transversale. Cette tenue est presque toujours complétée par une canadienne dont ils ne se séparent qu'à regret et qu'ils gardent volontiers mouillée... Quant aux femmes, elles cachent sous des peaux de bêtes un chandail à col roulé et une jupe plissée fort courte : leurs épaules, exagérément carrées, contrastent avec celles des hommes qui les* « *portent* » *tombantes ; de longs cheveux descendent en volutes dans leur cou ; leurs bas sont rayés, leurs chaussures plates et lourdes ; elles sont armées d'un grand parapluie qui, quelque temps qu'il fasse, reste obstinément fermé.* »

★

1. Pour ne pas offenser au malheur des temps, la danse était interdite dans les salles publiques, mais on avait le droit d'apprendre à danser... à condition que ce fût au son d'un phonographe ou d'un piano et non d'un orchestre.

On se scandalise. Mais on rit également de ces malheurs qui vont du faux tabac au faux café en passant par la fausse laine !

La mauvaise qualité des costumes masculins fournit au chansonnier René Paul l'une des meilleures « histoires drôles » de l'occupation :

Dès que j'ai eu mon bon de costume, dit René Paul en pénétrant en scène dans un costume étriqué, *mon tailleur m'a dit : « Monsieur, vous tombez à merveille, j'ai encore là quelques draperies que j'ai pu sauver. Ça sort des usines de Baden-Baden, le dernier cri de l'industrie moderne ! Je vais vous habiller avec ça, vous serez content... Que dis-je, vous serez gâté. C'est de la végétalose... » Et voilà ce qu'il m'a fait ! Tout peuplier ! Oui... Oui, tout peuplier ! Oh ! le vendeur me l'a dit : « Il n'y a pas un gramme de laine là-dedans, ça je vous le jure. » Il a même ajouté : « Si vous en trouvez un demi-gramme, vous pouvez me rapporter le costume... je vous le rembourse... » Mais j'ai eu affaire à une maison sérieuse, j'ai su le prix, mais j'ai eu quelque chose de beau... c'est du peuplier ! Il n'y a pas de platane là-dedans ! Peuplier, pure laine. Heu... pure fibre... Ce tissu n'a qu'un inconvénient, c'est qu'il craint l'humidité. D'ailleurs, le vendeur m'a bien mis en garde : « Méfiez-vous, c'est un tissu sans tissu, qui aurait une fâcheuse tendance à se ratatiner à l'humidité ! » Oh ! il m'a prévenu : « Vous sortez en pantalon long, une bonne averse et vous rentrez en short. » C'est un léger inconvénient, mais, quand on est prévenu, dès les premières gouttes, on enlève le pantalon, on le met sous le bras et l'on part en criant : « Sauvons les meubles ! »*

Le système D partout règne en maître. C'est le

triomphe du bricoleur, le triomphe de ceux qui savent tirer parti des déchets, des fonds de grenier où des générations traditionnellement prévoyantes avaient, par souci de ne rien jeter, accumulé des richesses démodées que l'on exhume de leur poussière.

D'ingénieux artisans proposent aux citadins des barattes ou des rouets garantis six mois et, dans les campagnes, les femmes, à la grande admiration des journalistes, filent à nouveau la laine.

Faute de pouvoir se meubler de neuf, ceux qui ont de l'argent achètent des meubles anciens et font la fortune d'antiquaires souvent improvisés.

Les inventeurs, qui n'ont jamais déposé autant de brevets qu'en ces années de pénurie, annoncent qui une « *remorque pour bicyclette, tandems, vélomoteurs ou similaires avec caisson à volume variable, démontable, pliante et transformable sous forme d'une mallette portative ordinaire* », qui un « *bandage élastique increvable* », qui un « *pneu de remplacement en liège* ». Aux cyclistes, trop souvent amenés, à la fin de la guerre, à bourrer leurs chambres à air d'herbe sèche, on propose un procédé permettant « *la réparation instantanée sans dissolution, sans essence, sans rien* ».

« Sans rien », voilà un mot sublime. « Sans rien » !

Faire quelque chose « sans rien » est à la portée de peu de gens. On s'efforce du moins d'adapter aux besoins de la population le peu de produits dont la France dispose encore. Sur les traces de l'Allemagne, mais avec bien du retard, la France se lance dans la bataille de la récupération et de l'ersatz.

Tout ce que M. Durand, Français moyen, jetait ou méprisait dans les jours prospères, tout ce qu'il mettait au rebut, tout ce qu'il enfouissait dans l'ombre de sa cave va servir à nouveau.

Les vieilles ampoules doivent être conservées pour être échangées contre une ampoule neuve, les emballages, tubes de pâte dentifrice, bouteilles, pots pharmaceutiques, également.

En septembre 1942, chiffonniers, scouts, enfants des écoles, industriels, artisans récupèrent 303 tonnes de déchets de cuir, 1 141 tonnes d'os, 700 tonnes de verre cassé, une dizaine de tonnes de soies de porc sans compter des milliers de kilos de vieux papiers, de faines dont le ramassage fait l'objet d'une journée nationale [1], de genêts, de plomb, de cuivre...

Poussé par les Allemands, le gouvernement organise le troc, soit qu'il propose de l'argent contre la batterie de cuisine en cuivre, contre les plateaux, les heurtoirs, les plaques d'identité professionnelles, soit, l'argent n'étant pas assez convaincant, qu'il accorde une prime en nature : en la circonstance, un litre de vin par 200 grammes de cuivre fournis.

★

Pour donner quelque espoir aux Français, les journaux expliquent que les visiteurs de la Foire de Leipzig ont pu admirer — sinon goûter — du beurre tiré du charbon, du caviar et du pâté de saumon artificiels, ainsi que de la ficelle lieuse fabriquée avec du bois, des fanes de pommes de terre, des roseaux.

En France, les produits de remplacement vont également tenir une place importante dans la vie

1. Les jeunes sont invités à se grouper le 20 octobre 1940, dans chaque commune de France, sous la conduite des instituteurs et chefs des associations de jeunesse pour ramasser des faines.

quotidienne. Mais la défaite a été trop brutale, l'impréparation militaire et économique du pays trop grande, pour que ces « ersatz » puissent remplacer, quantité pour quantité, tous les produits qui font défaut. Ces « ersatz » ne sont bien souvent que des produits de qualité médiocre tombés dans l'oubli, et, faute de mieux, remis soudainement à l'honneur.

★

M. Durand manque-t-il de colle ? On lui conseille d'éplucher une gousse d'ail et d'en frotter soigneusement les parties à recoller, puis de les ajuster et de les maintenir en place à l'aide d'une ficelle. L'ail, en séchant, soude, paraît-il, aussi fortement que la colle forte.

Le savon fait défaut. On ne le distribue qu'avec parcimonie. Encore est-il rugueux, terreux, incapable de fournir la moindre mousse !

Les « inventeurs du dimanche » ne se découragent pas pour autant. Ils proposent vingt formules de savon de remplacement. On peut essayer le mélange de lichen et de chaux éteinte, la farine de marrons d'Inde, les racines de luzerne coupées ou concassées dans l'eau pure, le charbon de bois intimement mêlé à 125 grammes de savon râpé, 150 grammes de lessive, une bougie et un quart de cuillerée à café d'alcali ; l'addition de gras de bœuf, de soude caustique et de résine donne également de bons résultats, ainsi que la saponaire en combinaison avec les salicornes, les soude-plantes.

Lorsque les marchés sont vides, on propose à Mme Durand de cueillir des chardons. *On sait*, écrit le journaliste chargé d'en vanter les qualités, *que ses feuilles constituent une gourmandise pour les ânes. Mais ses jeunes racines tendres peuvent entrer dans l'alimentation humaine, soit crues et épluchées, soit râpées et préparées comme la carotte, soit cuites comme le salsifis.*

Pour celles qui n'aiment pas les chardons, voici la racine noirâtre de la consoude, ou langue de vache, suivie d'une salade de jeunes pousses de fougères !

Dans les nombreux brevets d'invention pris en 1942, près de 200 concernent l'alimentation. M. Vard, qui habite le Vaucluse, propose d'extraire une farine de la graminée « *Triticum Repens, vulgairement appelée chiendent* ».

Un autre bienfaiteur de l'humanité invente une mayonnaise sans œufs, mais à base de farine, de moutarde, d'huile et surtout d'eau froide...

On peut également obtenir l'illusion du café en faisant torréfier et en pulvérisant des graines de lupin ou d'églantine, des châtaignes, des glands, des pellicules de pommes séchées...

Le faux café sera naturellement sucré avec du faux sucre. Saccharine, mais la saccharine coûte cher au marché noir. Pour la remplacer, M. Drouet, qui habite Angers, propose une décoction très concentrée de bois de réglisse ; M. Bernanose, de Lunéville, conseille de faire cuire une citrouille, d'en passer la purée à travers un linge et de faire évaporer le jus obtenu jusqu'à consistance sirupeuse.

« *Un autre gros intérêt de cette recette,* ajoute M. Bernanose, qui témoigne d'un solide optimisme, *est qu'elle peut être combinée avec une extraction d'huile à partir des pépins des citrouilles utilisées. On résout de la sorte, du même coup, le problème du sucre et celui de l'huile.* »

Le sucre de châtaigne présente, lui aussi, l'avantage de n'être pas soumis aux restrictions, mais il est d'extraction coûteuse et difficile ; quant au sucre de raisin, produit d'abord par une raffinerie marseillaise, il connaît une vogue immense.

★

Cobayes dont on vante le petit appétit. « *Le cobaye, lapin des villes. Petite taille, petit logement, petite consommation d'herbe.* »

Rhubarbe que les plus affamés mangent, malgré les risques d'accident mortel.

Feuilles de thé séchées après usage et qui servent à nouveau trois fois, quatre fois.

Viandes malsaines que l'on traite à l'autoclave pour faire des bouillons et des conserves.

Affreux boudin de sang de bœuf et de farine de pommes de terre, pâtés inquiétants, gâteaux de goémon, gâteaux de pommes de terre, de carottes, de citrouilles, vin de cosses de pois [1], alcools trafiqués, seiches, pâtes de fruits peu appétissantes, pissenlits dont la racine a, paraît-il, la propriété de remplacer la chicorée, orties pour faire la soupe, épilobe des clairières dont le goût se rapproche de celui du thé, racines de choux qui participent à une variété de faux café, la liste de ces produits de qualité inférieure que l'on offre à l'appétit des Français est interminable...

1. Dont voici la recette : pour un tonnelet de 25 à 30 litres, faire bouillir pendant trois heures 5 kilos de cosses de pois verts bien lavés dans 15 litres d'eau. Passer et presser le liquide à travers un torchon. Refaire bouillir ce jus pendant un demi-heure avec 75 grammes de cônes de houblon et, si l'on préfère une boisson parfumée, quelques branches de sauge. Passer et, après refroidissement, ajouter 50 grammes de levure délayée dans un peu d'eau et quelques cosses de pois verts lavées. Achever de remplir le tonnelet d'eau en laissant un léger vide. Laisser fermenter, mettre en bouteilles, rigoureusement propres, après la fermentation. Tenir les bouteilles couchées.

La plupart du temps, la mauvaise qualité d'une viande, l'absence de principes nutritifs d'un ersatz n'arrêtent pas les fabriquants. Dans un seul trimestre de 1942, le service de recherche et de contrôle des ersatz alimentaires qui fonctionne au ministère du Ravitaillement opère 7 000 analyses sur lesquelles 1 250 concluent au rejet du produit étudié !

★

Le problème de la cuisson tourmente toutes les ménagères. Requises par d'interminables files d'attente, ayant à faire cuire des viandes de qualité inférieure, des légumes durs qui réclament de bouillir longuement, elles ne disposent ni de temps ni de gaz.

C'est le triomphe de la marmite norvégienne que les maris bricoleurs sont invités à fabriquer rapidement à l'aide de moleskine, de contre-plaqué, de kapok ou de sciure de bois.

L'avenir paraît être non à ceux qui pensent le mieux, mais à ceux qui savent se servir d'un marteau, prévenir la maladie des lapins, aux biens renseignés, aux débrouillards, aux agiles, aux sans-gêne.

Préconisant la création d'un atelier du fer et du bois dans les lycées et collèges, le journal *Tout le système D* fonde sa proposition sur cette phrase d'Anatole France : « *De tous les travaux auxquels puisse se livrer un honnête homme, le travail d'enfoncer des clous dans un mur est celui qui procure les plus tranquilles jouissances...* »

Et, en 1942, quelques-unes des plus légitimes satisfactions.

CHAPITRE VIII

LES PRISONNIERS DE JUIN 1940

HOMMES vêtus de loques, mal chaussés, bardés de musettes.

Blocs de poussière qui avancent mécaniquement.

« Vieux » de la Grande Guerre qui traînent la patte et que leurs médailles et leurs souvenirs rendent plus amers.

« De notre temps... »

Gamins de la classe 40 qui n'ont jamais tenu un fusil, comme ces 1 500 recrues du 5e Génie, habillées le 9 juin à Versailles, expédiées vers le Centre et capturées en Seine-et-Oise dans leurs wagons à bestiaux.

Nord-Africains, Sénégalais, Malgaches, Allemands, Italiens, Espagnols, Belges de la Légion, artilleurs, fantassins, soldats de l'intendance et du train, fonctionnaires de l'armée qui grognent :

« Moi, c'est pas juste, j'ai jamais été combattant. »

Armée qui n'est plus qu'une caricature de

l'armée et qui s'abat sur les seaux d'eau, les barriques de cidre, les miches de pain que la pitié villageoise place le long des villages à demi abandonnés. Provisions qui n'étanchent aucune soif, n'apaisent aucune faim.

Figurants que les soldats allemands photographient à chaque carrefour, figurants mal lavés, mal fagotés, dont le visage hésite entre la fureur et la servilité.

Sur toutes les routes de France, de misérables colonnes sont en marche vers des casernes, des stades, des champs où rien ne les attend qu'une herbe déjà souillée, une poussière déjà soulevée et des cuisines vides.

Combien de prisonniers ?

Deux millions lorsque les combats prennent fin [1].

Les plus nombreux, peut-être, ont été capturés à partir du 16 juin.

L'armée allemande secoue la France et les villes tombent comme des fruits mûrs.

Les communiqués allemands annoncent deux cent mille captifs pour le 19 juin, 200 000 encore pour le 22, 500 000 pour le 23, parmi lesquels les commandants de trois armées.

On voit des unités, littéralement hypnotisées (et mortes de fatigue), attendre l'ennemi qui les cueillera.

D'autres se pelotonnent dans leurs casernes comme pour être, du moins, capturées au nid.

Dans le tumulte de la défaite, le manque de liaisons et la confusion des esprits ajoutent à l'immensité de la victoire allemande.

Pourquoi se battrait-on puisque le gouvernement a demandé l'armistice et que les villes de plus de

1. Dans la lettre qu'il écrira, le 27 novembre 1942, au maréchal Pétain, le chancelier Hitler parlera de 1 960 000 prisonniers.

20 000 habitants sont déclarées ouvertes à l'ennemi ?

Quel est le village qui, sous la marée des réfugiés, ne peut prétendre, pour un jour, pour une heure, compter les 20 000 habitants providentiels qui l'empêcheront d'entrer dans l'histoire de cette guerre perdue ?

A quoi bon lutter encore ?

A quoi bon fuir, même, alors que la France est réduite à une trentaine de départements surpeuplés où plus aucune défense n'est possible ?

D'ailleurs, le nouveau gouvernement interdit tout exode supplémentaire.

Le général Colson, ministre de la Guerre depuis vingt-quatre heures, fait, le 18 juin « *interdiction formelle à toute autorité civile et militaire de se replier. Chacun reste à son poste même en cas arrivée ennemi. Toute infraction à cet ordre entraînera comparution délinquant devant tribunal militaire* ».

Ces ordres, qui avaient été précédés, la veille et l'avant-veille, de télégrammes presque identiques, seront, trop souvent, scrupuleusement obéis. Le général Colson voulait sans doute maintenir, fût-ce en territoire prochainement occupé, une armature — intendance, gendarmerie, pompiers — indispensable à la vie économique du pays. Il ne le dit pas expressément. Cette absence de nuances facilitera, en tout cas, la rafle allemande.

Puisqu'il ne faut plus se battre, on ne se battra plus.

On attendra sagement les Allemands après avoir mis les armes sous clef... de peur des imprudents.

Il en va ainsi à Pontivy où le malheureux commandant d'armes reçoit successivement, dans la journée du 18 juin, l'ordre de défendre, puis de ne plus défendre la ville.

Le colonel commandant la subdivision de Lorient

lui ordonne enfin de ramener la troupe au quartier et de déposer armes et munitions dans un local fermé à clef.

A Lamballe, la colonne motorisée allemande qui entre dans la ville croise des soldats français qui portent leurs armes au magasin.

A Lorient, le 17 juin, un officier dit au sous-lieutenant Régis, à qui il vient de faire abandonner son poste aux lisières de la ville :

« Restons en place et dans un ordre parfait ; lorsque les Allemands viendront, ils verront que nous sommes une troupe disciplinée ! »

Et le général commandant la subdivision réunit une cinquantaine d'officiers dans la cantine du quartier d'artillerie coloniale pour leur tenir un discours que le commandant de La Roque résumera, plus tard, de la manière suivante :

« Le maréchal Pétain a demandé l'armistice, le Préfet maritime compte sur vous pour maintenir l'ordre dans Lorient. Maintenant que la guerre est finie, nous devons faire face à l'ennemi de l'intérieur. »

A Nantes, où le muscadet et les mauvaises nouvelles s'attaquent également aux volontés, on vogue d'ordre en contrordre jusqu'au moment où un tank allemand se présente devant la porte grande ouverte d'une caserne pleine de soldats. *Au sommet du tank,* raconte un témoin, *un seul homme bougeait ; il ouvrit un coffre et en tira des cigarettes et du tabac qu'il distribua autour de lui à la volée* [1].

A La Rochelle, dans la nuit du 19 au 20, le général commandant la subdivision reçoit l'ordre de rassembler tout le monde et d'attendre sur place

1. Alain Le Duizet.

sans tirer ni résister, après avoir enfermé toutes les armes, travail auquel des équipes de magasiniers se livreront jusqu'au 23 juin, date de l'arrivée des Allemands dans la ville.

A Saintes, à Clermont-Ferrand, dans d'autres villes encore, on assiste à des scènes identiques qui justifieront, en 1941, la création « d'une commission d'enquête sur les repliements suspects »... et sur les captures insolites.

Ces prisonniers saisis dans les casernes, ces prisonniers de la fin juin 40, qui n'ont eu, ni à jeter leurs armes ni à lever les bras, ces prisonniers qui sont passés, en somme, d'une administration à une autre administration, vont rejoindre leurs frères captifs.

Ils retrouveront les soldats capturés à Dunkerque, à Amiens, à Verdun, à Lille, à Baccarat, les soldats pris à Etampes, à Orléans devant les ponts effondrés, les hommes qui n'en peuvent plus de marcher sans se déchausser, de traîner des armes inutiles, de ne rien comprendre à cette guerre où la capture vient parfois comme une délivrance, toujours comme une certitude.

La seule certitude au milieu de tant d'incertitudes et d'incohérences.

Et puis les Allemands sont le plus souvent rassurants.

Aux prisonniers de juin 1940 — ceux qui leur ont donné le moins de mal — ils disent :

« Krieg fertig. Guerre finie. Quinze jours rentrer maison. Angleterre kaput. »

C'est bien le sentiment des prisonniers. Dans quinze jours, ils seront chez eux.

« Nous sommes trop nombreux. Qu'est-ce que tu veux qu'ils fassent de nous ? D'abord, ils pourront pas nous donner à croûter. »

Aux officiers qui leur interdisent de s'évader, ils

obéissent facilement. Qu'iraient-ils faire, sans argent, souvent sans papiers, mais en uniforme, dans une France encore troublée par la guerre, où les évadés ne sont pas toujours bien accueillis par une population fatiguée et qui craint « les ennuis » ? La capture n'est-elle pas le moyen le plus rapide d'être démobilisés ?

Ils le croient.

Alors colonnes par trois, sous la direction de gendarmes « à collier de chien » et de sentinelles vigilantes.

Marche. Marche. Marche. Ils ont tout le temps, le long des routes, d'admirer les blindés allemands, les transports de troupes, les autobus d'état-major, les filets de camouflage, la puissante D. C. A. ... et de faire des comparaisons.

« Ah ! Si nous avions eu un matériel pareil.

— T'as vu leurs bottes et leurs motos. Ça c'est de la machine, c'est pas comme nos réquisitions.

— Et leurs avions ! Jamais on n'a vu de zincs français. Les aviateurs c'est tous des rigolos. Forts devant les gonzesses, oui.

— Nous, on n'avait que 40 cartouches par fusil.

— Et nous, lorsqu'on a voulu pénétrer dans un blockhaus, il était fermé à clef. Tu parles d'une guerre.

— Ben quoi, nous, les Allemands sont arrivés par-derrière. C'est pas d'jeu. Par où devait venir la relève. »

Marche. Des millions d'hommes.

Ivres de fatigue, des soldats s'écroulent. Quelques copains se chargent des sacs.

« Allons, viens, mon vieux. »

Parfois, c'est un Allemand qui aide les captifs. Le sous-lieutenant Alain de Cé, qui traîne deux valises et porte un sac à dos énorme, a ainsi la surprise de voir un soldat ennemi s'emparer, avec un sourire obligeant, de sa valise la plus lourde qui contient — mais comment l'Allemand le saurait-il ? — un stock de conserves, 150 paquets de cigarettes et des vêtements civils. Pendant plus de trois quarts d'heure, gardien allemand et prisonnier français marcheront ainsi côte à côte. Et l'intervention coléreuse d'un officier nazi n'obtient qu'un succès provisoire auprès du soldat allemand.

Marche. Beaucoup n'ont même pas la chance de porter de trop lourdes valises. Capturés au combat, parqués dans un champ sous la surveillance d'un F. M., ils ont été fouillés, plus ou moins dépouillés suivant l'humeur du moment.

« Souvenir », disent les soldats feldgrau en faisant sauter dans leur main montres et briquets.

Il faut mendier son pain. Les uns ont de la chance. Robert Laplagne, fait prisonnier près d'Armentières, signale que les gardiens de son unité sacrifièrent quelques pigeons et offrirent deux tasses de bouillon à chaque captif. A Grand-Rozoy, deux soldats allemands lui donnent un pain d'une livre qu'il partage avec trois de ses camarades de captivité.

D'autres sont moins favorisés. A Baccarat, les Allemands repoussent la population qui fait la haie pour offrir du pain et du sucre et renversent les seaux d'eau placés sur le bord des trottoirs.

Marche. Dans l'armée française, une troupe se repose dix minutes après cinquante minutes de marche. Dans l'armée allemande, il faut parcourir 16 kilomètres avant d'avoir droit à une pause d'une demi-heure.

Certains repassent devant les villages qu'ils ont occupés, où ils se sont battus, devant les bistrots familiers, devant les tombes des camarades.

Halte de quelques minutes — à Ramberwiller,

c'est au « Stade de la Liberté » ! — et puis il faut repartir jusqu'au camp de regroupement.

Marche. Marche. Capotes déchirées, bandes molletières négligemment enroulées, visages sales — il n'y a pas de savon —, ventre creux — il n'y a pas de pain — c'est une armée de chemineaux qui marche sur les routes de France.

« Dans quinze jours, nous serons chez nous ! »

★

Pour l'instant, les voilà jetés dans des camps trop petits pour cette masse humaine qui n'en finit pas de couler.

A Verneuil, 5 000 soldats sans nourriture et sans moyens de couchage sont rassemblés pendant quelques jours dans un vaste pré.

A Pithiviers, il y a bientôt 18 000 hommes de troupe et 290 officiers que l'on ne sait où loger et qui doivent dormir dans la boue. Ceux qui ont eu la chance de trouver un lit le partagent avec un camarade. Deux capitaines du 211e régiment régional couchent ainsi ensemble, l'un vêtu d'une chemise de nuit d'homme, l'autre d'une chemise de nuit de femme. C'est tout ce qu'ils ont découvert dans une armoire proche.

A Châteaubriant, 45 000 prisonniers sont répartis en quatre camps, qui ont été rapidement entourés d'un double réseau de barbelés et flanqués, à chaque coin, des miradors caractéristiques.

A Voves, où l'on retire aux prisonniers rasoirs, couteaux et fourchettes, ils sont plusieurs milliers dans un entrepôt de vieux chiffons. 12 000 à Romilly qui, le soir venu, se glissent sous des tentes minuscules faites de toiles posées sur des bâtons.

A Neuf-Brisach, les prisonniers ont de la chance.

On leur abandonne la ville. 50 000 hommes dans les maisons où vivaient 6 à 7 000 bourgeois paisibles. Huit chez le juge cantonal, dont le lieutenant Brasillach, dix chez le boulanger, cinq chez le pasteur et six ou sept chez la mercière à fouiller dans ses armoires, roses de combinaisons et de culottes, que les gars, par jeu, se jettent au visage.

Le soir, un clairon français sonne le couvre-feu.

★

Partout, c'est le même spectacle : une anarchie pitoyable. Les Allemands, qui se piquent pourtant d'organisation, mettent plusieurs jours avant de rétablir de l'ordre dans cette masse humaine.

Partout, on entend les mêmes mots. Les hommes ont faim.

« Dis donc, tu crois qu'on va croûter ? »

Au Bel-Ebat, près de Pontoise, cinq captifs doivent se partager quotidiennement une boule de pain moisi qui, dans sa croûte dure, porte la date de sa fabrication : 8 juin. Et l'on est le 20 !

A Châteaubriant, après vingt-quatre heures de jeûne, les prisonniers reçoivent un pain de six livres pour cent hommes.

Faim. Ils ont faim et le général Huntziger intervient le 3 juillet en faveur des prisonniers de Surgères menacés de mourir d'inanition.

A la recherche d'une excuse, les Allemands mettent parfois en accusation les autorités françaises : *Votre ravitaillement devrait être assuré par la ville de Paris. Mais les détenteurs des stocks alimentaires, en grande majorité des négociants juifs, se sont enfuis après avoir fermé les entrepôts où sont dissimulés les produits de première nécessité. Le soldat allemand n'est pas de ceux qui fracturent les portes pour s'emparer des marchandises qu'elles cachent.* Cette littérature ne donne pas à manger.

Lorsque les distributions de soupe à l'orge commencent, c'est une ruée vers les bassines de fer-blanc. Certains prisonniers n'ont, pour tout récipient, qu'une boîte de conserve ramassée dans quelque coin de cour. Qu'importe ! A la guerre comme à la guerre !

Pour remplir les imaginations, à défaut des estomacs, il se trouve toujours un loustic pour lire une recette découverte dans un journal vieux de quelques semaines à peine : « *Bœuf en gelée. Prendre environ un kilo de bœuf, dans la tranche de préférence...* »

Alors, les esprits vagabondent. Chacun évoque des souvenirs heureux. Tout en cuisinant d'affreuses « tambouilles » faites d'herbes, de pain dur, d'épluchures abandonnées par les Allemands, on se lance à la tête des prix et des adresses de petits bistrots, de restaurants des bords de Marne...

Au milieu de cette misère, il existe, bien sûr, des inégalités.

Les 30 000 hommes rassemblés à Baccarat, et qui n'ont pour tout repas qu'un quignon de pain par quarante-huit heures, envieraient ceux de Pithiviers qui ont droit, de temps à autre, à 30 grammes de cheval. Les bêtes tuées sont effroyablement maigres, mais qu'importe.

Si le pain manque (comme on se dispute celui que les Allemands lancent parfois, par pitié ou par jeu, au milieu des Français !), l'eau est rare et mauvaise.

Enfin, une odeur effroyable plane sur les camps des premiers jours et de grosses mouches importunent les dormeurs.

L'hygiène la plus élémentaire n'est pas respectée

par des hommes qui, depuis plusieurs jours, n'ont plus ni force morale ni force physique.

Privés de savon, n'ayant changé ni chemise ni chaussettes depuis un mois parfois, pourquoi prêteraient-ils attention à la bonne tenue des feuillées ? Ils font leurs besoins un peu partout, au hasard, et les épidémies de dysenterie, très fréquentes en juillet 1940, expliquent et excusent tout.

On se bat pour le pain, on se bat pour les cigarettes, et c'est dans les camps de prisonniers que le marché noir fait ses premières apparitions.

A Meaux, le paquet de tabac de 1 franc atteint la somme, alors astronomique, de 100 francs, la boîte de lait concentré vaut 25 francs, la plaque de chocolat 20 francs.

Dans cette atmosphère démoralisante, où les hommes sont séparés de leurs chefs, parfois de leurs anciens camarades, où ils ont faim, froid et soif, où ils s'inquiètent du sort de leur famille et veulent donner signe de vie grâce à ces « cartes de capture » que les Allemands distribuent parcimonieusement, où ils découvrent les frontières immédiates de leur univers de prisonnier, où le « dans quinze jours » perd de sa conviction, on imagine avec quelle joie sont reçues celles qui arrivent à franchir les barbelés pour les ravitailler et pour les renseigner.

Les quelques jeunes femmes des Sections Sanitaires Automobiles, qui n'ont pas quitté Paris, font des prodiges pour ravitailler (modestement) les camps. Qu'est-ce que 50 colis et autant de paquets de cigarettes pour les 14 000 captifs de Meaux ? Mais, aussi précieuses que le pain, il y a les nouvelles que l'on apporte, les nouvelles que l'on emporte.

« Alors, comment ça va à Paris ? La paix, c'est

pour bientôt ? Vous croyez qu'on est là pour longtemps ?

— De quoi avez-vous le plus besoin ?

— De tout exactement... Des pâtes, du riz, des légumes secs, autant que vous pourrez, et de la « Marie-Rose » par-dessus le marché, car les bestioles ne manquent pas [1]. »

Les jeunes femmes prennent note, réclament aux responsables français les listes des captifs et quittent le camp avec plusieurs cahiers sous le bras. Des milliers de noms iront s'ajouter à tous ceux qui sont déjà affichés sous les arcades du Palais-Royal.

A Pithiviers, l'Association des Dames de France apporte quelques couvertures, tandis que l'American Legion fait distribuer des sandwiches au foie gras.

A Châteaubriant, pendant les premiers jours de captivité, alors qu'un seul fil de fer isole encore les prisonniers, la population recueille adresses et billets pour les familles ; les enfants courent remplir les bidons, les femmes font passer du pain et des fruits.

Au Bel-Ebat, la Supérieure de Saint-Vincent-de-Paul vient chaque jour de Versailles avec, dans son auto, du pain frais et des légumes.

Vers de nombreux camps, d'ailleurs, à peine l'armistice signé, c'est l'envol des femmes et des parents. A Châteaubriant, l'on colporte l'histoire de ce prisonnier qui vit descendre sa mère d'une voiture de réfugiés remontant vers le Nord et put l'embrasser longuement avant de retourner derrière ses barbelés. Ces rencontres de hasard sont rares. Il faut donc forcer le destin : faire la queue devant les baraquements où se trouvent

1. S.S.A.

quelques gendarmes français, amadouer les soldats allemands, faire passer colis de vivres et valises, passer soi-même.

Tant bien que mal, on s'organise.

Les sous-officiers regroupent des hommes, font dresser des listes « par ordre alphabétique, professions et dates de naissance ».

« Grouillez-vous ! Je repasserai la prendre dans cinq minutes. »

Une liste, en voilà assez pour occuper les conversations de la journée et donner quelque aliment nouveau à tous les rêves.

« Les dates de naissance, c'est peut-être pour libérer les plus vieux !... »

On organise la misère. Il faut mieux assurer les bâtons qui portent la toile de tente, agrandir son trou, découvrir un clou pour accrocher sa musette (la quête d'un clou comme une nouvelle chasse au trésor) !

Calligraphiées, des petites annonces fleurissent : « Je vends, j'achète, j'échange... »

Les distributions de pain et de soupe demandent souvent des heures, mais on recherche toujours comment améliorer ce piètre ordinaire.

« Tu crois que si je faisais cuire ces herbes ?...

— Dis, ta boîte de sardines, tu la vends combien ? »

Certains s'inquiètent aussi de nourrir des chiens errants recueillis au hasard des routes. Les Allemands, bientôt, font la chasse à ces prisonniers clandestins. Au camps de Bel-Ebat, où des corvées de chasseurs de chiens, munis de gourdins et de lacets de fil de fer, opèrent toute une journée, c'est un pitoyable concert de hurlements et de jurons. La tuerie s'achève à coups de revolver.

★

Le temps passe lentement.

L'ennui s'installe.

Le moindre incident est prétexte à fol espoir ou à profond découragement.

Les bruits les plus insensés sont reçus pour vrais. Les querelles avec les interprètes alsaciens et lorrains, que leur nouvelle dignité rend aisément arrogants, prennent des proportions considérables.

On remâche les raisons de la défaite : démission et médiocrité des chefs, pauvreté de l'armement, impréparation des troupes, trahison enfin.

Trahison. C'est le mot clef, le mot-poignard, le mot-baume. Il explique tout. Blesse encore. Mais il console aussi.

Qui a trahi d'ailleurs ? Le traître change avec la classe sociale, avec l'arme, avec l'âge aussi.

La trahison est comme une absolution que chaque soldat se donne à lui-même et à son unité.

Des rêves d'avenir succèdent à ces amertumes.

« Dès que je serai rentré, j'achèterai une bicyclette. Si j'avais eu une bicyclette le 17 juin, je ne serais peut-être pas ici, dit l'un.

— Moi, je m'occuperai du ravitaillement pour ma femme et mes gosses...

— J'ai promis à ma femme qu'à mon retour de la guerre nous commencerions par aller passer un mois dans le Midi », réplique le troisième [1].

Dans l'attente de la libération, cette libération que de faux bruits annoncent et que de faux bruits démentent quotidiennement (certains captifs tiennent un journal des faux bruits), les prisonniers luttent comme ils peuvent contre le cafard.

Les anciens scouts organisent des chorales, les intellectuels proposent des sujets de conférence, les malins montent de véritables baraques forai-

1. Maurice Betz : *Dialogue des Prisonniers.*

nes, les artistes sculptent des cannes ou façonnent à grand bruit des bagues dans des pièces de bronze de 40 sous. Les Allemands achètent ces souvenirs 2 ou 3 marks ou bien les échangent contre des cigarettes.

Pitoyable divertissement de ceux qui trouvent dans la poussière de quelque grenier la petite brochure du commandant Caillès : *L'Art de faire des prisonniers.* Ils rient, mais ils rient jaune à la fin.

Pour avoir quelque chance de faire des prisonniers, il faut choisir, en effet :

1. — *Un clair de lune moyen, mais où la lune soit à son premier ou dernier quartier, tamisée par les nuages.*

2. — *Une heure où il fera suffisamment clair pour y voir à une dizaine de mètres.*

3. — *Le moment où l'ennemi est dans son premier sommeil, ou pendant ses heures de repas.*

Comme on comprend que les hommes s'exclament :

« On n'a pas pris tant de précautions avec nous.

— C'est certain. Mais on a au moins la consolation de se dire qu'on n'a pas été pris dans les règles.

— Si on leur demandait de recommencer [1] ! »

Comme il se trouve souvent des prêtres et des séminaristes parmi les prisonniers, chaque camp important comprend sa chapelle en plein air avec chandeliers artistement tournés et peintures naïves. Avec le temps, les prisonniers qui suivent les offices seront de plus en plus nombreux. Le 23 juin, seuls 100 soldats sur 18 000 ont, à Pithiviers, assisté à la première messe célébrée en

1. Benoist-Méchin : *La Moisson de Quarante*, p. 230. Le livre du commandant Caillès fut publié au lendemain de la première guerre mondiale.

captivité. Le 4 août — alors que le camp a considérablement diminué — 2 000 prisonniers sur 2 500 sont présents.

★

Comment savoir ce qui se passe à l'extérieur ? La bataille continue-t-elle ? L'armistice est-il signé ? Règle-t-il le sort des captifs ? Le moindre bout de journal — vieux de plusieurs jours, qu'importe — est âprement commenté. Ceux qui connaissent l'allemand bavardent avec les sentinelles et quêtent le renseignement.

Lorsqu'un soldat allemand remet à Benoist-Méchin le bulletin allemand de sa division « Der Vormarsch », « la Marche en avant », les prisonniers affluent, avides de nouvelles.

Le journal est consacré à l'entrée des troupes allemandes à Paris et Benoist-Méchin note que les photos de soldats défilant rue Royale et place de la Concorde ne soulèvent aucune réaction chez ses camarades prisonniers. Par contre, une photo sur laquelle on aperçoit une terrasse de café les passionne. Ah ! s'asseoir à une terrasse de café !

Mais, deux heures plus tard, la même sentinelle apporte un autre numéro du journal qui contient les clauses de l'armistice franco-allemand. Ils vont enfin savoir. C'est la ruée.

Benoist-Méchin traduit lentement et les mots qu'il prononce sont examinés, discutés, soupesés comme s'il était au pouvoir des captifs de refaire l'Histoire. Le paragraphe 4, d'après lequel « *les groupements de l'armée française qui se trouvent encore en pays occupé, seront ramenés dans les territoires non occupés pour y être démobilisés* » est accueilli avec joie par des hommes qui en comprennent mal le sens et s'imaginent qu'ils lui devront la liberté. Benoist-Méchin poursuit sa lecture. Il arrive au fatal paragraphe 20. D'un coup d'œil, il le parcourt et en juge toutes les conséquences. Il hésite un instant. Va-t-il le lire à ses camarades ? Faire retomber tous leurs espoirs ? Mais, tôt ou tard, ils sauront. Allons, il lui faut lire !

Tous les prisonniers de guerre français resteront dans les camps allemands jusqu'à la conclusion de la paix.

« Et ensuite ?

— C'est tout.

— Ah ! »

Un murmure de déception s'élève du groupe.

« Mais, pourtant, le paragraphe 4 *que tu nous as lu tout à l'heure ? suggère une voix hésitante.*

— On n'y comprend rien, on cherche encore à nous posséder ! D'abord, on dit qu'on va être refoulés vers la zone non occupée, maintenant qu'on restera ici jusqu'à la signature de la paix ! Et puis on n'est pas dans des camps allemands. Qu'est-ce que tout cela veut dire [1] *? »*

Les discussions commencent autour de chaque mot. Demandes et réponses sont aussi vaines les unes que les autres. Personne ne peut renseigner personne. Lassés à la fin, les prisonniers s'éloignent avec, au cœur, une seule certitude — certitude que certains de leurs camarades ont accueillie avec des cris de joie et des applaudissements [2] — la guerre est terminée.

Mais que vont-ils devenir ?

★

1. *La Moisson de Quarante.*
2. Signalé par René Ganon au camp de Bel-Ebat.

Où sont-ils ? Que vont-ils devenir ?

De l'autre côté des barbelés, des millions de femmes, d'enfants, d'hommes âgés, s'interrogent.

Pour les rassurer, ils n'ont, dans les derniers jours de juin, que des miettes d'information. Ils courent chez les radiesthésistes. La consultation coûte 200 francs. Ils vont de bureau en bureau. Ecrivent...

Le destin va obliger les Français à se livrer à un jeu cruel de cache-cache. Les soldats, qui ont croisé tant de réfugiés sur les routes, ne savent plus à quelle adresse écrire. Sur quelles rives leur famille, roulée par ce fleuve, a-t-elle abordé ?

Les femmes, qui ont côtoyé l'armée en déroute, devinent que les secteurs postaux ne correspondent plus à rien.

Pour les renseigner, quelques listes publiées par les journaux de province qui s'efforcent de recenser, plus ou moins parfaitement, la population des camps voisins.

Les listes affichées sous les arcades du Palais-Royal et devant lesquelles stationnent des files anxieuses, qui s'allongent parfois jusqu'à la place du Théâtre-Français.

Entre le 12 août et le 31 août, le Centre National des Prisonniers de guerre publie, « d'après les renseignements fournis par l'autorité militaire allemande », neuf listes de captifs. Les sept premiers fascicules comprennent chacun 5 000 noms, le huitième 7 500, le neuvième 10 000. Noms de toutes consonances et de toutes origines [1]. Grande Armée qui n'a jamais trouvé son Napoléon. Abbadie,

1. A la date du 15 octobre, le Centre National d'Information sur les prisonniers de guerre, 60, rue des Francs-Bourgeois, Paris-3e, aura publié 30 listes qui peuvent être consultées gratuitement dans toutes les mairies. Entre le 31 juillet et le 17 octobre 1940, il enverra 172 399 réponses précises à ses correspondants.

Abdallah ben Aïssa ben Kalifa, Delforge, Paboundi Kondogo né à Touoba (Congo), Boleslav Pacala né à Essen, Wojtasikiewicz né en Pologne, Sanchez qui a vu le jour à Jimenado, et Dupré et Nguyen van An du village de Tam Düong, et Dupont et Martin. 30 000 Martin, dont près de 2 000 se prénomment Jean, trouveront place dans le fichier français de l'Agence centrale de Genève.

Cette Agence centrale du Comité International de la Croix-Rouge, à laquelle les autorités françaises conseillent d'écrire, en franchise de port et en priorité, reçoit en quelques jours des centaines de milliers de lettres identiques pour le fond et presque pour la forme.

Messieurs,

Je suis sans nouvelles de mon fils depuis le 15 *mai et j'ai recours à vous, dans l'angoisse où je suis, espérant que vous pourrez me renseigner sur son sort.*

Il s'appelle Jean Martin.
Né le 30 *mars* 1903
dans l'Ardèche, à Saint-Lou.
Incorporation 2e *classe,*
21e *R. A. C.*
7e *Batterie.*

Dans l'espoir que ces indications suffiront à vos recherches, à l'avance et de tout cœur je vous dis Merci !

Oui, des milliers et des milliers de lettres.

Après les premières libérations de juillet, près de 18 000 garçons de l'Aisne restent prisonniers, 11 000 de la Charente, 24 350 des Côtes-du-Nord, 29 650 du Finistère, 26 500 de l'Ille-et-Vilaine, 25 150 de la Loire-Inférieure, 13 750 de la Dordogne, plus de 20 000 de la Marne, 25 650 de la Nièvre, 24 550 de la Somme, départements paysans qui ont toujours payé cher l'honneur de fournir l'infanterie des rois et des républiques.

★

Lorsqu'on les a retrouvés, il faut apprendre à leur écrire. La Direction du Service des Prisonniers de guerre « conseille » aux femmes et aux parents qui connaissent l'adresse exacte de leur prisonnier d'envoyer des cartes postales non illustrées, de préférence aux lettres sous enveloppe non fermée, de ne pas « *s'étendre en de vaines lamentations auxquelles le prisonnier ne peut apporter de remèdes, de ne pas importuner le prisonnier par l'exposé des difficultés journalières, commerciales ou autres, de ne pas porter d'appréciation sur les événements actuels qu'ils soient d'ordre extérieur ou intérieur* [1] ».

★

1. Pour les prisonniers internés en Allemagne, les correspondants doivent inscrire, en haut et à gauche, leurs nom et adresse ; en haut et à droite « Kriegsgefangenenpost », ce qui signifie « Poste des Prisonniers de guerre » et « Gebührenfrei », qui veut dire « Franco de port » ; il faut également reproduire intégralement l'adresse du prisonnier de guerre en la faisant précéder des mots « an den Kriegsgefangenen » qui veulent dire « au prisonnier de guerre ». Doivent suivre le grade et le nom du prisonnier, ainsi que le numéro qu'il a reçu à son arrivée au camp définitif. Sous ces indications, il faut porter le numéro du Stalag ou de l'Oflag ainsi que le mot Deutschland.

Pour ceux qui écrivent à des prisonniers toujours en territoire occupé, le mot « Stalag » est à remplacer par le mot « Frontstalag ». Le nombre de cartes que peuvent envoyer et recevoir les prisonniers est limité.

Très vite, les lettres deviendront le seul soutien (ou la principale source de démoralisation) des captifs.

Passées l'excitation des premiers jours, les souffrances de la faim quotidienne, les difficultés d'une installation où la débrouillardise joue le plus grand rôle, passées les discussions au cours desquelles l'on refait la bataille et l'histoire à sa convenance, retombé l'espoir d'une prochaine libération, le captif, qu'il soit conduit en Allemagne ou demeure sur le sol français, n'a, pour le raccrocher à sa vie antérieure, que les photos de son portefeuille et les cartes et les colis qui, par-dessus les barbelés, calment et irritent la grande faim de tendresse et de savoir.

Pour lire la carte-lettre qui arrive bien tard — certaines mettront cent quatre-vingt-dix-neuf jours — l'homme va s'asseoir sur son châlit. Au milieu de la masse humaine et des cris et des bruits et des odeurs, il s'isole. Voici recréé, autour de lui, son univers familier. Il lit et relit, cherchant par-delà les mots, les visages et les gestes ; essayant d'interpréter jusqu'à la graphie et jusqu'au choix des adjectifs ; la pudeur et l'éloignement tempèrent la tendresse, il le sait bien, et il ne vieillit pas à la même allure que ceux qu'il aime. L'aiment-ils encore ? Les aime-t-il toujours ?

Question des nuits et des jours.

Les baisers qui viennent de si loin ne sont-ils pas seulement un témoignage de charité ?

Dans ce monde des captifs où tout appartient à tous, les lettres qui apprennent la trahison d'une femme sont immédiatement connues. Ce mal, qui frappe les autres : mort, maladie, abandon, n'est-il pas en marche pour m'atteindre ? Ils peuvent tous se poser la question.

Une petite pièce régionaliste[1] riche en poncifs, mais aussi en notations exactes (ce n'est nullement contradictoire) montre l'arrivée du courrier dans un stalag. L'aumônier va de l'un à l'autre. Il console Bessemoulin dont la mère vient de mourir. Il s'approche de Moreau.

« Pour toi aussi, mon petit, il y a de mauvaises nouvelles !

— Il y a trois mois que je ne reçois plus rien. C'est pas naturel. J'en dors pas. C'est au sujet de ma femme ?

— Oui, c'est d'elle qu'il s'agit. L'Ecriture nous dit que l'ennemi rôde autour de nous, cherchant sa proie.

— Tournez pas autour du pot. Qu'est-ce qu'il y a ? C'est qu'elle me plaque, pas vrai ?

— Non, mon petit. Si elle a succombé, elle t'aime malgré tout. Elle s'est ressaisie. Malheureusement...

— Malheureusement ?

— Il y a eu des suites — un enfant est venu.

— Saleté, va ! Alors, pendant qu'on souffre à en crever, nos femmes font la bombe. Ah ! les garces !

— Les femmes de prisonniers ne méritent pas ce reproche. Dans l'ensemble, malgré toutes les sollicitations, elles font leur devoir. Hélas ! une faiblesse peut arriver.

— Une faiblesse ? Vous appelez ça une faiblesse ! Une saloperie, voilà ce que c'est. Jamais je ne lui pardonnerai. Ça jamais.

— Calme-toi. La colère t'aveugle. Réfléchis. Elle est jeune, peut-être coquette... Elle a pu se laisser entraîner... »

1. *Retour de Stalag*, de Ch. Maestu de Boduer, publié dans « Les Cahiers du Berry ».

Moreau pardonnera. Mais combien de Moreau dans les camps ?

★

Il y a le supplice provoqué par les lettres. Mais il est plus douloureux encore de ne rien recevoir.

Je viens de passer les jours les plus noirs de ma captivité, jusqu'ici s'entend, note Roger Debouzy, le 6 février 1941. *Ni lettres ni colis n'arrivent. Que font-ils, bons dieux ?*

Je me suis mis à donner des cours d'anglais moyen pour m'occuper utilement et à étudier l'espagnol après avoir abandonné l'allemand et l'italien. Je ne suis pas le seul à ne pas savoir me fixer. Nomades emmurés !

20 *heures. — Je viens de recevoir cinq lettres. Rayons de soleil au fond de cette cave...*

Dans l'immense littérature suscitée par les prisonniers, on insistera toujours justement sur l'importance psychologique des lettres et des colis.

Je voudrais avoir le temps de vous dire longuement qu'il y a tout un art — un art du cœur — de composer un colis et d'écrire une lettre, déclare un prêtre, *même — ou plutôt surtout — si l'on ne dispose que de quelques lignes ou de denrées trop rares.*

Un colis, quand des mains pieuses ont pu le composer, c'est comme une lettre en blanc, dont le prisonnier s'efforce de déchiffrer le message muet. Si sa rêverie s'éternise devant ce modeste pull-over déplié devant lui, c'est qu'il devine que ses initiales ont été brodées par la main hésitante de sa fillette... Ce petit paquet, noué soigneuse-

ment, il s'émeut à la pensée que la main de sa femme, de sa mère s'est posée dessus[1].

Le colis ? Lui aussi obéit à des règles très strictes. Pas de briquet, ni d'allumettes, ni de lampes électriques, ni de vêtements civils, qui pourraient faciliter une évasion, pas de stylographe ni de papier à lettre, pas de produits pharmaceutiques ni de cirage, pas de denrées périssables. Il est limité[2] (un colis postal de 1 à 5 kilos tous les deux mois, un paquet-poste d'un kilo par mois), ouvert à l'arrivée par les Allemands qui savent bien que beaucoup de boîtes de conserves contiennent des lettres, des cartes, des marks, de l'alcool. A la poursuite des denrées prohibées, les gardiens mélangent confiture, nouilles, haricots, riz, lait condensé, toutes ces richesses qui sont le fruit de longues attentes, de ruses, de sacrifices quotidiens.

Les prisonniers sont naturellement heureux des colis envoyés par les œuvres charitables : au début d'octobre 1940, la Croix-Rouge Internationale a distribué 60 000 collections de vêtements ; le B. U. S. a expédié 25 000 volumes en six mois aux étudiants et professeurs rassemblés dans les camps, et ce chiffre atteindra 220 000 le 24 janvier 1942 ; l'Aumônerie générale des Prisonniers a fait parvenir aux prêtres captifs 3 200 autels et 130 000 litres de vin de messe ainsi que 800 000 missels... 30 000 évangiles polonais, des bibles israélites, des croix orthodoxes et des images pieuses dont le modèle doit être agréé par les

1. « Rien n'est plus cruel, écrit l'abbé Ludovic Giraud, que ces lettres vagues de ton, banales de sentiment, abstraites, entre les lignes desquelles on peut tout deviner, même le pire. La meilleure lettre pour le prisonnier est celle où il sent battre le pouls de la vie familiale quotidienne. »

2. Il existe d'abord une carte de colis, puis les prisonniers adressent des « étiquettes » à leur famille.

Allemands qui refusent des textes aussi innocents que : « Sainte Jeanne, patronne de la France, priez pour eux. »

De son côté, la Direction du Service des Prisonniers de Guerre expédie aux hommes de confiance des camps un certain nombre de colis collectifs (couvertures, draps, chaussures). De Lyon, où se trouvent les entrepôts de la Croix-Rouge française, partent tous les jours, à destination de Genève et des camps d'Allemagne, des wagons complets dont le contenu, au 30 avril 1941, forme, au départ de la zone libre, un total relativement impressionnant : 12 millions de paquets de cigarettes, 4 millions de paquets de tabac, 6 millions de kilos de pain de guerre, plus d'un million et demi de conserves de viande, 887 472 kilos de sucre et de confiture.

Les communes, les administrations, les usines, les amicales régimentaires, la Légion, les patronages, les lycées, l'Université récoltent et répartissent les dons les plus divers. A Paris, le Centre d'Entraide aux étudiants prisonniers réussit à envoyer 200 colis de 5 kilos chaque mois, colis comprenant aussi bien du linge (serviettes, chandails) que du ravitaillement, des reconstituants, du tabac et du savon. Les donateurs n'oublient pas le moral des prisonniers. C'est ainsi que l'œuvre de recherche et d'entraide des prisonniers de la 32e division — dirigée par un prêtre il est vrai — expédie davantage de livres de prières (550 kilos) que de chocolat (279 kilos) ou de viande de conserve !

Partout, des quêtes ont lieu en faveur des prisonniers, et les plus humbles se privent souvent, au profit d'inconnus, d'un peu de laine que l'on tricote, de quelques morceaux de sucre que l'on joint à un colis.

Ceux qui donnent, soupçonnent-ils l'émotion de ceux qui reçoivent ?

Je ne suis pas superstitieux, écrit l'aspirant Debouzy, le 13 février 1942, *mais ce vendredi* 13 *me porte chance. Je viens de recevoir une carte collective d'une classe de fillettes parisiennes qui veulent devenir mes marraines. C'est sincèrement émouvant. Mais pourquoi moi ? Je sens que je vais accepter et j'ai un peu honte, car je ne suis pas le plus nécessiteux des* 120 000 *prisonniers parisiens : il s'en faut même de beaucoup.*

Et, le 21 avril, lorsque le colis est arrivé :
Le premier colis de mes marraines m'est parvenu. C'est vingt colis en un seul, une série de petits paquets isolant une cigarette ou deux ou trois, une demi-barre ou une barre de chocolat, deux ou trois morceaux de sucre, quatre ou cinq gâteaux, une boîte de confiture (je suis confondu d'un tel sacrifice), un peu de succédané de café, des noix, etc.
Ces petites sont bouleversantes dans leurs gestes si simples et si purs.

Mais le véritable colis, c'est celui que la femme prépare avec amour et malgré des difficultés, des sacrifices, dont jamais le prisonnier ne pourra se rendre compte.

Entre la solitude totale de la femme de prisonnier et la solitude peuplée du prisonnier, les objets familiers : ce chandail et ces gants tricotés à la maison, ces conserves, ces fruits secs, ce sucre, accumulés à force de privations et de « combines » aussi, tissent des liens aussi forts que les lettres, des complicités affectueuses, offrent un champ immense à l'imagination.

Le colis est dialogue.

Femmes de prisonniers. La plupart vivent très chichement ayant droit, en 1942, à des allocations journalières dont le montant varie entre 10 francs 50 et 20 francs, somme à laquelle il faut ajouter une allocation à peu près équivalente par enfant à charge.

Femmes de prisonniers, à mesure que passent les années, de plus en plus solitaires, en marge d'une société qui a déjà oublié le drame de 1940 qui reste leur drame. Femmes de prisonniers aux prises avec les mille difficultés de la vie quotidienne, les enfants à élever, l'argent difficile, la vie chère, la solitude physique et morale et l'oubli d'un visage qui s'estompe avec le temps, comme celui d'un mort.

Essayant de dresser un bilan, « un groupe de femmes de prisonniers » écrit, en 1943 : *Il est facile de jeter la pierre à celles qui, paraissant oublier l'absent, cherchent dans un autre le secours ou la tendresse qui leur manquent. Il faudrait avoir compris jusqu'où leur détresse les accablait. L'égoïsme de ceux qui vivaient à côté d'elles les a peu à peu conduites à ces chutes.*

Le gouvernement s'efforce bien de protéger les foyers de prisonniers en menaçant de frapper sévèrement « *tout individu qui, profitant de la moindre résistance morale d'une épouse restée seule, vivrait avec celle-ci dans un état de concubinage prolongé et notoire* » mais, conclusion de trop de drames de l'absence, le nombre des naissances illégitimes passera de 38 000 en 1938 à 57 000 en 1944 pour 86 départements seulement ; celui des divorces atteindra, en 1945, plus de 42 000, plus de 70 000 en 1946, contre 27 000 en 1938.

Alors qu'avant la guerre la femme obtenait le

plus souvent le divorce à son profit tout est changé soudain.

Pour une moyenne de 1 000 divorces prononcés en 1946, l'homme a gain de cause 538 fois, la femme 298. Dans 174 cas, le divorce est prononcé aux torts réciproques des époux.

★

Tous les prisonniers de juin 1940 n'ont pas été conduits en Allemagne.

Dans les premiers jours de l'occupation, le gouvernement français, soucieux de remettre en marche l'économie du pays, obtient de Berlin, qui souhaite cette reprise, la libération de très nombreux soldats. Il n'est que juste d'ailleurs, d'écrire que la pensée du maréchal Pétain sera quotidiennement tournée vers les prisonniers.

On libère le personnel sanitaire et la plupart des grands blessés (100 000 hommes), ainsi que les anciens combattants de 1914-1918 ; on met « en congé de captivité [1] » les hommes indispensables au maintien de l'ordre, les ouvriers de la S. N. C. F., le personnel des houillères, du gaz et de l'électricité, les fonctionnaires de l'administration centrale, les agents des ponts et chaussées, bon nombre d'agriculteurs.

Avant même qu'interviennent ces libérations, qui videront les camps d'une partie de leurs occupants [2], les prisonniers cantonnés en France sont

1. Le congé de captivité est conditionnel. Le prisonnier qui en bénéficie peut, à chaque moment, recevoir l'ordre des autorités allemandes de rejoindre un camp de prisonniers de guerre. Dans la pratique, cette clause ne fut que rarement appliquée.

2. Après 1940, les rapatriés ont été au nombre de 427 000, ainsi répartis : 223 000 pour 1941 ; 85 000 pour 1942 ; 92 000 pour 1943 ; 27 000 pour 1944.

employés à des travaux d'urgence. Y a-t-il tâche plus nécessaire que de remettre en état le réseau routier et ferroviaire et de rentrer la moisson ?

A l'heure où la main-d'œuvre fait cruellement défaut, les paysans viennent dans les camps « louer » des prisonniers.

Dans la forêt de Juigné, on voit ainsi des équipes de P. G. travailler sous la molle surveillance de quelques sentinelles qui n'empêchent nullement les femmes de venir retrouver leurs maris. Ailleurs, les prisonniers déblaient les voies pilonnées par les bombardements. Là où les torpilles sont tombées, des wagons écrasés, des rails tordus, des obus non explosés, du matériel renversé et mutilé, des sacs à dos, des vêtements, des lettres de femmes et des circulaires jonchent le sol.

Il faut soulever délicatement les obus amorcés, veiller aux fusées, aux munitions proches des foyers qui couvent encore.

★

Le 9 juillet, le lieutenant Stein, qui commande le camp de Voves, convoque Benoist-Méchin. Historien de l'armée allemande, Benoist-Méchin, qui a refusé de servir comme interprète, a cependant d'assez fréquents entretiens avec ses gardiens. Sa parfaite connaissance de l'allemand et de l'Allemagne en fait un interlocuteur tout désigné pour des hommes qui s'embarrassent moins des grades que des compétences.

C'est à lui que Stein annonce que l'autorité militaire allemande a décidé de mettre à la disposition des paysans des milliers de prisonniers. Partout la moisson attend.

« Il y a là, dit le lieutenant Stein, toute une organisation à mettre sur pied. Voulez-vous vous en charger ? »

Difficile travail. Il faut rapidement faire coïncider les désirs des communes et les impératifs allemands. Etablir des cartes d'identité. Une liste des besoins paysans. Le maire de chaque commune fera l'appel deux fois par semaine, c'est entendu. Chaque prisonnier sera nourri, touchera 25 francs par semaine et aura le droit d'inscrire ses plaintes sur un répertoire spécial. Si un prisonnier s'évade, toute son équipe sera punie...

La moisson, immense toison rousse, à peine foulée ici et là par la guerre, pâtirait de trop longues paperasseries. Il faut se hâter.

Enfin, voici venu le jour du départ des équipes de moissonneurs. Les hommes s'avancent vers l'entrée du camp (une usine de chiffons). Les chefs d'équipe annoncent, en passant devant le lieutenant Stein, Benoist-Méchin et ses aides, le nombre de leurs hommes :

« Theurville ?

— 25 hommes.

— Tout le monde est là ?

— Personne ne manque.

— Beauvilliers ?

— 18 hommes.

— Boisville-la-Saint-Père ?

— 30 hommes.

— Fain-la-Folie ?

— 38 hommes [1]. »

Quatre cents prisonniers partent ainsi dès le premier jour. Deux mille auront bientôt provisoirement quitté le camp de Voves.

Hommes heureux de renouer avec une activité

1. *La Moisson de Quarante*, p. 172-173.

physique, d'obtenir une nourriture plus substantielle que celle des camps, paysans à l'aise parmi ces champs qui leur rappellent leurs champs, et dans l'odeur de cette chaude moisson de juillet.

Dans les Ardennes, l'emploi des prisonniers aux travaux agricoles se poursuivra bien après l'été 1940. Pour 30 francs par jour, les P. G. sont utilisés sur les terres annexées par les Allemands. Mais la garde (un soldat pour dix P. G., puis un pour cinq) est relativement sévère.

A partir de 1942, cependant, quelques captifs des Frontstalags des Ardennes (3 300) pourront signer un « contrat de travail » qui leur évitera le départ pour l'Allemagne.

Possédant des habits civils, logé dans un cantonnement différent de celui des autres P. G., pouvant circuler librement dans les villages et même obtenir « une courte permission pour le pays natal », soumis à la seule autorité du chef de culture allemand, le « prisonnier en congé » jouit d'un statut assez proche de celui des travailleurs français en Allemagne.

★

Tout le monde n'a pas la chance d'être agriculteur ou cheminot.

On ferme les wagons.

Les wagons de la démobilisation qui seront les wagons de la captivité.

Un million et demi de soldats vont vivre pendant des années dans les camps d'Allemagne.

Il en est qui s'évadent. 70 000 environ jusqu'en 1944.

Il en est qui vivent une aventure plus extraordinaire encore que l'évasion.

En liberté surveillée, ils retrouvent, pour quelques jours, la France où on les fête et quinze jours plus tard, sans chercher à s'enfuir, volontairement, reprennent le chemin du stalag...

★

Ce soir de novembre 1942, comme chaque soir, le prisonnier Léonce Lagrue, matricule 56 174, assiste au rassemblement des 1 000 prisonniers de guerre employés par l'usine Hoesch, près de Dortmund.

« Comment va ton pied ? demande un camarade.

— Mieux, je ne vais plus tarder à vous rejoindre. »

Léonce Lagrue jette un coup d'œil sur son pansement. Il songe qu'il ne pourra, une troisième fois, se brûler volontairement avec de la crasse rouge.

Pour échapper à l'infernal travail devant les fours Martin, il s'est blessé à deux reprises et, chaque fois a obtenu vingt et un jours de convalescence. Il ne peut recommencer sans péril. Il va falloir reprendre le chemin de l'usine...

« 56 174 ! »

Son numéro, mais oui, c'est bien lui que l'on cherche.

Le chef de camp lui dit :

« Morgen früh Stalag (demain matin au stalag) et Léonce Lagrue songe immédiatement que la raison de sa mutilation est connue. On va le juger, l'expédier dans un camp de représailles... »

Le lendemain, il est au stalag où un officier le convoque.

« Quel métier ?

— Etudiant en théologie.

— Vous partir en France demain matin six heures pour avoir les pouvoirs et vous revenir sacrifier pour vos camarades.

— Mais, je ne suis pas prêtre... où vais-je aller ? C'est mon archevêque seul qui peut m'appeler.

— Demain, six heures vous partir Reims. Baptême Clovis. Champagne. Centre de la France chrétienne ! »

A la même date, dix-huit séminaristes, répartis dans plusieurs stalags d'Allemagne, au III A, au IV D, au XIII B, etc., entendent à peu près les mêmes mots.

Sans comprendre. Bien sûr, plusieurs mois auparavant, on leur a dit que la mission Scapini intercédait en leur faveur [1], mais il y a tant de bobards... et puis être ordonné prêtre alors que certains ne sont que sous-diacres, c'est impossible, voyons !

Ils partent tout de même. Pas pour Reims. Pour Trêves où on les regroupe peu à peu. Pendant plusieurs jours, ces hommes qui déchargeaient des pavés, labouraient, surveillaient des fours Martin, n'ont plus qu'une chose à faire : s'exercer à dire la messe dans la chapelle du stalag sous la direction d'un prisonnier qui était, en France, directeur de grand séminaire, apprendre à confesser, à donner les sacrements.

Enfin, le 7 décembre, après qu'on leur a fait signer une promesse de retour, les dix-huit prennent le train sous la garde de deux soldats catholiques... et sans armes, apparentes.

Nancy... Le premier verre de vin. Châlons-sur-Marne... Les premiers draps blancs. Le 8, au matin, les séminaristes arrivent à Reims et sont conduits à la Kommandantur qui les «confie» au Supérieur du Grand Séminaire, M. Desamy, un ancien combattant de la Grande Guerre.

1. L'abbé Rhodain avait demandé à tous les évêques de France de lui indiquer les noms des séminaristes qui pourraient être ordonnés prêtres en captivité.

Immédiatement la plupart des prisonniers échangent leurs mauvais vêtements militaires contre des soutanes prêtées par des séminaristes. Pendant quatre jours, ils font retraite, se recueillant dans un admirable climat de ferveur, méditant la beauté de leur aventure et cette phrase de saint Paul : « Cependant chacun de nous a reçu sa part de la grâce divine selon que le Christ a mesuré ses dons ! C'est pourquoi l'on dit : Montant dans les hauteurs, il a emmené des captifs. »

Leurs heures de liberté, ils les passent en compagnie de leurs familles vite alertées, ils les passent aussi à renseigner femmes, mères, fiancées de leurs camarades. On leur apporte des cadeaux, de la nourriture, des messages.

Le 12, certains d'entre eux reçoivent l'ordination du diaconat. Et le dimanche 13 décembre, dans la cathédrale de Reims qu'une foule émue emplit, quatorze [1] jeunes hommes, chaussés de gros souliers de soldat, revêtus de soutanes empruntées, s'étendent devant l'autel pendant que l'on chante la litanie des Saints et que Mgr Marmottin prononce les paroles qui font d'eux des prêtres pour l'éternité.

Après l'ordination, l'abbé Rhodain leur remet leur croix d'aumônier de captivité ainsi que leur autel portatif [2].

Les autorités allemandes ont accordé trente-six heures de permission aux nouveaux prêtres. En compagnie de leurs parents, les voici partis vers leur ville ou leur village. Quatre vers Nantes : les abbés Aoustin, Jubin, Doucet et Pavin, trois vers

1. Quatorze sur dix-huit. Quatre d'entre les captifs provisoirement libérés n'avaient pas, en effet, reçu les ordres mineurs.

2. Dans l'après-midi une cérémonie eut lieu à la Maison des Prisonniers, cérémonie au cours de laquelle les prêtres-prisonniers purent constater (avec peine et surprise) la désunion des Français.

Rouen : Fedina, Lagrue et Auvray, un vers Troyes : Vuidepot, un vers Luçon : Bitandeau.

Toute la nuit, ils la passent dans un train bondé et Edmond Aoustin, debout contre un ivrogne qui clame des horreurs ou des imbécillités, murmure : « Tout à l'heure ce sera ma première messe, tout à l'heure... »

Leur première messe, ils ont en effet la joie de la célébrer dans l'église qui fut l'église de leur enfance. Tous sauf un : l'abbé Paul Manigaud, de Limoges, qui n'a pu se rendre dans l'ancienne zone libre (occupée depuis un mois) et va cependant dire la messe au Sacré-Cœur, à Montmartre, ainsi qu'à Notre-Dame-des-Victoires.

Ils parlent, ils parlent de leurs camarades de captivité, ils expliquent, et puis ils regardent avidement ces lieux et ces êtres chers qu'il leur faut quitter. Embrassades. Retour à Reims. On leur dit qu'ils doivent partir le 19 décembre ; le 18, ils apprennent que leur retour en Allemagne est repoussé au 21. Le 21, toujours pas de nouvelles de leurs gardiens. Ils sont partagés entre le désir de célébrer la messe de Noël devant leur famille ou devant leurs camarades de captivité. Les heures passent, incertaines et difficiles.

De multiples amitiés les entourent, attentives à leur bien-être. Le 23, enfin, on réveille à 4 heures du matin ceux qui couchent au Petit Séminaire.

« Vite, vite, rassemblement, vous partez dans une heure. »

A la hâte, ils s'habillent, courent au Grand Séminaire. On charge une charrette des bagages et des provisions. Bouteilles de champagne et alcools ne manquent pas à l'appel ; quel plaisir de rapporter de France, pour les camarades, toutes ces nourritures terrestres !

Chant des adieux. 5 h 30, le train s'ébranle.

Allons, leur messe de Noël, ils la diront devant d'autres captifs, leurs frères [1]...

★

Pendant quatre ans, prisonniers lointains et présents.

Présents dans les discours officiels et dans les rêves des femmes.

Pesant de tout leur poids sur les rapports franco-allemands.

Objectif pour Vichy, marchandise pour Berlin.

Leur misère sert d'appât. La Relève se fait en leur nom et l'on organise à Compiègne une cérémonie symbolique au cours de laquelle le premier train d'ouvriers croise le premier train de rapatriés [2].

Dans la petite gare, officiers allemands et officiers français se font face ; sur les toits des wagons, beaucoup d'hommes sont montés pour voir Laval serrer la main de ceux qui rentrent. Ils ont de vieux calots sur la tête, des capotes usées, des visages fatigués et rayonnants. Ecoutent-ils ce discours que, devant trois micros, Pierre Laval lit alors : « *Pour contribuer à faire tourner ses usines, l'Allemagne nous demande* 150 000 *spécialistes et le chancelier Hitler a accepté qu'au fur et à mesure de leur départ,* 50 000 *prisonniers nous soient rendus. C'est ainsi que la relève a commencé. L'arrivée*

1. Plusieurs prêtres ordonnés le 13 décembre 1942 (les abbés Léonce Lagrue, René Auvray, Joseph Pavin, Edmond Aoustin, Paul Manigaud) ont bien voulu me communiquer, dix-huit ans plus tard, leurs souvenirs personnels sur cette exceptionnelle et inoubliable journée.

2. M. Scapini, « ambassadeur des prisonniers » signale au début de l'année 1941 une manifestation de femmes de prisonniers devant ses services, rue Cortambert. Ces femmes étaient désireuses de voir leurs maris remplacés en Allemagne par des affectés spéciaux.

de ce premier train de prisonniers atteste que les ouvriers de France ont répondu à mon appel... Et vous, Français qui rentrez, vous comprendrez mieux la France... Vous ne serez pas sceptiques, vous qui avez connu les souffrances morales de l'exil. »

Hommes relativement âgés (il y a parmi eux bon nombre de veufs pères de famille), libérés des stalags I A et I B, ils songent surtout aux joies du retour. Encore quelques heures. Encore quelques minutes.

Les wagons, ornés d'inscriptions à la craie, « Vive Pétain, vive la Relève. Songez à ceux qui restent » poursuivent leur route. A chaque arrêt, musique, autorités, jeunes femmes en costume régional, fleurs, enfants, premiers baisers maladroits. A Lyon, les rapatriés gagnent la maison du Prisonnier dans un tramway que la foule empêche d'avancer autrement qu'au pas.

Ils ont à peine retrouvé leur foyer que l'on demande aux prisonniers de prendre parti. A ceux qui viennent de passer par Compiègne, l'on soumet immédiatement un communiqué « contre les informations mensongères et les commentaires tendancieux » de la radio de Londres et des journaux clandestins.

Le Centre d'action des Prisonniers de guerre rapatriés, qui a son siège à Lyon, tente d'élaborer une « mystique P.G. ». Réunis en janvier 1942 au château de Crépieu-le-Pape, 17 dirigeants du C.A.P. confrontent leurs expériences de camp et leurs impressions de rapatriés :

Nous sommes arrivés en Allemagne dans une impression d'ahurissement, presque comme des bêtes cernées qui renonçaient à comprendre, écrit le rédacteur qui résume les discussions de l'abbé Marouel, de Jean Guitton, de de Chazournes, de de Fabrègues, de Buttin et de leurs camarades. *Mais, bien vite cependant, nous avons senti la nécessité d'exploiter l'épreuve... Le prisonnier a fait face à la défaite... Le prisonnier a reconnu que la défaite était méritée, qu'elle n'était pas un accident imprévisible. La défaite militaire a hâté une décomposition déjà profonde, mais non encore consacrée du tissu social français. En un certain sens, elle a heureusement mis fin à cette décomposition.*

Rapatriés, ces hommes qui ont fait retour sur eux-mêmes, et à qui le climat moral de la France retrouvée ne plaît pas toujours, s'efforcent de se donner des mots d'ordre capables de soutenir une doctrine, mais les événements marchent plus vite qu'eux. Ils ont pris deux ans de retard sur la France.

Partisans de la Révolution Nationale, telle qu'ils l'ont connue à travers les messages du Maréchal, ils devinent que cette révolution n'a presque jamais dépassé le stade des mots et ne reconnaissent pas la France qu'ils retrouvent.

Pays étrange où la lutte pour la vie est de plus en plus rude, où tous ceux qui se « débrouillent » pour manger et pour vivre ont pris une avance irrattrapable, où les civils souffrent davantage que les soldats, où les longues, et un peu vaines, discussions des camps ne sont plus de mise.

Prisonniers à qui d'autres hommes, chaque jour plus nombreux, plus misérables, plus glorieux, disputent leur titre de prisonniers.

CHAPITRE IX

LA VIE QUOTIDIENNE DANS LES PRISONS

LE 8 décembre 1941, le lieutenant Ernst Jünger marche dans Paris. Il n'est que 8 heures du soir. Mais les rues sont vides. Pas un seul vélo-taxi, les grilles des stations de métro sont refermées, déserts les halls des cinémas ; de loin en loin, seulement, une patrouille d'agents...

Paris est consigné. Paris est mis au coin. Ernst Jünger marche à travers une ville noire, dans des rues fantômes, entre des fantômes de maisons. Il pourrait se croire sur une planète morte s'il n'y avait, à droite et à gauche, les rires des enfants et le bruit de la radio.

Comme si l'on passait entre des cages d'oiseaux, songe-t-il.

Ces cages que l'on couvre d'un manteau sans parvenir à obtenir le silence.

Jünger pense à son travail de la journée. Pour l'armée allemande, il a traduit les lettres d'adieu des otages fusillés à Nantes, et rentré chez lui, songeant à ces hommes, morts sous les coups de soldats portant le même uniforme que lui, il note sur son carnet : « *C'est là une lecture qui m'a fortifié. On dirait que l'homme, à l'instant où on lui annonce sa mort, se dégage du vouloir aveugle et reconnaît que l'amour est le plus profond de tous les liens.* »

Quels sont donc ces mots capables de « fortifier » un soldat allemand, qui est aussi un écrivain antinazi ? Les plus beaux mots du monde : « courage », « amour », « espoir ».

Les hommes qui vont mourir ont longtemps espéré — peut-être espèrent-ils jusqu'à la dernière seconde, jusqu'au face à face avec les fusils ? — Mais les voilà devant l'officier ou le prêtre qui vient les prévenir. Alors, l'âme se hausse. Tout naturellement, elle s'offre à elle-même une dernière représentation. Consciemment ou non, chacun veut laisser aux siens une image très belle, mais, en même temps, se définir, expliquer son combat, une dernière fois jouer le rôle de chef de famille, évoquer l'argent, la vie quotidienne, le métier à donner aux enfants, le modeste héritage à partager.

« *Je laisse environ* 615 *francs* [1]. *Remettez-les à la solidarité pour les emprisonnés et les internés politiques* [2]. »

« *Vous viendrez à Vannes prendre ma valise et les sous qui me restent. Alfred prendra soin de mon vélo et quand il pourra gagner son pain il lui appartiendra. Vous donnerez ou vous vendrez*

1. Les fusillés ont peu d'argent au greffe, on s'en doute. La Croix-Rouge, qui est souvent chargée de transmettre les derniers souvenirs, remet ainsi à Mme G... un porte-monnaie contenant 55 francs en billets, 3 francs 35 en pièces ; à une autre femme, 20 timbres à 0 franc 80, etc.

2. Lettre de René Perronault, fusillé à Châteaubriant.

les rasoirs et tondeuses, faites d'eux ce que vous voudrez. Tâchez de vous aider entre vous parce que moi je n'appartiens plus à ce monde [1]. »

Parfois, l'homme qui va mourir, et qui se veut si fort, se laisse aller à une dernière mélancolie.

« *Nous ne verrons plus les beaux jours revenir,* écrit Charles Delavacquerie, le 22 octobre 1941.

On vient, il est 1 *h* 30.

Finis les derniers bons jours en famille. Je ne verrai plus mon beau Montreuil... »

« *Ma petite femme adorée,*

Ma chère petite Mût,

Déjà la dernière lettre et déjà il faut se quitter. Que la route est jolie, jolie, ah ! vraiment oui, chantons, chantons de toutes nos forces [2]. »

Il en est que l'imbécillité de leur sort déchire et révolte. Pourquoi vont-ils mourir ? Ils sont nés juifs, c'est vrai. Mais ils n'ont jamais tiré sur des soldats allemands, jamais saboté, jamais diffusé de journaux clandestins.

On va donc les tuer parce qu'un soldat allemand a été abattu quelque part dans la ville et que les coupables sont introuvables. Qu'ont-ils à voir avec cette histoire ?

Otages ? Un otage, dans l'histoire des guerres, c'est un maire, un évêque, un industriel, un personnage important, quoi !

Mais eux, ils ne savent pas pourquoi ils meurent. Juifs. Est-ce donc naître coupable que de naître juif ?

Alors, ils écrivent des lettres haletantes et très belles, pleines d'humilité, traversées de cris, de soupirs et de larmes.

1. Lettre de Louis Laboulette, le 22 mai 1941.
2. Lettre de Claude Lalet, fusillé à Châteaubriant.

Prison du Cherche-Midi, 14-12-41.

Ma chère femme et enfants,

Je t'écris ces quelques lignes pour vous faire savoir que je suis ici depuis midi, suis condamner pour exécuter demain matin, pour otage, ordre de la commandantur ; ça sera ma dernière lettre et mes derniers mots à toi et aux enfants. J'espère que les enfants s'occuperont de toi et pensez toujours à leur père qui est mort innocent, rien à t'écrire, mais il faut dire à ma mère que je suis mort et toi je crois que tu penseras ces lignes sont mes derniers souvenirs pour toi et pour les enfants.
Mes derniers baisers à toi chère femme et chers enfants.

Ton mari et père.

Simon N... qui va être fusillé dans quelques heures ajoute encore quelques lignes à sa lettre. Et, par deux fois, il crie « je suis innocent », comme si cette affirmation pouvait émouvoir les bourreaux.

Bonjour à toute la famille avec mes respects. J'embrasse ma chère mère avec toute la famille. Je meurs innocent et pour rien. Ton mari.

Ma chère femme,
Demande à la Kommandantur le transfert de mon corps pour pouvoir m'enterrer là-bas ; je meurs innocent, pense toujours à moi.

Il n'y a rien de plus émouvant que ces « rallonges ».

Lorsqu'ils n'ont plus rien à espérer, lorsqu'il faut attendre seulement, privés du soutien et du regard des camarades de lutte, lorsque la dernière lettre est écrite, les condamnés à mort sont tentés d'ajouter quelques lignes encore sur le papier, quelques lignes courtes, terriblement humaines [1].

Le 14 décembre 1941, Jacques Grinbaum sait qu'il va mourir à l'aube. Aux siens, il écrit une très belle lettre :

Ma maman que j'aimais tant, Mon papa et meilleur ami, Mes deux petites sœurs chéries, Vous tous qui ne me verrez plus... Vivez, ne tentez rien par désespoir, je l'exige. Telle est ma dernière volonté.

Moralement, je veux vous dire que, dans ces dernières heures, je crois plus que jamais à tout ce que j'ai aimé. Je veux m'entretenir avec mes sœurs. Jacqueline a 14 *ans, Yvette* 12 *ans presque. Vous ne verrez plus votre frère. Je n'entendrai plus vos voix. Ma petite rouquibiche et toi ma grande sœur, vous me comprendrez, si ce n'est pas aujourd'hui c'est plus tard. Je regrette de n'avoir pas donné plus de joie à mes parents. Les parents méritent plus de respect. Ils méritent qu'on les choie et leur rende la vie heureuse...*

Mais, lorsqu'il a achevé d'écrire longuement, il n'en a pas fini avec la nuit.

Comment dormir ? Il est 3 h 15. Il griffonne quelques lignes encore, comme s'il voulait tenir le journal de bord de son agonie.

3 *h* 15 *du matin. Bientôt l'exécution. Je suis calme, très calme et j'attends. Une force me soutient, j'espère que vous tiendrez, promettez-le-moi, au-delà de la mort. On ne meurt qu'une fois.*

Lentes à passer les heures. Les bruits de la prison et de la nuit sont amplifiés par la fièvre de l'insomnie. Encore quelques lignes. Les dernières.

5 *h* 40. *Toujours aussi courageux. J'ai fait mon*

1. La diffusion des lettres de fusillés est interdite par les Allemands, au même titre que le transfert des corps et l'apposition d'une plaque au nom du défunt.

mea-culpa. *Je n'ai rien à me reprocher. Je vous aime papa, maman, Jacqueline et Yvette. Ne pleurez pas trop. Adieu à vous, à toute la famille et à tous mes amis auxquels je pense. Courage. Confiance. Adieu. Conservez mes affaires qui sont à la Kommandantur et à la Croix-Rouge.*

Courage. Bonne chance [1].

★

Bien souvent, ceux qui vont mourir définissent le but de leur lutte. Les communistes proclament leur foi. « Vivent les Soviets ! Vive l'U.R.S.S. » écrit Delavacquerie, l'un des otages de Châteaubriant, et René Perronault : « Je meurs satisfait de la certitude de notre victoire et de celle du communisme », et Adrien Agnès : « Je meurs, ma Monne adorée, avec au cœur la même foi révolutionnaire et la même certitude de la victoire finale, pour la paix et la liberté [2]. »

Les catholiques écrivent sur le même ton, avec des mots parfois différents, une foi qui a d'autres racines, mais avec la même ferveur, le même patriotisme.

Au moment de mourir, presque tous les condamnés rejoignent, en effet, l'une ou l'autre de ces deux religions qui se disputent le monde des prisons : catholicisme, communisme.

Le brave ouvrier breton Louis Laboulette se réjouit de s'être confessé avant de mourir et, songeant qu'il va être fusillé le jour de l'Ascension, il a ce mot : « *J'ai un bon jour pour mourir, je*

1. Jacques Grinbaum a été fusillé à Drancy, le 15 décembre 1941.

2. La dernière lettre d'Adrien Agnès est l'une des plus belles qu'il soit donné de lire. Le texte *in extenso* en a été publié dans le livre : *Châteaubriant et ses martyrs.*

ferai une ascension le même jour que Notre-Seigneur Jésus-Christ. Il n'y en a pas un qui aura l'honneur de mourir dans le même état que moi. »

Et le lieutenant Barlier, compagnon du commandant d'Estienne d'Orves :

Mes chers petits-enfants,

Le bon et très doux Jésus, dont nous sommes tous les petits-enfants, a dit aux apôtres, avant de retourner au ciel : je ne vous laisserai pas orphelins.

Aussi, bien qu'Il me rappelle à Lui maintenant, je sais et je vous dis qu'Il ne vous laissera pas orphelins ; d'abord, parce qu'Il est votre père plus encore que moi, et aussi parce qu'auprès de Lui, il me sera permis de vous voir, d'intercéder pour vous et de vous aimer plus encore que je n'aurais pu le faire en restant près de vous...

★

Pour ces hommes qui ont été moralement et presque toujours physiquement suppliciés, la mort vient mettre un terme à de longues souffrances.

Ils y sont préparés. Depuis leur arrestation, tout au long des interrogatoires et du procès, son ombre ne cesse de les accompagner. Compagne des insomnies, visiteuse dont le chant de *La Marseillaise* dans les cellules annonce le passage, la mort ne les prend pas par surprise.

C'est la dernière marche de l'escalier et la plupart savent qu'elle conduit à l'Histoire.

La volonté d'en imposer aux Allemands et le désir de donner un exemple aux camarades emprisonnés, de susciter, par la grandeur du sacrifice, des vocations nouvelles, d'éveiller d'autres âmes à la résistance, contribuent à faire de la marche au supplice une cérémonie religieuse et théâtrale à la fois. Messe des croyants et des incroyants.

« Ils sont partis en chantant *La Marseillaise* »... La phrase revient souvent dans les récits qui se transmettront de bouche à oreille ou par les journaux clandestins. On songe aux témoins évoquant les martyrs chrétiens : « Ils sont partis en chantant des cantiques. »

★

Mercredi 22 octobre 1941. La journée sera très belle. Jour d'automne qui a la tendresse du printemps, le ciel bleu de l'été.

A Châteaubriant, Moreau, le commandant du camp, et le lieutenant de gendarmerie Touya prennent leurs dispositions. Depuis leurs fenêtres, les communistes de la baraque 19 regardent les deux hommes qui s'agitent, qui mesurent...

« Ils doivent chercher comment faire manœuvrer les camions.

— Tu crois que c'est pour aujourd'hui ?

— Bien possible. Tu vois, ils vont examiner la porte qui donne sur la route de Fercé.

— Cinquante otages pour un seul type descendu, quels salauds ! Je me demande si nous serons fusillés ou guillotinés.

— Fusillés. Nous sommes pas des criminels. Des soldats. »

Un moment, cette question les agite. Il y a là Granet, Timbaud, Michels, Auffret, Bartoli, Barthélémy, Agnès. Ils regardent les gendarmes de plus en plus nombreux. Les heures passent. Michels se lève pour faire cuire du poisson. Ils partagent leurs provisions.

« Autant en profiter, dis donc. »

Ils sont vingt dans la baraque et ils savent depuis la veille que trente communistes de Châteaubriant seront fusillés en représailles de la mort du Feldkommandant de Nantes. Ils savent également que leur baraque doit fournir presque tout le contingent exigé.

Ils écrivent à leur famille. Des lettres sans importance. Des lettres qui parlent de la beauté du jour, des copains, des potins du camp. Le temps n'est pas venu d'écrire : « Voici ma dernière lettre... » On ne sait jamais.

Il est 13 h 30. Barthélémy achève un mot pour sa femme prisonnière à Niort. Il relève la tête et pousse un cri.

« Bon Dieu, regarde. »

Les gendarmes arrivent vers la baraque. Le long des barbelés, on a posté un homme tous les dix mètres. Des Allemands apparaissent suivis du lieutenant Touya.

« Ça y est, c'est pour nous, ils viennent nous chercher.

— Merde alors, ils mettent un F. M. en face de la 6.

— Ils vont peut-être nous descendre sur place.

— Penses-tu.

— Voilà Touya et les Boches. »

Très pâle, le lieutenant ouvre la porte de la baraque. Il entre, suivi d'un officier allemand, et salue longuement.

« Salut, messieurs, préparez-vous à sortir à l'appel de votre nom. »

Les hommes sont massés sur la gauche, devant le lit d'Agnès. Le lieutenant Touya appelle :

« Michels, Timbaud, Poulmarch, Granet. »

Dix noms encore. Dix hommes qui sortent de la baraque, puis :

« Delavacquerie. »

Un très léger silence.

« Delavacquerie, demande à nouveau Touya en regardant les six hommes qui restent.

— Il est au camp P 1, répond le docteur Jacq.

— Bon. »

Le lieutenant salue de nouveau.

Il ferme la porte.

Ferme la porte entre la vie et la mort.

Les six hommes qui restent se regardent avec plus de stupeur que de joie. Ils étaient prêts eux aussi. On leur avait dit que leur baraque était tout entière condamnée...

Les quatorze hommes qui sont sortis sont conduits dans la baraque 6, face au fusil mitrailleur. Le lieutenant Touya continue sa quête.

Baraque 1, il appelle Kérivel, Kérivel dont la femme est internée également dans le camp. Il aura la permission de la revoir une dernière fois.

Baraque 3.

« David, Bastard, Le Panse. »

Plus loin.

« Delavacquerie, Lefèbvre. »

Plus loin encore, Tellier et Lalet, Pourchasse et Vercruysse.

Baraque 10.

« Moquet. »

Moquet qui a dix-sept ans.

Court arrêt à l'infirmerie pour prendre Gardette. Il est 14 heures. Tous les hommes sont enfermés dans la baraque 6, on leur remet du papier et des enveloppes. Puis, pendant qu'ils écrivent, la porte s'ouvre. Une fois encore. Ils lèvent la tête. L'abbé Moyon s'avance vers eux. Michels lui dit :

« Nous ne vous recevons pas en tant que prêtre,

mais en tant qu'homme. Nous ne sommes pas des catholiques, mais nous sommes contents de votre démarche et nous vous en remercions. »

On confie à l'abbé Moyon quelques papiers, des alliances, des photos.

Comme le temps passe.

On a donné une demi-heure à ceux qui vont mourir. Les lettres sont achevées. Ils ont chanté *La Marseillaise* comme l'on communie. Et tous les captifs, consignés dans leurs baraques, chantent également les yeux tournés vers cette baraque 6 dont toutes les ouvertures sont fermées.

14 h 25. L'abbé Moyon sort. Des camions allemands arrivent et se rangent devant la baraque. Le lieutenant Touya ouvre la porte pour le dernier appel.

Neuf par camion. Ténine dit à Touya en lui désignant Moquet :

« Epargnez-le, c'est un crime du tuer un gosse.

— Laisse, Ténine, réplique Moquet, je suis autant communiste que toi. »

Les camions s'éloignent. Deux kilomètres avant la carrière de sable où on les fusillera. Deux kilomètres de *Marseillaise* et d'*Internationale.*

Dans le camp, où l'émotion est immense, les gendarmes ont levé la consigne. Les captifs se précipitent vers la baraque 6.

A 15 h 30, 16 heures, 16 h 10, leur parvient l'écho des salves. A 16 h 15, chaque camp se réunit et fait l'appel des morts :

« Timbaud.

— Fusillé.

— Michels.

— Fusillé.

— Moquet.

— Fusillé. »

Le jour tombe sur des hommes qui songent que demain leur tour viendra [1]...

★

Mort de communistes. Mort de catholiques.

Depuis sa cellule mal éclairée de Fresnes, Honoré d'Estienne d'Orves ne voit pas le ciel mais un petit bâtiment en mauvais état : la chapelle de la prison, et cette vision le console un peu de n'être pas autorisé à assister à la messe.

Il a aussi le réconfort de recevoir la visite de l'abbé Franz Stock, recteur de l'Eglise allemande, qui, chaque semaine, lui apporte la communion. Le réconfort de tenir son journal de captivité sur de classiques cahiers d'écolier, dont la couverture représente le dôme des Invalides, et d'envoyer, à ses enfants, des lettres dans lesquelles ce marin, profondément chrétien, explique comment il a triomphé de la solitude et de l'ennui des prisons.

Ses recettes sont simples. Dans sa cellule, il récite le chapelet et toutes les prières qui remontent de son enfance. Il chante, oui, de sa voix un peu fausse, il chante le *Pater,* le *Credo, Je suis Chrétien, Nous voulons Dieu, J'irai la voir un jour,* et tous les cantiques qu'il peut trouver dans son petit livre de prières.

Et le dimanche, il participe avec ses codétenus — à travers les portes — aux discussions sur l'Evangile.

Le 8 juin 1941, quatre jours après sa condamnation à mort, il ouvre au hasard *L'Imitation,* et son

1. Les Allemands avaient, en effet, annoncé que, le lendemain, 52 nouveaux otages seraient fusillés dont 25 pris à Châteaubriant. Ces exécutions n'eurent pas lieu. Pour raconter ce qui s'est passé à Châteaubriant, le 22 octobre 1941, j'ai notamment utilisé une longue lettre d'Adrien Agnès à sa femme.

regard se pose sur cette phrase qui dictera sa conduite pendant les jours qui le séparent de la mort :

« *Si vous portez votre croix à regret, vous en augmenterez le poids, vous rendrez votre fardeau plus lourd et cependant il faut la porter.*

Si vous vous appliquez à être ce que vous devez être, à souffrir et à mourir, bientôt vos peines s'adouciront et vous aurez la paix. »

Et cependant, ce n'est pas un ascète : il aime la vie, cet homme de grand air ; il souffre des mille et une privations de la prison : plus de lecture, ni de tabac, mauvaise nourriture et il se réjouit lorsqu'un changement de cellule lui permet de contempler un morceau de ciel bleu et des champs moissonnés.

Il s'attendrit en recevant quatre petits œufs de Pâques, un peu fondus, en mauvais chocolat, enveloppés d'un papier sur lequel sa petite fille a écrit : « De la part de Monique. »

Un homme comme les autres.

Un homme dépassant les autres, car il a, de son rôle de chef, une conception aristocratique.

Pendant son procès, il fera tout, non seulement pour éviter de nouvelles arrestations, mais pour décharger ses coïnculpés. Il ne nie pas être venu d'Angleterre en France en décembre 1940 pour espionner les arsenaux et les navires allemands, mais il cherche à dégager la responsabilité de tous ceux qui l'ont aidé : Doornik, Barlier, Clément, Leprince ; la responsabilité de François Follic, ce pêcheur de l'île de Sein qui, avec son équipage, l'a conduit en France.

Générosité sans orgueil, patriotisme intransigeant, mais sans haine, qui arrache à la cour martiale qui va rendre neuf verdicts de mort ce préambule qui ressemble au salut de l'épée devant l'adversaire malheureux :

Le tribunal se trouvait en face d'une tâche lourde. Il fallait juger des hommes et des femmes qui s'étaient manifestés comme des personnes de mérite, d'une grande fermeté de caractère et qui n'ont agi que par amour de la Patrie. Mais, de même que celles-là ont cru être obligées à remplir leur devoir envers leur Patrie, nous autres, les juges, étions tenus à remplir notre devoir envers la nôtre et à juger les accusés selon les lois en vigueur.

Cet homme, qui, en attendant la mort, découvre joyeusement le *Mithridate* de Racine, apprend l'allemand dans un *Deutsche Elementarbuch,* annote Péguy et le Saint Thomas d'Aquin que lui a prêté l'abbé Stock, va donner à son supplice l'allure d'une cérémonie patriotique et mystique.

★

Le 28 août 1941, l'abbé Stock annonce à d'Estienne d'Orves, Jean Doornik et Maurice Barlier que leur recours en grâce a été rejeté par le chancelier Hitler. Les trois hommes restent impassibles. Mais ils sourient en apprenant qu'ils vont pouvoir passer leur dernière nuit ensemble dans la cellule de Doornik.

Pendant sa dernière nuit, d'Estienne d'Orves écrit trois lettres encore : la seconde est pour l'abbé Stock. Celui qui va mourir sous les balles allemandes, mais qui ne veut pas être vengé [1], écrit à l'homme qui l'a préparé à la mort : *Je prie le bon Dieu de donner à la France et à l'Allemagne*

1. « Que personne ne songe à me venger. Je ne désire que la paix dans la grandeur retrouvée de la France. » Lettre à sa femme.

une paix dans la justice, comportant le rétablissement de la grandeur de mon pays.

A sa sœur, Mme Régnier, il recommande les femmes de ceux qui ont été arrêtés avec lui, les familles qui manquent d'argent. Il doit s'interrompre de temps à autre pour obtenir de ses camarades un peu de silence et poursuit : *Maintenant, je vais dormir un peu. Demain matin, nous aurons la messe.*

Le matin est venu.

Son dernier matin. L'abbé Stock entre à 4 heures dans la cellule de Doornik et les trois amis l'aident à dresser l'autel.

« Veuillez bien remarquer, dit d'Estienne d'Orves, que l'office du jour commémore la décollation de saint Jean-Baptiste et que les ornements sont rouges. »

Tous les trois communient, puis l'aumônier prend un peu de nourriture avec eux. Il faut partir...

D'Estienne d'Orves, qui vient d'apprendre que six de ses compagnons ont été graciés par Hitler, dit à un officier allemand :

« Je suis bien heureux. Je désirerais voir mes camarades et leur annoncer moi-même la bonne nouvelle. »

L'officier allemand acquiesce.

On envoie en toute hâte un sous-officier réveiller Clément et Follic.

« Schnell, schnell... »

On ne leur laisse même pas le temps de s'habiller complètement. Clément à qui l'on interdit de mettre ses chaussures a un mouvement de révolte. Aller à la mort en pantoufles !

« Schnell. »

André Clément est poussé dehors ; par-dessus la balustrade qui borde le chemin de ronde, il aperçoit des soldats en armes, des officiers. C'est bien ça, on va le fusiller. En savates ! Le voici devant le peloton. Il a la surprise de voir d'Estienne d'Orves s'avancer vers lui, suivi du père Stock, l'embrasser et lui dire :

« André, j'ai la joie de vous annoncer que vous êtes graciés, votre femme et vous.

— Et vous, commandant ?

— Non, nous allons être fusillés tout à l'heure, Barlier, Doornik et moi ; mais j'ai demandé à vous dire adieu et à vous annoncer votre grâce. »

Il dit à peu près les mêmes mots à Follic.

« Mon cher Follic, je suis très heureux de vous annoncer que vous êtes gracié, ainsi que vos camarades. Bientôt, vous aurez le bonheur de rentrer chez vous et la joie de retrouver votre femme et vos enfants.

— Je ne comprends pas, commandant, dit Follic, en montrant les soldats en armes.

— C'est ainsi, mon cher Follic ; quant à nous, nous allons être fusillés dans un instant. »

D'Estienne d'Orves embrasse Follic comme il a embrassé Clément et ajoute :

« Nous ne sommes pas des traîtres et si, un jour, vous entendez salir nos mémoires, je vous demanderai de nous défendre. Adieu et faites aussi nos adieux à vos camarades. »

L'officier qui commande fait un geste brutal.

Tremblant d'émotion, Follic remonte dans sa cellule où Pierre Cornec et Martial Bizier, ses camarades de captivité, sont tout surpris de le revoir. Ils pensaient qu'on l'avait déjà entraîné à la mort.

★

Avec Doornik et Barlier, d'Estienne d'Orves prend place dans l'autocar qui les conduira à

Vincennes. L'autocar est éclairé. Les dix hommes du peloton d'exécution — des Sarrois et des hommes de la Thuringe — sont assis face à face sur des banquettes. Entre eux, les prisonniers et l'abbé Stock. Les prisonniers ont emporté un petit missel dans lequel ils lisent à voix haute les prières des agonisants.

« Adjutorium nostrum in nomine Domini. Notre secours est dans le nom du Seigneur... Protégez votre serviteur qui espère en vous, mon Dieu. Envoyez-lui de votre sanctuaire, Seigneur, votre secours. Soyez pour lui, Seigneur, une forteresse imprenable, a facie inimici... un refuge contre l'ennemi. »

Le voyage se poursuivant, Honoré d'Estienne d'Orves propose à ses camarades de chanter et ils chantent, en effet, sans se soucier des soldats du peloton d'exécution.

Voici le mont Valérien.

L'instant de l'exécution.

Face aux fusils, d'Estienne d'Orves obtient qu'on leur épargne et les liens et le bandeau sur les yeux. Il embrasse l'abbé Stock et le président Keyser qui a lu une dernière fois la sentence. Sous la bénédiction de l'abbé Stock, les hommes s'agenouillent et récitent le *Notre Père*.

Au garde-à-vous, enfin, ils attendent et reçoivent la mort.

Il est 7 heures [1].

1. Les « papiers, carnets et lettres du commandant d'Estienne d'Orves », publiés aux Editions Plon, sont d'une élévation d'âme peu commune. Dans ce livre, on trouve également quelques très belles lettres de Maurice Barlier et des souvenirs sur Jean Doornik. J'ai également suivi, pour ce récit, les pages que Perraud-Charmantier consacre, dans son livre : *La Guerre en Bretagne*, au réseau nantais du commandant d'Estienne d'Orves. Enfin, Jean-François Follic, patron du bateau qui conduisit d'Estienne d'Orves et ses camarades en France, condamné à mort, puis gracié, a bien voulu me donner de nombreux détails.

★

Des centaines de milliers de Français opposés à l'armée allemande, à la politique de collaboration, sont passés, en quatre ans, dans les camps et les prisons. Ils y ont rencontré des milliers de Français arrêtés pour marché noir, achat d'or, vol ou recel, puisque le nombre des délits de droit commun augmente vertigineusement, passant, pour les vols seulement, de 35 000 en 1938 à 114 905 en 1942.

Etrange rassemblement du pur et de l'impur.

Et quel résistant n'a jamais fait de marché noir ? Et ne trouve-t-on pas, parmi les trafiquants, des opposants courageux ? Mais, enfermés dans la même prison, une ligne de démarcation les sépare.

Tous les détenus ont leur orgueil.

Les uns, celui de souffrir davantage ; les autres, celui d'avoir su profiter au maximum des troubles et des misères de l'époque.

Combien de prisonniers politiques ? Avec les années qui passent, il y a, dans leur masse, des additions et quelques soustractions, si bien qu'il est difficile de dresser un bilan d'ensemble.

En mai 1941, le gouvernement de Vichy se flatte que 30 000 communistes soient sous les verrous, dont 12 000 pour la seule zone non occupée. En 1941, plus de 37 000 arrestations ont été portées à la connaissance de la Délégation générale du Gouvernement pour les territoires occupés. En 1943, Otto Abetz signale que 40 000 personnes ont été arrêtées dans l'année pour « activités gaullistes, communistes et anti-allemandes ».

Mais c'est l'année 1944 qui sera la plus sévère. Les rafles se succèdent. 300 personnes arrêtées à la fois à Villeurbanne, 20 000 appréhendées en mars à Paris dont 1 500 seront emprisonnées, près de

10 000 arrestations pour la France en un seul mois. D'innombrables contrôles d'identité, des rafles parmi les récalcitrants au S. T. O., des rafles parmi les juifs, des rafles parmi les zazous, les turfistes, les amateurs diurnes de cinéma, les oisifs, contribuent à remplir les prisons comme les camps et à y rendre la vie quotidienne de plus en plus difficile.

★

Avant d'arriver à la prison, il faut supporter les coups qui suivent l'arrestation, subir les injures, les brutalités qui accompagnent le premier interrogatoire.

La prison, cependant, peut être un havre. Le lieutenant Devigny, qui a été suspendu par les bras et cravaché si fortement que, pour étouffer ses cris, un Allemand doit lui envelopper la tête d'une couverture, puis, pieds et mains liés, livré à un chien policier, avant de subir le supplice de la baignoire, l'accueille ainsi.

Pour son corps martyrisé, la paillasse de la cellule est une couche presque délectable.

Mais, pour les autres ? Pour tous ceux que leur destin conduit directement en prison et qui passent brutalement du grand jour de la salle à manger familiale à l'obscurité d'une cellule, des mille bruits de la vie : enfants, radio, charrettes, aux mille bruits de ces maisons de la mort ?

★

Les prisons se ressemblent presque toutes.

Et les prisonniers se ressemblent presque tous.

Des unes et des autres, on pourrait presque tracer un portrait type.

Le captif n'a guère le temps de contempler le porche de la prison sous lequel, sorti du fourgon cellulaire, on l'a poussé. Quelques minutes plus tard, il est jeté dans un trou noir de 3 mètres de long et 2 mètres de large dont, encore tout étourdi, il opère une prudente reconnaissance. Voilà une paillasse déchirée... du crin... une couverture grasse... une cruche placée sous un robinet et sur un orifice dont l'odeur indique assez l'usage.

Les heures passées au secret sont longues.

L'homme songe à sa femme, à ses enfants, à tous les siens, au travail abandonné : « Comment vont-ils gagner leur vie maintenant ? », aux camarades de réseau. Il est comme le fil de laine grâce auquel les Allemands pourront tout démailler. Il a faim, il a froid, il a peur et ces trois souffrances endurcissent les forts, rongent les faibles.

Enfin, des gardiens viennent, vingt-quatre ou quarante-huit heures plus tard, le tirer de son réduit. On le pousse dans une cellule de 4 mètres sur 2 m 50 où, au gré des événements, cinq, sept, dix, onze hommes sont déjà entassés.

« Alors, comment ça va dehors ?

— Où sont les Anglais ? Et les Russes, c'est vrai qu'ils ont repris Kharkov ?

— D'où es-tu ? Tu as des gosses ? Le ravitaillement est-il toujours aussi moche ?

— Pourquoi es-tu là ? »

Il faut répondre à un flot de questions. Faire connaissance avec les lieux et avec les hommes.

Il n'existe aucune homogénéité dans les prisons. Au Cherche-Midi, Fabre-Luce, qui est arrêté pour avoir écrit un trop intelligent *Journal de la France*, se trouve sur le même étage qu'un vendeur d'or, que Maurice, qui portait dans ses poches le plan des carrières de la région parisienne ; que Jacques I, arrêté pour avoir transporté 30 kilos de viande ; que Jacques II, qui a revêtu un uniforme allemand pour perquisitionner chez un juif ; que Gaston qui s'est caché dans un avion allemand prêt à s'envoler avec l'intention de tuer le pilote et de prendre sa place ; qu'Edouard, arrêté à la frontière espagnole.

A Fresnes, l'abbé Naudin qui, sous les coups des Allemands venus l'arrêter dans son presbytère toulousain, a eu ce cri admirable :

« Et puis merde après tout, vive la France ! »

A Fresnes, l'abbé Naudin verra passer dans sa cellule un jeune paysan, un ingénieur de la S. N. C. F., un gardien de la paix et un « mauvais garçon » qui, au bout de quelques jours de cohabitation, lui dira :

« Eh bien, maintenant, nous ferons tous la prière avec vous... »

Monde étrange et qui surprend le nouvel arrivant.

« Tu te mettras ici, tu es le dernier rentrant. »

Ici, c'est parfois le trou des cabinets d'où il faudra déménager bien souvent.

« Aujourd'hui, tu n'auras pas faim, lance celui qui a l'air d'être le chef de groupe. C'est toujours comme ça le premier jour ; alors on partagera ta ration. Demain, tu mangeras comme tout le monde. »

Il est préférable de ne pas protester. Il vaut mieux chercher à s'intégrer. Observer ce qui sera, pendant des jours et des jours, l'horizon quotidien.

Les murs, les murs gris, sales, rayés, tachés et qui servent souvent de calendrier (un trait ajouté à chaque aube nouvelle), qui servent d'aide-mémoire, qui remplacent l'ardoise de la vespasienne pour le dessin obscène, qui remplacent l'arbre où l'on grave et le cœur et la flèche ; « A ma Lucienne, A. F. » ; « Adieu ma bichette adorée » ; « Boisson Roger, 26-3-44, marié depuis deux mois et être là. »

Les murs qui témoignent de l'état civil de ceux qui se sont succédé : « André, instituteur, 21 ans 9 mois, entré le 9-11-43 à 24 heures » ; « Franz Fewerlich, fusillé le 18-8-44 comme Autrichien » ; « M. Serge arrêté pour une plaque de chocolat, entré le 25-9-42 ». Les murs qui portent, comme les cœurs, la faucille et le marteau, la croix de Lorraine et le crucifix « In hoc signo vinces ».

Les murs sur lesquels avec une pointe ou, comme Huguette Prunier, avec le manche d'une cuiller ébréchée, des mélancoliques, des obstinés tiennent un véritable journal de leurs rêves, de leurs souffrances, de leurs espoirs.

Appliqué comme un moine florentin, Louis Jaconelli, né à Aubervilliers, enfermé à Fresnes, raconte sa vie tout au long des murs de la cellule 35. Nous savons qu'il aime Rolande, voici le cœur percé d'une flèche avec les initiales R. L. et nous savons que ses camarades F. T. P. l'appellent « le valeureux ». Le jour de son anniversaire, il écrit :

« Aujourd'hui 14-5-44, j'ai 18 ans.

« J'ai passé mes 17 ans auprès de ma famille.

« Mes 18 ans en prison.

« Où passerai-je mes 19 ans ? »

et, pour évoquer les jours heureux à venir, il trace le plan de son futur appartement. Le garage est là, avec l'auto prête pour le week-end. Le salon a été dessiné avec une précision touchante : bibliothèque, fleurs dans les vases, tapis, horloge qui ne marquera que les heures du bonheur, crucifix au mur, rideaux aux fenêtres et les fenêtres ouvertes.

Ouvertes, dans cet univers sans fenêtres, ouvertes, les fenêtres de Louis Jaconelli sur le plus beau et le plus naïf des jardins. Quelle revanche sur la réalité ! Et puis voici des personnages. Devant la fenêtre, assis dans un fauteuil, Jaconelli fume la pipe. En face de lui, Rolande, son amour. Entre eux, deux tasses à café. Que se disent-ils dans les rêves de Louis Jaconelli, que se disent-ils prisonniers du mur, silhouettes dérisoires et réelles, que se disent-ils qu'ils ne se diront jamais [1] ?

Faire connaissance avec les murs épais, mal éclairés par une lucarne grillagée et inaccessible, les murs qui, cependant, ne sont pas assez puissants pour arrêter la transmission des nouvelles et des saluts amicaux — une longue, trois brèves, une longue, deux brèves — que ceux qui connaissent le morse pianotent d'une cellule à l'autre. Il faut 170 coups aux autres pour égrener les lettres qui forment la phrase rituelle « Quoi de nouveau ? » Il suffit de coller un quart en émail contre la paroi pour amplifier le son ou le recevoir à peu près convenablement. Ailleurs, c'est un tuyau fêlé qui permet de « téléphoner ». On converse aussi de porte à porte lorsque les gardiens se sont éloignés et qu'étendus à plat ventre sur le sol, le nez dans la poussière, contre la lourde porte, sous laquelle il y a toujours un interstice, des « bavards horizontaux », pour reprendre le mot de Fabre-Luce, s'interpellent.

Les bobards vont bon train. Ils passent sous les portes, s'amplifient, gonflés de cellule en cellule, de captif en captif, comme un torrent de mai.

La paix sera toujours signée pour Noël, il y a toujours une intervention du pape en préparation, Hitler est assassiné quatre fois l'an et les Russes avancent prodigieusement. Il suffit qu'un détenu

1. Louis Jaconelli a été déporté. D'après Henri Calet : « *Les Murs de Fresnes* » ; on a retrouvé « sa trace » à Dora.

crie : « Laval est parti » pour qu'aussitôt toute la prison remodèle la politique française. Or, il ne s'agit que d'un condamné transféré de Fresnes dans une autre prison !...

★

On guette les nouveaux, non seulement par curiosité légitime (ne va-t-on pas reconnaître un membre de son réseau ?) mais aussi dans l'espoir d'en obtenir des nouvelles. Les détenus, observant ce qui se passe dans la cour, ont parfois des surprises. Imagine-t-on celle des captifs de la prison militaire de Toulouse, à peine rentrés dans leur cellule, et voyant s'avancer dans la courette qu'ils viennent de quitter, le général de Lattre et trois officiers [1] ?

De Lattre, pour cette première « sortie », a revêtu son uniforme, il est ganté, botté de manière impeccable et porte sur la poitrine la plaque de grand officier de la Légion d'honneur. Il a veillé sur la tenue de ses officiers. Comme il fait froid, en novembre 42, l'un d'eux a disposé sa méchante couverture en burnous.

« Jetez cette guenille, dit de Lattre, d'un ton cassant ; je ne veux pas avoir à mes côtés un milicien espagnol... »

Le général n'a pas plus tôt commencé son tour de cour que toutes les têtes se montrent aux fenêtres. Les bavardages vont bon train, les imaginations galopent.

Un général de corps d'armée, on n'a encore jamais vu ça !

1. Arrêtés à la suite de leur tentative de résistance lors de l'entrée des Allemands en zone libre, le 11 novembre 1942.

De Lattre a l'air de ne pas prêter attention à ces mille curiosités.

Son heure de « sortie » achevée, il regagne la cellule 26, où il a placé, dès son arrivée, une photo de sa femme en robe de mariée, un fanion du 151e et un sabre familial.

Ses officiers, le colonel Morel, le commandant Constans, le lieutenant Perpère, réintègrent la cellule 25 dont la porte est d'ailleurs déverrouillée pendant la journée, ce qui facilite, on s'en doute, les rencontres entre le général et ses subordonnés.

Dans la journée, comme chaque jour, on refait le monde, la guerre, on revit surtout cette décevante équipée du 11 novembre où ces hommes avaient cru pouvoir faire rentrer l'armée française dans la guerre.

Le lendemain, l'heure de la « sortie » ramène le général et ses officiers dans la cour.

Maintenant, la prison ne se pose plus de questions.

Dès que les quatre hommes paraissent, les prisonniers se taisent un instant puis, d'une seule voix, entonnent *La Marseillaise*. De Lattre s'est arrêté, a fait face et, immobile, le visage tendu d'émotion, salue longuement.

Dans les escaliers, cependant, on entend une galopade de gardiens effrayés. Ils pénètrent dans la cour et ne sachant que faire, gagnés par la grandeur de l'instant, maîtrisés par l'immobilité du général, se découvrent et saluent...

De Lattre et ses officiers communiquèrent-ils des « nouvelles fraîches » aux prisonniers ? Sans doute. Mais, de mur en mur, les informations sont vite déformées ; ce qu'ils apportent de plus sûr, c'est un immense espoir. De romantiques et précises raisons de confiance.

Du dehors, par contre, parviennent des renseignements moins imprécis. Avec le linge sale que les gardiens remettent périodiquement aux familles, partent des messages écrits sur des feuilles de papier à cigarettes. Avec le linge propre arrivent les réponses que l'on glisse aussi, parfois, dans un double fond pratiqué aux pots de confiture ou aux pots de rillettes [1].

★

Il faut s'habituer à l'ouverture étroite par laquelle on aperçoit, en levant les yeux, un coin de ciel, s'habituer aux punaises (sept détenus de la prison de Saint-Paul, à Lyon, en écrasent 476 le 6 octobre 1942), aux puces et aux poux, à l'entassement, à la saleté révoltante.

Se laver dans la cour, du bout des doigts et sous un robinet collectif, est un privilège qui n'est pas accordé à tout le monde. Les « terroristes » en sont généralement privés. Comme ils sont assez souvent privés des « promenades » au cours desquelles les détenus tournent en rond — gauche ! gauche ! — au pas accéléré, pas assez vite, pas assez surveillés, cependant, pour être empêchés de se parler en hâte. Des mots qu'une grimace du visage déforme, que le vent emporte.

Il faut s'habituer à la maigre ration quotidienne.

Lorsque, dans le couloir, un tintamarre métallique annonce l'arrivée de la soupe, tous les prisonniers disposent leur gamelle au bord de la porte, sur la pierre usée par les pas et le temps. Puis ils se tournent face au mur. La porte s'ouvre.

1. Pierre Nord raconte (*Mes camarades sont morts*) comment Marchand put, grâce à un pot de rillettes, faire parvenir quatre messages à ses camarades et en sauver ainsi une trentaine de l'arrestation. Jean Nocher réussit également, bien qu'emprisonné, à alerter tout son réseau.

Encadrés de deux soldats, deux prisonniers en treillis gris, le crâne rasé, portent un grand bidon d'où monte un fumet aigre et peu appétissant : la soupe.

« Du fond, plonge au fond », murmure entre ses dents un prisonnier.

Mais, dans toutes les cellules, c'est la même comédie et les serveurs (les « Kalfactors »), qui ne sont plus accessibles à la pitié, à défaut de « rab de soupe », glissent parfois une information.

D'ailleurs, tous les prisonniers souffrent de la faim. En zone non occupée aussi bien qu'en zone occupée. Alors de temps à autre, la prison est comme secouée par une crise de rage. Les détenus frappent en cadence sur les portes en scandant :

« Du pain, du pain ! »

Ceux qui ont la chance de recevoir des colis partagent le plus souvent, avec leurs codétenus, la part que les gardiens veulent bien leur laisser.

Les paquets sont, en effet, inspectés avec minutie. Les parents et amis des détenus n'usent-ils pas de toutes les ruses pour correspondre ? Les noix sont interdites, le chocolat brisé, les gâteaux coupés en morceaux par une garde vigilante. Et le pain, où l'on trouva (à Marseille) une lettre de douze pages, sondé, morcelé.

Aussi, après l'inspection, les moindres épluchures sont-elles appréciées. A Nice, Roger Stéphane distribue les écorces d'orange et, dans la cour, lors des promenades, quelques détenus ramassent les noyaux des cerises pour les croquer !

On « échange » furieusement. Une alliance en or contre un paquet de tabac. Dix morceaux de sucre contre une cigarette.

Et il vaut mieux ne pas conserver trop longtemps ses provisions. Jean Nocher, qui a reçu une boîte de sardines, envoyée par le restaurateur

Fernand Point, réussit à la sauver des fouilles les plus sévères. Il crève de faim, mais il la garde comme l'unique réserve, la chance des jours difficiles. Enfin, il se décide, le 18 mars 1943, à l'ouvrir. Mais ouvrir une boîte de sardines, lorsque l'on est en prison, constitue un tour de force. Il faut trois heures de travail à Jean Nocher, qui se sert, en guise d'ouvre-boîte, d'un vieux débourre-pipe. Il a réussi, il va goûter aux sardines dorées, ruisselantes d'huile, grasses, lorsque le gardien en chef ouvre la porte.

Jean Nocher ne peut esquisser aucun geste.

Le gardien fait :

« Ho, ho... »

et emporte les sardines.

Nocher retourne à ses hallucinations : il a faim, il a soif et voit des jambons sur les murs.

L'élaboration de menus imaginaires et l'évocation des festins passés occupe une large place dans les discussions et dans les rêves.

« Chaque semaine, on bouffait un poulet. Et pas un petit ; moi, ce que je préfère, c'est l'aile.

— Un poulet, oui, je dis pas, mais c'est un peu fade.

— Fade ? Fade ? Vous entendez les gars. Sans charrier, t'en mangerais pas du poulet ?

— J'dis pas, moi ce que je préfère c'est une belle entrecôte, tu sais bien saignante, une comme ça, comme les deux mains, avec un bordeaux...

— Et les anguilles ?... »

Et les petits pois, et les asperges, et les frites, ah ! les frites, et le pot-au-feu qui tient au corps et un Pernod pour Arthur !

A Fresnes, Boris Vildé, qui appartient au Musée de l'Homme, rédige son Journal et, sachant que son exécution est proche, il imagine un dialogue « entre les deux moi, authentiques tous les deux », entre l'idéaliste et l'homme ordinaire, celui qui aime la vie, les bons repas, celui qui se souvient : « *Dis, cela ne te fait pas plaisir un bon dîner, par exemple ? Penses-y un peu ; pour commencer, une douzaine de marennes avec un Pouilly bien glacé, admirablement sec et âpre, un vin de précision, si je peux m'exprimer ainsi. Ensuite, une truite au bleu, à la chair tellement tendre qu'on est obligé, malgré soi, de penser à la loi de détournement des mineurs... Ensuite, Monsieur, que commandez-vous ? Une viande saignante, morceau de chair, cru, fort rouge, raffiné dans sa grossièreté ? Ou un honnête et bourgeois lapin à la moutarde. Peut-être un poulet demi-deuil, spécialité lyonnaise qu'on mange chez la mère Filloux, tu te rappelles. Et, pour arroser cela, nous demandons de nous bien chauffer un vieux Chambertin* 1916 (*celui qu'on peut encore avoir chez Hueter, à Carcassonne*), *et un Nuits-Caille, ou enfin un classique Pommard* 1926 — *bref un de ces vins faits avec du soleil, qui vous chauffent, vous soulèvent peu à peu dans la zone solaire du bien-être, de la sécurité, de la bienveillance, qui vous remplissent de reconnaissance envers la vie et le monde. Nous boirons le reste avec quelques fromages merveilleusement fins et pourris comme la prose d'Oscar Wilde (pardon de cette image). Pas de dessert ? Soit, mais un vrai café fort et amer, avec cet arôme exotique qui fait penser aux caravanes bédouines, aux vers de Goumileff, et à ta jeunesse à Berlin.* »

Comment n'évoqueraient-ils pas les plaisirs de la table ces hommes qui doivent se contenter d'un peu moins de 600 calories par jour !

Ces hommes qui (c'est arrivé à Lyon) gardent un mort cinq jours avec eux dans leur cellule, afin de toucher sa ration de pain !

C'est la faim et la misère qui inspirent à la

petite juive Françoise Franck, internée à Poitiers, cette lamentable chanson qu'il faut fredonner sur l'air de *Bel-Ami* :

Près de Poitiers dans les baraquements
les puces sautent, les rats grattent tout le temps
Toute la nuit on en a plein la tête
des rats grossiers, des souris qui font fête ;
Enfin le matin on se lève de bonne heure
pour l'appel qui fait tellement peur ;
un coup de sifflet résonne dans l'air.
C'est le « flic » qui s'énerve.

Refrain :

Les carottes, les navets et les choux
ça commence à nous rendre tous fous
pas de viande ni de gâteaux
on s'en passe bien quand il faut
les carottes, les navets et les choux[1].

Aussi le marché noir règne-t-il dans tous les camps où les détenus ont pu conserver un peu d'argent.

Dans le camp de Drancy où circulent « Légume » et « Rabiot », deux chiens dont les surnoms disent assez les préoccupations des internés, une carotte vaut 20 francs en 1943, et un oignon 80 francs.

Dans cet univers de la faim, les caractères sont quotidiennement mis à nu. A Drancy, une jeune juive nord-africaine propose à un vieillard, sur le point de partir en déportation, de faire cuire quelques œufs qu'il emporte pour le voyage. Il

1. Françoise Franck mourut en déportation.
Le père Fleury, aumônier d'un camp de gitans, voisin du camp juif, réussit parfois à améliorer le ravitaillement des internés et son action, morale aussi bien que matérielle, fut tout au long de la guerre, admirable.

acquiesce. Elle ne revient pas et revend les œufs, quelques minutes plus tard, 50 francs pièce !

Par contre, avant de partir pour l'Allemagne, le rabbin Elie Bloch partage une dernière fois, avec plus malheureux que lui, sa part de soupe et son pain.

Le marché noir est d'ailleurs bien souvent organisé par les gardiens... du moins lorsqu'il s'agit de gardiens français. A Drancy, à Gurs, à Argelès, dans les autres camps encore, des gendarmes améliorent sensiblement leur solde en vendant aux internés cigarettes (100 francs le paquet), vivres, livres, et en transportant le courrier...

★

Il faut s'habituer à l'argot des prisons. Tout un vocabulaire nouveau que vous « refilent » les « droit commun ». La porte s'appelle « la lourde », il y a « le doublard » (surveillant chef) et le « sous-mac » (directeur). La soupe, « la jaffe », est servie dans la « gauffe » (gamelle), par une « machinette » (voleur à la tire) escorté d'un « gaffe » (gardien).

Il faut s'habituer aux fouilles, à la douche froide que l'on partage à trois. Des gardiens sadiques battent le dernier déshabillé, puis le dernier rhabillé — il arrive que ce soit le même !

Il faut s'habituer à la promiscuité, aux mauvaises odeurs, aux bavardages, à la solitude impossible. Il faut s'habituer à vivre avec, derrière soi, le judas par lequel le surveillant épie ses captifs. Cette permanente possibilité d'espionnage, source de punitions nombreuses, dérange les nerfs, irrite le caractère.

Il faut s'habituer à la nuit.

Les punaises se laissent tomber du plafond, parfois dans la bouche, et les confondant avec une mie de pain, d'abord, on les roule sous la langue avant de les recracher avec horreur [1] ; les puces redoublent d'activité, le corps démange, on voudrait le gratter au sang. Personne ne dort. C'est l'heure où l'on songe plus encore aux femmes, aux enfants, à la vie qui continue, à la liberté des autres et à la douceur de la nuit.

Les corps se tournent et se retournent sur les mauvaises paillasses. Les hommes simulent le sommeil dans l'espoir de l'atteindre enfin.

Les coups reçus pendant les interrogatoires leur font mal à nouveau. Coups de poing, de nerfs de bœuf, de chaînes de bicyclette, étouffement de la baignoire. Et les hurlements.

« Veux-tu parler ? »

Les séductions. Les menaces.

« Bon, vous ne voulez pas chanter ? Préparez donc une électrode, non, deux électrodes pour Monsieur. Ce soir vous parlerez, vous parlerez et on ne pourra même pas vous arrêter.

— On prendra ta femme et tu sais ce qu'on lui fera... »

Comment tiendront-ils la prochaine fois ? Ils gémissent à demi. Ils songent aux camarades arrêtés, aux dénonciateurs, à ces hommes que l'on jette sanglants dans leur cellule et qui trouvent la force de dire :

« Allô ! Allô ! Ici Claude Lerude. J'ai été torturé aujourd'hui. Je suis à bout de forces. S'ils recommencent demain, je ne sais pas si je ne parlerai pas. Je m'en excuse auprès de vous, mes amis, et je vous en demande pardon. Pourtant, je vous promets de faire tout mon possible.

1. André Frossard : *La Maison des otages.*

— Allô ! Allô ! Ici Claude Lerude. J'ai été torturé, mais rassurez-vous, je n'ai rien dit [1]. »

Longue nuit.

★

Prisons ! Prisons dont les différences sont moins sensibles que les ressemblances. En zone libre, pendant deux ans, la nourriture est sans doute encore plus mauvaise qu'en zone occupée, mais l'absence des Allemands rend moins sévère le sort des internés. Ils peuvent recevoir avocats, aumôniers, assistantes sociales. Les évasions sont plus faciles. Plus faciles les complicités qui permettent l'acheminement de lettres et de colis. Mais ces « adoucissements » ne constituent pas la règle générale. D'ailleurs, les traditions du système pénitentiaire veulent que le détenu, quel que soit son crime et même s'il est emprisonné pour motif politique, ne soit plus un homme ; qu'il relève de l'aboiement et des injures.

Lorsque Roger Stéphane est conduit, en mai 1942, à la prison de Nice, le gardien chef, mécontent de la curiosité de son « client », hurle :

« T'as pas fini de regarder, non ! Tu verras si t'es ici pour ça. »

On lui fait remettre ses bijoux et, comme il déclare n'en pas avoir :

« T'as pas de stylo, non ?

— Si, mais j'en ai besoin.

— T'auras besoin de ce qu'on te laissera !... »

★

L'existence des « camps » se déroule en marge

1. Cité par Paul Guillaume, *Temps de l'héroïsme et de la trahison.*

des prisons. Ils constituent une réserve où l'on puisera pour déporter et fusiller.

C'est la masse de manœuvre de l'univers concentrationnaire.

On y mange mal. On y dort mal. A Argelès, les amputés doivent, comme les autres, coucher à même le sol, naturellement sans se déshabiller. Il n'y a pas assez de galoches et de sabots pour les internés qui doivent piétiner dans la boue où ils pataugent et s'enfoncent.

A Gurs, aller aux cabinets, en hiver, constitue un véritable tour de force. Il est préférable de rester dans les baraques.

Il n'y a pas assez de serviettes hygiéniques pour les femmes enfermées.

Pas assez de paille. Pas assez... Les camps ne sont pas faits pour la satisfaction des internés, n'est-ce pas ?

A Compiègne, antichambre de la déportation, les détenus ont des couchettes, des couvertures, des repas à peu près suffisants ; ils peuvent recevoir des colis, organiser des conférences. A Poitiers, 52 jeunes gitans, dont certains vont être déportés, peuvent recevoir la confirmation, mais tous ces adoucissements ressemblent au dernier verre de rhum du condamné.

De tous les camps, Drancy reste le plus célèbre. De loin, on dirait des maisons, de ces maisons où il fait bon vivre, aimer. Et ce sont des maisons transformées en prison, après avoir servi de caserne, parce que l'on ne sait plus où enfermer ces hommes, ces femmes, ces enfants qui sont nés avec le nez crochu, la lèvre pendante, les cheveux frisés.

Chaque bâtiment est donc habité de prisonniers ou de prisonnières regroupés par affinités nationales et sociales. Dans cet univers étrange, et qui a lui aussi son argot, on distingue donc « les escaliers » des Français d'origine, l' « escalier » des docteurs, celui des vieilles dames, l' « escalier zazou » où l'on danse souvent le soir, l' « escalier » des fortes têtes.

Les escaliers débouchent sur des chambres — il faudrait écrire des chambrées — dans lesquelles les lits s'entassent sur le sol de ciment.

Des lits en planches et à double étage, des lits pressés les uns contre les autres, qu'il faut, en hiver, littéralement disputer aux voleurs de bois, soucieux d'alimenter leurs feux clandestins, des lits entourés de cordes sur lesquelles sèchent des lessives multicolores, encombrés de valises, de paquets de linge. Dans chaque chambre, cinquante à soixante personnes — hommes ou femmes — vivent sans rien faire, sans aucune discipline. Cherche-t-on à faire travailler le bétail avant l'abattoir ? Et véritablement, il ne s'agit, à Drancy, que de constituer un réservoir humain où les Allemands puiseront pour les « besoins » de la déportation.

Presque rien à manger : deux louches de soupe par jour, 250 grammes de pain et parfois quelques topinambours ; le dimanche, une tranche de viande ; ordinaire que les plus fortunés et les plus heureux peuvent améliorer grâce aux colis familiaux et au marché noir, ordinaire dont sont obligés de se satisfaire la plupart des internés.

Après le réveil, après la première visite au « château rouge » (ce sont les waters), après l'appel, après les tâches ménagères, rien d'autre à faire qu'à attendre, attendre... rien d'autre à faire pour cette masse humaine qui n'a pas obtenu le divertissement et la cachette d'un travail dans les bureaux des persécuteurs.

Attendre, guetter. Quoi ?

La distribution des colis.

La distribution de la soupe.

La distribution des nouvelles qu'apportent les arrivants qui, encadrés de S. S., débarquent chaque après-midi d'un autobus appelé *Paris-Soir*.

La distribution de la mort.

Pour échapper aux déportations, on se cache comme on peut. On se cache dans la foule. On se cache en devenant une autorité puisque, à partir de ce jour de juillet 1943 où les Allemands dirigés par le S. S. Haupststurmführer Loys Brunner, qui a une longue expérience derrière lui (c'est son 19e camp !), accaparent la direction de Drancy, tous les services intérieurs, y compris le service d'ordre, seront occupés par des juifs.

C'est la tactique appliquée dans les ghettos polonais, comme dans les camps d'Allemagne.

A l'intérieur de leur prison, les juifs sont à la fois gardiens et prisonniers. Les gardiens-prisonniers, pour se croire des hommes libres, n'ont d'autre possibilité que de brutaliser une chair juive !

Il y a ainsi un chef de camp juif, un service d'ordre commandé par un préfet juif et toute une hiérarchie subtile de brigadiers-chefs, brigadiers et membres du service d'ordre au beau brassard générateur de puissance.

Les infirmiers, les pharmaciens, coiffeurs, cordonniers sont juifs également et ils se croient protégés. Ils ne le sont pas. Dans l'univers concentrationnaire, les cadavres sont indispensables. Pas les pharmaciens.

★

On peut chercher à s'évader. Le moral ne s'en porte que mieux. Réussir est une autre affaire.

Combien se sont évadés des camps de concentration et des prisons allemandes ? Bien peu en vérité. Il semble que le mauvais destin intervienne toujours à l'instant où les captifs touchent au but. Et pourtant que de ruses, que d'efforts !

Sous le bureau du commandement juif du camp de Drancy, près de l'escalier 22, des détenus ont entrepris la construction d'un tunnel. Un tunnel qui doit passer sous les barbelés et aboutir dans un abri contre les bombardements. Trois équipes se relaient pour creuser. 70 hommes au total. 70 hommes, protégés par la police juive et qui grattent la terre, découpent des lits pour en faire des poteaux de mine, transportent l'électricité dans leur sape de 1 m 20 de haut sur 60 centimètres de large.

Après quinze mètres de tunnel, les hommes étouffent. Ils travaillent à genoux, l'homme de tête muni d'une pioche pour creuser, d'une petite pelle pour remplir des seaux que des camarades se passent de main en main. Il fait trop chaud, l'air est irrespirable. Pour pouvoir continuer, « l'inventeur » du tunnel fait installer des ventilateurs électriques. Plus que cinq mètres avant la liberté, plus que quatre, plus que trois...

Comment, sur plus de cent personnes au courant, ne se trouverait-il pas un traître ? Les Allemands découvrent le tunnel alors que trois mètres à peine séparent le travailleur de tête de l'air libre.

Sans aucun souci de se priver de cadres, d'ailleurs infidèles, ils déportent immédiatement le commandant du camp, l'interprète, 65 brigadiers, sans compter le menu fretin des mineurs.

★

L'évasion d'une prison est rarement affaire collective. Il faut agir seul, ou avec quelque complicité du dehors, profiter des premiers jours lorsque les forces physiques ne sont pas encore atteintes, détourner l'attention d'une sentinelle comme fait Gatard à Limoges, qui pointe son doigt vers le ciel pour montrer un avion, et profite du moment d'inattention du garde pour l'étrangler à demi, faire le mur et s'enfuir [1]...

Il faut profiter, comme le fit notamment le lieutenant Devigny, qui venait cependant d'être torturé, d'un transport de la prison au siège de la Gestapo, pour sauter brusquement de la voiture, courir comme un fou vers un couloir, une maison inconnue, hostile, amie, on ne sait, vers la liberté ou la captivité et les coups [2].

Les évasions collectives ont lieu le plus souvent dans les trains, véritables prisons roulantes qui conduisent les captifs en Allemagne.

Evasions difficiles : les prisonniers ont réussi à cacher une scie à métaux ou une scie à bois ou bien ils en reçoivent des cheminots qui les dissimulent dans des pains.

Dans le wagon où ils sont entassés debout, accroupis, à 80, à 100, où ils se haïssent, où ils crèvent de chaleur ou de froid, dans le wagon empuanti par le tonneau dans lequel ils doivent vider leurs excréments, les détenus sont partagés

1. Malheureusement pour peu de mètres. Une sentinelle allemande avait, en effet, donné l'alerte et Gatard fut rejoint après s'être cassé la cheville droite et foulé la cheville gauche en sautant d'une hauteur de 8 mètres.

2. Au cours de cette première tentative d'évasion, Devigny, blessé par deux officiers allemands qui passaient par hasard, sera repris et affreusement torturé par ses gardiens furieux de l'avoir laissé échapper.

Cependant, sans se décourager, il reprendra ses tentatives d'évasion et, condamné à mort, réussira à s'échapper de la prison de Montluc. Un livre et un film ont illustré cet exploit hors du commun.

entre l'espoir et la crainte. Ceux que leur faiblesse physique empêche de s'évader voudraient retenir ceux qui découpent le bois des wagons et s'apprêtent à sauter.

« Lâcheurs, disent-ils au commandant Philippe et à ses camarades. Et puis vous avez pas entendu ce qu'ils ont dit au départ ? Dix fusillés pour chaque évadé !

— Vos gueules, hein, qui vous empêche de nous suivre ?... Trouillards !... Flanelles ! En tout cas, fermez ça, nous sommes tous Français ici ! »

Philippe, sans entendre les réponses, fait un paquet de ses vêtements : la chemise, les chaussettes, les deux slips et le morceau de savon dans une des chaussettes. Paquet qui est un dérisoire bouclier, un pare-choc pour l'homme qui plonge, tête la première, les mains devant le visage, entre les rails, en pleine aventure.

Trains de captifs, de femmes, d'enfants, le dernier train parti de Drancy, le 31 juillet 1944, comprendra uniquement des gosses, trains d'août 1944, bombardés, mitraillés, errant de gare en gare, cherchant par des voies détournées à rejoindre l'Allemagne, trains fantômes habités par des fantômes. Longue agonie.

★

Le 2 juillet 1944, les détenus politiques de la section française de la prison Saint-Michel de Toulouse sont livrés aux Allemands. Conduits à la gare ils y restent près de deux jours, dans des wagons presque hermétiquement clos depuis que les Allemands ont bouché toutes les ouvertures à l'aide de planches.

Des hommes défaillent.

Michel Bouzinac, un paralytique, âgé de 70 ans,

s'effondre. Un gosse de 16 ans, tuberculeux, tousse et crache. Rien à manger, à l'exception des vivres distribués par les quakers : un pain et une boîte de sardines pour deux hommes, un pain d'épice pour sept.

Les prisonniers ne peuvent voir ce qui se passe à l'extérieur. Lorsque le train s'ébranle le 3 au soir, d'autres wagons fermés sont venus s'ajouter aux wagons fermés et puants. Cinq cents hommes environ entament un voyage de cauchemar.

La ligne Toulouse-Brive a été coupée par le maquis, le train est dirigé vers Bordeaux, puis vers les Landes. Impasse. Il doit revenir à Bordeaux. En Gironde, le convoi est mitraillé par des Mosquitos. Les détenus fabriquent avec des chiffons un ersatz de drapeau français qu'ils réussissent à glisser à l'extérieur.

Comme la mitraille s'arrête, ils reportent le bénéfice de ce hasard sur leur emblème.

Les Allemands enterrent leurs deux morts ; puis on repart. A l'aventure des voies.

5 juillet. 6 juillet. Les gardiens ouvrent les portes une fois par jour. Pas plus d'un quart d'heure. Les prisonniers ont le droit de sortir pour aller faire leurs besoins entre les roues.

Et pour se débarrasser des morts.

Pour rejoindre Dachau, peut-on passer par Angoulême ? Le train atteint du moins la gare et les détenus reçoivent de la Croix-Rouge un accueil inoubliable : du pain, des fruits, de l'eau.

L'un d'entre eux, qui a cassé ses lunettes, demande à la sentinelle l'autorisation de les faire réparer.

« Sale terroriste, tu n'as pas besoin de voir. Ta gueule sera bientôt cassée. »

A quoi servent les lunettes, en effet, dans le monde concentrationnaire ? A quoi servent les lunettes dans ce wagon où il n'est pas besoin de voir, où chaque cahot du train remue des odeurs et précipite les corps les uns sur les autres.

Il y a les mouches. Les mouches sur les vivants qui sont déjà à demi morts. Les mouches qui se plantent aux coins des lèvres.

Le train siffle.

« Tu sais, toi, pour où on part ? »

Comment sauraient-ils ?

Le train avance lentement. Il fait chaud. Les poux et les puces bouffent la peau que les ongles arrachent.

« J'en ai tué quarante.

— Et moi soixante ; on se demande comment ils ont le temps d'se reproduire. »

Les poux.

Décidément, le train ne peut remonter vers le Nord. Alors, Bordeaux. Les prisonniers font des comparaisons entre les Croix-Rouges.

« A Angoulême, on avait mieux mangé. »

9 juillet, 10 juillet, 11 juillet. Trois jours à Bordeaux avec, dans le ventre, la tasse de vermicelle et la tranche de pain de la Croix-Rouge.

Le 12 juillet, à 2 heures du matin, on les fait tous (moins les morts) sortir des wagons.

« Schnell, schnell, rauss. »

Par les rues douces et désertes, par les rues sans noctambules, à travers la ville noire où nul ne viole le couvre-feu, le pitoyable convoi s'achemine vers la synagogue de la rue Labirat qui, depuis plusieurs mois, a été pillée, souillée, dévalisée.

Trois semaines de synagogue. Le dimanche, la Croix-Rouge fait parvenir aux internés du sucre, du beurre et des biscuits. Mais, ce jour-là, les Allemands suppriment la distribution de soupe quotidienne.

Le 10 août, tout le monde est ramené à la gare de

Bordeaux. Aux wagons anciens, on ajoute des wagons nouveaux et c'est un convoi renforcé qui s'éloigne en direction de Nîmes.

Comme Auschwitz est loin. Comme Dachau est loin.

Un quart d'heure de « liberté » chaque jour.

« Dis donc, il y a des femmes avec nous. »

C'est vrai, deux wagons de femmes, attelés à Bordeaux. Des femmes presque aussi sales, aussi pouilleuses que les hommes, et qui ne cherchent même plus à se cacher lorsqu'il faut aller sous les wagons, et que l'air n'est plus qu'une énorme puanteur immobile.

Deux jours à Nîmes.

« Il fait bien 70 dans ces putains de wagons. »

Patton est au Mans. Patton est à Chartres. Comment le sauraient-ils ? Ils savent seulement qu'il fait chaud, chaud à crever, qu'ils doivent manger du pain moisi, emporté de Bordeaux, et que, chaque soir, vingt à trente hommes par wagon tombent en syncope.

13 août, 14 août, 15 août, débarquement en Provence.

Comment le sauraient-ils ? Ah ! si, tout de même, les gardiens sont plus nerveux, les chasseurs alliés plus nombreux. Les trains tournent en rond comme des bêtes prises au piège.

Les chasseurs passent dans un rugissement de moteurs. Les hommes, qui ne peuvent sortir des wagons, se serrent les uns contre les autres. Les balles s'enfoncent dans un matelas humain. Si les Allemands voyaient le spectacle, ils entasseraient encore deux douzaines d'hommes par wagon. Comme la chair est compressible lorsqu'elle a peur ! Mais les Allemands ne voient rien, ils sont terrés dans les fossés et les tranchées, le dos rond sous la mitraille américaine.

Décidément, les trains n'avancent pas. Les terroristes et les bombardiers sont partout. Un peu de marche à pied pour la troupe.

Sans boire, ni manger, dans l'admirable vallée du Rhône, sans écouter les oiseaux, ni les enfants, avec, seulement, dans les oreilles, le cri des soldats, le choc des crosses sur le crâne de Jean Marty, sur les dents de Jean Marty. Des dents de vingt ans, ce n'est pas si facile à démolir.

19 août. De nouveau les wagons. C'est la grande fuite vers l'Allemagne. Les soldats passent avant les déportés. On les emporte tout de même, comme un bagage de viande faisandée. Les avions américains rôdaillent et attaquent. Trois morts et seize blessés dans un seul wagon. Fou de douleur, énergie décuplée, un détenu arrive à forcer la porte. Les Allemands tirent. Trois morts de plus.

Montélimar. Montélimar. Nom qui évoque la bonne odeur des foires de jadis, une odeur de sucre et de poussière, de parfum pour boniches, une odeur de poudre aussi.

Montélimar. Dans toutes les fêtes, les baraques de nougat sont placées à côté des tirs forains et jamais on n'aurait imaginé que le lent découpage de l'œil rouge des pigeons de carton et le mitraillage acharné des avions, ce pouvait être également de la poudre et des balles.

Montélimar. Rien à boire. Le sang des blessés sur les mains. Et les morts que l'on pousse dans les coins en attendant que les Allemands donnent l'autorisation de s'en débarrasser.

Montélimar, alerte. Valence, alerte. Les voies sont coupées. Les hommes doivent changer de train, « opérer des transbordements » comme s'ils étaient pressés de rentrer chez eux. Les Allemands leur font porter leurs bagages. Claude et Raymond Lévi sont chargés d'une caisse de bouteilles de vin. Défense de boire. Contre les tentations, une baïonnette.

21 août, Lyon. Puis Chalon. 2 400 grammes de pain pour 70 hommes.

Faites la division.

Un seau d'eau pour le wagon.

Le 24 août, chaque détenu reçoit dix biscuits, la population de Beaune apporte du vin, mais les soldats s'en emparent et s'enivrent.

Le train continue. Avec sa charge d'hommes. Et de haines. Ils sont trop malheureux, les prisonniers, pour s'estimer et s'entraider encore.

De temps à autre, il y a des évasions. A Valence, un cheminot a fait fuir onze détenus déguisés, malgré leurs haillons, en ouvriers de la voie. Dans certains wagons, à l'aide de pointes et de canifs, on travaille longuement, fébrilement, à faire un trou dans le plancher. Il faut des heures et des heures.

Le train continue.

A 22 heures, le 24 août, onze déportés sautent entre les rails.

Le douzième a une jambe coupée par le convoi qui roule à vingt kilomètres-heure.

Le treizième aussi.

Le train continue.

Les chars de Leclerc sont à la porte d'Italie.

★

Mourir le dernier jour lorsque la délivrance n'est plus qu'une question de minutes.

Dans leur cellule de la prison de Troyes, Jean Vernier, dit Bob, Claude Boucher, Roger Bruge, Louis Valli font la chasse aux puces.

Depuis quarante-cinq jours, ils sont ensemble. Ils connaissent par cœur les inscriptions sur les murs. « Ma petite Jane, je te donne tout. » « Demain, nous ne serons plus là. Adieu à tous et pensez à nous. »

Messages dans le vide, que les destinataires ne connaîtront jamais. Calendriers interrompus, traits de crayon, dont le dernier ouvre sur les grandes vacances de la mort.

Cheveux sur le front, chemises étalées devant eux, têtes baissées, les trois garçons s'efforcent de faire tomber les poux sur le tissu. De temps à autre, le craquement gras d'un parasite écrasé entre deux ongles.

« Combien Bob ?

— Douze.

— Ah ! décidément, t'es champion ! »

Après les poux, on tue les puces dans le pantalon et la chemise.

Puis, on tue le temps.

Ce n'est pas le plus facile.

Le temps ne s'attrape pas comme les puces, ne s'écrase pas comme les puces. C'est une mer, une angoisse dans laquelle on se noie.

Midi, le 22 août 1944. Comme tous les jours, c'est l'heure de la soupe. Après la soupe, rêverie sur la paillasse.

Soudain, Valli quitte son chalit et, prenant sa cuiller, colle son oreille à la cloison qui les sépare de la cellule numéro 2.

« Ils appellent, demande Bob.

— Je crois que oui. »

Par trois fois, la main de Valli projette avec force la queue de la cuiller contre le mur. Le contact est établi. Il faut faire silence. Etouffée, comme si elle traversait des épaisseurs de murs, une voix parvient :

« Les chars américains sont aux portes de Paris. »

Dans toutes les prisons de France, malgré les

rondes, les miradors et malgré les gardes, la même nouvelle passe les murs.

Ballon d'oxygène pour des milliers de prisonniers.

« Alors, ça y est, la libération est proche. Cette fois, les Allemands sont cuits. »

A Troyes, l'émotion est d'autant plus grande que l'on entend soudain le canon.

« Nous sommes sauvés, crie Valli, v'là les Américains ! »

Contre la porte, collés contre la porte comme contre le corps d'une femme amoureuse, contre la porte pour mieux en sentir les tressaillements, et pour être plus proches de cette liberté qui vient, les garçons écoutent le bruit charmant du canon.

Le bruit cesse.

« Y a plus rien. On se demande ce qu'ils attendent. »

Bob, soudain, secoue la main de Bruge.

« Ecoute un peu, on dirait qu'ils évacuent les femmes ! »

Valli fait la courte échelle à Boucher qui jette un coup d'œil entre les barreaux de la lucarne.

« On voit rien dans la cour, du côté du greffe y a un S.S. On voit rien, mais on entend crier les femmes.

— Qu'est-ce qu'ils peuvent bien foutre.

— Ils vont peut-être faire sauter la prison ou balancer des grenades dans les cellules, dit Bob.

— Non, mais t'es pas dingue. »

On entend maintenant du bruit dans le couloir.

Cellule numéro 1. Bruit des verrous, ordres gutturaux, piétinements. Mais comme tout cela est loin, imprécis. Est-ce que ça les concerne ? Rien qu'une angoisse au cœur comme chaque fois que la mort des autres vous frôle.

Cellule numéro 2. On entend distinctement. Les Allemands n'ont pas à prendre de précautions.

« Klein... Gobin... Bellet... Jean Vernier... Schnell. »

Jean Vernier, dit Bob, est l'hôte de la cellule numéro 3. Il a compris. Il serre la main des copains. Peut-être, tant qu'ils sont seuls encore, songe-t-il à les embrasser. Il ne le fait pas. Il dit simplement :

« Ça y est, les gars. »

Qu'est-ce qu'y est ? Peut-on fusiller des hommes parce que les Américains approchent ?

Qu'est-ce qu'y est ? La liberté ou la mort ?

La porte s'ouvre.

« Vernier, ici ?

— Oui, dit Bob qui s'avance, franchit la porte et disparaît.

— Louis Valli, schnell. »

Valli se laisse glisser de son chalit, passe devant l'officier allemand, puis revient précipitamment pour s'emparer de ses chaussures. On ne peut ni être libéré, ni mourir en chaussettes.

La porte est fermée. Dans la cellule, il ne reste plus que Roger Bruge et Claude Boucher. De sa poche, Boucher a tiré un chapelet et, silencieusement, ses lèvres forment une prière : *Je vous salue Marie... Notre Père... notre Père... maintenant et à l'heure de notre mort*. Sur les lèvres de Boucher, Bruge peut suivre la marche de la prière.

Les minutes passent.

De quel côté du mur est le salut ? Peut-être Valli, Vernier et les autres, ont-ils déjà été libérés. Peut-être ?... Les pas des gardiens reviennent vers les cellules.

Encore le bruit des verrous.

« Boucher Claude ! Los ! Schnell ! »

Pour serrer la main de Bruge, Boucher n'a pas

lâché son chapelet. Il ne dit pas un mot et s'en va vers son destin : *Notre Père qui êtes aux Cieux...* Bruge reste seul.

Que se passe-t-il ? Comme le temps est long. Il fait chaud. Une chaleur étouffante ! Dans la cour, un robinet coule. Dans la cour... Et puis, de nouveau, un gardien dans le couloir. De nouveau une porte qui s'ouvre.

« Boucher Claude. »

Bruge s'est relevé de sa paillasse. Pourra-t-il répondre ? Les mots viennent de très loin...

« Déjà... parti... »

Le gardien fronce le sourcil. A quoi songe ce terroriste ? A-t-il la prétention de s'évader par un mensonge. Petit Français ! Petit Français qui veut jouer au chat et à la souris.

« Quel nom ?

— Bruge Roger. »

Le soldat consulte sa liste. Il grommelle, mais, c'est l'évidence, il n'y a pas de Bruge Roger sur la liste. Les minutes n'en finissent pas. Et puis la porte se referme, poussée d'un grand coup de pied. Bruge Roger s'effondre sur la paillasse. L'angoisse lui ronge le ventre.

Soudain, dans le silence de la prison, se produit une chose extraordinaire, une chose folle : on entend le tintement de la cloche d'entrée. A-t-on idée de sonner à la porte d'une prison comme à la porte d'un couvent, d'un jardin de banlieue.

Mais la cloche continue, continue. Et les Allemands ne tirent pas. Le fou qui sonne, ce n'est pas le vent au moins, n'est pas encore mort. Il n'y a donc personne aux mitrailleuses, nul gardien dans la cour.

D'une cellule, on entend monter une voix.

« Ils sont partis ! Enfoncez les portes ! »

Roger Bruge se hisse sur son chalit, s'accroche

à un barreau de la lucarne. Dans la cour, il aperçoit un pompier casqué d'argent et une fille blonde.

Ce n'est pas un mirage.

Le pompier hurle.

« Patience les gars, patience, nous cherchons les clefs. »

Or et argent, ils avancent dans la cour. Allons, ce doit être un mirage.

La porte du couloir s'ouvre brutalement. On dirait que la prison explose. Puis les portes des cellules s'ouvrent à leur tour. Une. Deux. Trois. Un homme, au front couvert de sueur se rue sur Roger Bruge.

« Valli, où est Valli ? Je suis son frère.

— Valli ? Ils l'ont emmené il y a une heure. »

La jeune fille blonde presse Bruge.

« Allons, dépêchez-vous.

— Pourquoi, « ils » ne sont pas partis ?

— Mais non, ils vont sans doute revenir, filez vite. »

Ah ! oui, vite, vite la liberté.

Le dernier prisonnier à peine enfui, les S.S. reviennent à la prison pour chercher une nouvelle provision de cadavres.

Ils ne trouveront personne.

Mais quarante-neuf hommes ont été fusillés dans les champs de Creney : Valli, Bob, Boucher, les autres.

Les Américains sont aux portes de Paris.

Il fait beau.

CHAPITRE X

L'ARMÉE DE L'ARMISTICE

Il circule des mots atroces.

« Neuf mois de belote ; six semaines de course à pied. » « Croix de guerre ? Non. Croix du Sud. » « L'armée Ladoumègue. » « L'armée de la Dordogne. »

Oui, il circule des mots atroces sur cette armée battue, effondrée, volatilisée, ridiculisée et qui accepte la défaite comme un jugement de Dieu, sans même savoir, dans ses cantonnements hâtivement aménagés dans des départements depuis des siècles déshabitués de la guerre, sans même savoir qu'elle a largement payé le prix du sang et que ses pertes au combat devraient la protéger des injures.

En soixante jours, 92 000 morts, 120 000 blessés, c'est une « cadence » qui rappelle celle des grandes tragédies de la guerre victorieuse : l'autre [1].

1. Du 16 au 30 avril 1917, lors de l'offensive Nivelle, l'armée française perdit un peu plus de 30 000 morts.

Les troupes qui ont supporté le choc en Belgique, celles qui ont résisté autour de Lille, celles qui ont essayé de dresser une ligne de défense sur la Somme, celles qui ont tenu dans les blockhaus de la ligne Maginot ont été cruellement éprouvées.

Ce sont des régiments exsangues, chaque jour diminués, qui retraitent vers le Sud en se frayant un chemin à travers les mailles du filet allemand.

Lorsque le 71e R. I. A., qui a perdu 195 tués en un jour sur le plateau d'Acy, arrive le 22 juin à Eymoutiers, dans la Haute-Vienne, il ne dispose plus que de deux chefs de bataillon, 18 officiers, 443 sous-officiers et soldats sur un effectif initial de plus de 3 000 hommes.

Il y a pire encore.

A la VIIe Armée, qui a conservé quelque cohésion, la 19e Division — la plus forte — compte moins de 1 000 hommes, 23 mitrailleuses, 3 canons de 25, un canon de 47, un canon de 75.

La 4e Division d'infanterie coloniale et la 24e Division d'infanterie regroupent quelques centaines de fantassins dépourvus d'artillerie.

Quant à la 5e D. I. C., après de très durs combats contre les chars allemands, elle ne dispose plus que de 300 hommes en état de porter les armes.

Le 7 juin, il reste 199 chevaux sur 1 561 aux hommes du 58e R. A. D. Le 10, un régiment de la 7e Division nord-africaine a, pour seules armes, 7 fusils mitrailleurs et une mitrailleuse ; le 17, les hommes de la 3e Division cuirassée détruisent leur dernier char B.

★

Des hommes sont morts héroïquement, mais le désastre annule l'héroïsme.

Un peuple entier ne garde que le souvenir de sa peur et de sa honte.

Et les soldats eux-mêmes remâchent leur défaite.

La défaite est une herbe amère.

Personne cependant ne plaide coupable.

Généraux qui se plaignent des officiers de réserve :

« Trop d'instituteurs ; une sale mentalité ; en 1914, les instituteurs montaient les premiers à l'assaut, maintenant ils ne pensent qu'à se planquer [1]. »

Officiers qui se plaignent des généraux :

« Tous des vieilles culottes de peau. C'est à qui ne prendra pas de responsabilités. »

Officiers qui se plaignent des hommes qui se sont débandés, qu'un bruit de moteur d'avion jette dans les fossés... Des hommes qu'ils dépeignent gangrenés par le communisme, qui se plaignent des affectés spéciaux, des ivrognes, du sabotage dans les usines, des blockhaus sans canons, des canons sans munitions.

Hommes qui méprisent leurs officiers :

« Ils ont foutu le camp avec des poules. Nous, on se serait bien battus. Mais on nous disait de reculer, à pattes, bandes de vaches, alors quoi... D'ailleurs, on a été trahis. Le 9 mai, tout l'état-

1. « J'attire spécialement l'attention sur la très forte proportion d'instituteurs dans l'encadrement des corps de troupe d'infanterie de la 16e Région ; à titre d'exemple, je citerai le 143e Régiment d'Infanterie pour lequel cette proportion atteint exactement la moitié ; étant donné l'état d'esprit du corps enseignant primaire... il est nécessaire que cette situation... soit connue du Haut-Commandement. » Général Mithelhauser, rapport sur l'état de l'armée française au 7 mars 1936.

major de la IIe armée, il était au théâtre [1]. C'est bien fait pour leur gueule ! »

Aucune cohésion parmi les troupes qui refluent. Les armes collectives ont depuis longtemps été abandonnées devant les ponts coupés... ou pour accélérer la marche. Pas de cantonnements préparés. Pas de ravitaillement. Il faut « se débrouiller ». Se débrouiller pour vivre. Et pour mourir aussi.

Ceux qui veulent résister encore, ceux qui rêvent de défendre les berges paisibles de la Dordogne, ceux qui mettent un mauvais F. M. en batterie contre les avions doivent d'abord convaincre leurs camarades de fuite, personnages de hasard, soldats d'unités également débandées et avec qui on constitue des associations que la nuit et la peur nouent et dénouent sans cesse.

« Pour quoi faire ? Puisqu'on a perdu la guerre ? Se faire caner le dernier jour, ce serait trop bête ! »

Ils s'enfoncent vers le sud comme vers une Terre Promise sur laquelle luirait enfin l'étoile de la paix.

L'annonce de l'armistice les saisit dans d'humbles villages ensoleillés, à peine touchés par le désastre.

Dans un bistrot, les hommes, chez le curé ou le châtelain, les officiers, tous écoutent la radio. Voilà c'est fini. Ils ont échappé à la mort, échappé à la captivité.

Ils vont pouvoir se raser, se laver, s'asseoir, écrire, boire, manger, regarder le ciel autrement que pour y chercher les avions ennemis. Ils vont pouvoir se déchausser enfin.

Nombreux sont les officiers qui notent que *« la*

1. Au Théâtre aux Armées, à Vouziers (Commission d'enquête parlementaire, t. II, p. 519).

signature de l'armistice a bien été plutôt appréciée avec bonheur et gaieté par tous [1]. »

A Vauxains, près de Ribérac, lorsque les colonnes allemandes, refluant de zone libre, remontent vers le Nord, vers la toute neuve ligne de démarcation, elles passent entre une double haie de soldats français mal réveillés, à peine habillés, les mains dans les poches, la cigarette aux lèvres, curieux, indifférents ou ironiques devant le visage fatigué des vainqueurs.

Mais la première joie ne dure pas longtemps.

Il y a trop de morts, trop de prisonniers, trop de soldats déguenillés, il y a ces civils qui vous regardent d'un drôle d'air, ces monuments aux morts de l'autre guerre et la France abattue, la France oubliée dans le bonheur, mais à laquelle on se prend à songer comme à une pauvre femme douloureuse.

A côté de ceux qui soupirent de soulagement, il en est, en effet, qui pleurent, qui prennent le deuil, qui ont mal à l'âme et jurent de poursuivre le combat.

Le capitaine Noutary, qui commande le 1er bataillon du 7e R. I. C., demande à tous ses commandants de compagnie de faire des causeries aux hommes sur la « *partie qui continue et peut tourner à l'avantage de l'Angleterre* ».

A Brax, en Haute-Garonne, dans la vieille salle à manger de la maison familiale des Coligny, le colonel Malraison réunit ses officiers :

D'ici quelques jours, vous serez démobilisés, tout au moins provisoirement. Pendant que je suis encore votre chef, laissez-moi vous fixer votre mission future : Dès demain, être prêts pour la revanche ! Tel est le but, à vous le choix des moyens !

Une nouvelle armée va naître, faible en effectifs

1. Tony de Vibraye : *Avec mon groupe de reconnaissance.*

et en moyens, elle devra préparer l'avenir et son rôle sera capital.

★

Une nouvelle armée va naître ? En attendant, conformément à l'article 4 de la convention d'armistice, la France licencie les restes de ses régiments.

Non sans avoir tenté de les reprendre en main par des prises d'armes, des remises de décorations, parfois abusives (le commandant d'un groupe d'armées ne décide-t-il pas de faire citer tous les soldats encore en possession de leur fusil [1] ?), des discours qui ont pour but de recréer un moral, de faire oublier certaines veuleries, d'affirmer que la France et l'armée continuent. Les officiers qui prennent la parole paraphrasent, à peu près tous, les premiers discours du maréchal Pétain : « *Les peuples, comme les individus, ne font de grandes choses que s'ils ont un idéal. Depuis cinquante ans, une vague de matérialisme a submergé la France en ruinant petit à petit les croyances les plus sacrées et en apportant un appétit de jouissance. Il n'y avait plus de devoirs, chacun ne parlait que de ses droits* [2]. »

Le 26 juin a été journée de deuil national.

A quelques jours de la défaite totale, l'armée, qui va se disperser, « célèbre » le 14 juillet. Pour la plupart des soldats, c'est la dernière cérémonie militaire à laquelle ils participent. Selon l'humeur des chefs, ce 14 juillet, où il faut écouter *La Marseillaise* sans songer aux paroles, prend une al-

1. Ces citations seront supprimées quelques semaines plus tard par le général Weygand, ainsi que beaucoup des citations des états-majors.

2. Discours du colonel Laborderie, cité par Paul Ribers : « Flèches ouvrantes. »

lure plus ou moins martiale, plus ou moins bonhomme.

Faire sonner le pavé, jouer le *Chant du Départ*, évoquer « cette victoire en chantant » qui « ouvre les barrières », n'est-ce pas un affreux témoignage d'inconscience ? Mais, d'autre part, ne faut-il pas profiter des circonstances (et des sonneries de clairons et des musiques) pour, une dernière fois, remuer les âmes ?...

Dans l'attente de la démobilisation qui, en quelques semaines, va toucher 1 600 000 hommes, le farniente est total. La quête des nouvelles reste la plus importante occupation des hommes. Réinstallés déjà dans la vie civile, ils s'inquiètent de leur famille et de leur travail [1].

Puis on leur verse une prime de démobilisation de 1 000 francs « pour faciliter leur réadaptation » et les voici redevenus plombiers, maçons, instituteurs, architectes, médecins, laboureurs. Les régiments qu'ils abandonnent, de vieux régiments nés sous la Royauté, ayant connu les batailles de l'Empire, se dégonflent, réduits à une poignée de sous-officiers de carrière et aux jeunes des classes 38 et 39, avant d'être définitivement dissous.

★

La vengeance est un plat qui se mange froid.

Lorsque le général Huntziger sort du wagon de Rethondes et téléphone au général Weygand les conditions de l'armistice, il précise que Keitel a fixé à 100 000 hommes l'effectif que la France pourra conserver sous les armes.

« C'est l'effectif de l'armée que le traité de Versailles accordait à l'Allemagne », ajoute-t-il.

Weygand a bien dû y songer !

1. Certains, notamment ceux habitant la zone interdite, devront attendre plusieurs années avant de rejoindre leur domicile.

De Rethondes 1918 à Rethondes 1940, de l'armée allemande imposée par le traité de Versailles à l'armée française dont les Allemands, siégeant à la Commission d'armistice de Wiesbaden, accepteront enfin, en août 1940, le projet d'organisation, il y a de volontaires similitudes.

Si le vainqueur cherche à garotter et à humilier le vaincu, le vaincu s'efforce, en 1940 comme en 1919, de se libérer discrètement.

Dès les premiers jours de juillet 1940, le général Colson, ministre de la Guerre, adresse une lettre manuscrite à chacun des commandants des régions militaires pour les inviter à camoufler le matériel et les approvisionnements.

Mais, officiellement, l'armée de l'armistice comprendra seulement 100 000 militaires de carrière stationnés en métropole. Aucune motorisation, à l'exception d'un escadron de huit autos-mitrailleuses par régiment de cavalerie et d'une batterie par régiment d'artillerie. Pas d'artillerie lourde ni de blindés. Des chevaux, des 75, modèle 1897, des bicyclettes.

Peu de D. C. A. Une maigre aviation qui fut cependant autorisée, en juillet 1941, à fabriquer, en zone sud, 600 avions de guerre [1].

La marine est un peu moins maltraitée. Elle conserve 60 000 hommes et un certain nombre d'unités. Ses navires (désarmés ou non) sont tous restés ancrés dans les ports français. De tragédie en tragédie, de Mers-el-Kébir à Toulon, par la faute des alliés comme des ennemis de la France, elle perdra tout ce qu'elle avait pu sauver, mais, à la fin de juin 1940, elle représente toujours une force imposante et moderne.

1. En contrepartie, les usines de zone nord devaient construire 3 000 avions de transport ou d'école pour l'Allemagne.

La petite armée de terre compte huit divisions implantées autour de Bourg, Châteauroux, Limoges, Clermont-Ferrand, Lyon, Marseille, Montpellier, Toulouse, et cette armée dérisoire a toutes les peines du monde à recruter des volontaires.

Les vaincus n'attirent pas la jeunesse.

Aussi, l'armée de l'armistice s'efforce-t-elle, en donnant quelques coups de pouce à l'Histoire récente, en copiant quelquefois sur l'adversaire, en exaltant la fierté des siens, en exagérant la valeur de ses pauvres armes, d'offrir à ce morceau de France sur lequel elle stationne, l'image d'une troupe non seulement rajeunie, mais nouvelle et révolutionnaire.

Elle promet la gloire : « *Jeunes gens,* disent les brochures de propagande, *engagez-vous au* 15e *Régiment d'Artillerie pour continuer en zone libre les traditions de ces glorieux aînés.*

Que vous soyez à Montpellier, à Carcassonne ou à Castres, dans une unité hippomobile ou automobile, que vous conduisiez les pièces ou que vous les serviez, vous entreprendrez une carrière intéressante et vous concourrez activement au relèvement de la France. »

Elle insiste sur l'importance des soldes : « *La solde des caporaux, augmentée le cas échéant des indemnités diverses, s'élève de* 4 320 *à* 6 840 *francs, celle des soldats de* 1re *classe de* 3 960 *à* 6 210 *et celle des soldats de* 2e *classe de* 3 600 *à* 5 700. »

Enfin, dans une époque de ravitaillement difficile, les « sergents recruteurs » de l'armée nouvelle n'hésitent pas à souligner « *que le rationnement des militaires est calculé beaucoup plus largement que celui des civils.* »

Veut-on définir l'armée de l'armistice, il faut écrire qu'elle est généralement antiallemande et « pétainiste », cocardière et lunaire, prise entre le désir de se battre à nouveau, et la crainte de le faire illégalement.

Enviant les hommes de Bir-Hakeim, mais ne voulant pas d'une gloire qui débute par la désobéissance, elle est prisonnière de ce serment que le Maréchal exigera, serment qui sera un paravent commode pour quelques-uns, mais qui troublera et asservira les meilleurs, désespérés d'avoir à renier un jour leur parole pour servir comme il faut leur pays [1].

Armée attachée à ses traditions... mais à ses avantages aussi.

La possibilité de résister sans espoir aux Allemands, en novembre 1942, n'est pas accueillie avec enthousiasme dans tous les quartiers et un colonel a ce mot affreux mais révélateur, ce mot de mauvais fonctionnaire :

« J'ai maintenant trois ans de grade et je compte bien figurer au prochain tableau, dit-il à ceux qui le pressent de rejoindre le général de Lattre. Il ne peut être question pour moi de songer à autre chose et de faire des fantaisies ! »

Tendant un rôle important dans le royaume de Vichy, l'armée n'en a aucun dans le monde en guerre. Forte de son expérience victorieuse de 1918, aigrie par son expérience manquée de 1940, elle en vient à méjuger ceux qui se battent à travers le monde et tout particulièrement les Anglais « mauvais fantassins », les Américains « sans expérience », les Russes « tous des sauvages ».

Sa force peut faire peur un moment aux parlementaires rassemblés à Vichy ; elle ne représente

1. Réclamé par l'acte constitutionnel n° 8, en date du 14 août 1941, le serment était le suivant : « Je jure fidélité à la personne du chef de l'Etat, promettant de lui obéir en tout ce qu'il commandera pour le bien du service et le succès des armes de la France. »

rien face aux géants qui continuent le combat.

Ses actes ne seront jamais à la hauteur de ses rêves. On le verra notamment le 11 novembre 1942. L'armée de l'armistice ne prouvera son effacité, ne trouvera sa justification qu'après sa destruction : comme noyau d'une partie de la résistance armée et des troupes qui libéreront l'Italie et la France.

★

Revues. Fêtes. 100 000 personnes acclament le général de Saint-Vincent, gouverneur militaire de Lyon, lorsqu'une jeune Lorraine lui remet des fleurs au nom de ses compatriotes. On crie « Vive l'armée » avec émotion devant les voitures rouges des sapeurs-pompiers, comme devant le 135ᵉ régiment d'infanterie, les deux bataillons d'alpins gantés de blanc, les cyclistes qui ferment la marche.

100 000 Lyonnais, à qui les vélos français font oublier les chars et les avions allemands, ont, pour une heure, l'illusion de la grandeur retrouvée.

Nîmes. La fête du 4 mai 1941 est donnée au profit des Soupes d'Entraide, mais, dans les arènes où se pressent 25 000 Nîmois, c'est, avant tout, une fête militaire.

La foule s'immobilise pendant l'envoi des couleurs tandis que, salué par les fanfares du 7ᵉ régiment de chasseurs à cheval et du 10ᵉ régiment d'artillerie coloniale, le drapeau monte lentement dans le ciel.

Concours hippique, jeux d'adresse à cheval, match de horse-ball, rétrospective historique de la cavalerie à travers les âges.

On a déguisé des hommes du 10ᵉ R. A. C. en soldats romains ; lancés à pleine vitesse sur leurs chars, ils soulèvent une épaisse poussière, pressent leurs bêtes, se laissent griser par les acclamations d'une foule qui se prend au jeu. Puis les cavaliers de l'Ecole militaire d'artillerie présentent une reconstitution du jeu de la quintaine. Défilent ensuite les cavaliers de Louis XIII, les sabreurs du Premier Empire, les dragons de 1914. L'émotion patriotique monte et éclate lorsque les étendards des unités qui ont participé à la fête hippique font leur entrée sur la piste.

Dans leur poche, bien des adolescents emportent les prospectus que des soldats leur ont distribués.

Jeunes gens...
Qui assistez à cette Fête hippique
Engagez-vous
dans les armes montées
de l'armée nouvelle
Cavalerie (*7e Régiment de Chasseurs à cheval à Nîmes*)
Artillerie (*10e Régiment d'Artillerie coloniale, Nîmes, Marseille, Draguignan*).
Vive la France. Vive Pétain.

★

De l'humiliation, cette minuscule armée de piétons passe aisément à l'orgueil.

Des chefs essaient de ranimer les sentiments de fierté.

Le colonel Schlesser, commandant le 2e Dragons, en garnison à Auch, dit à ses hommes : *Il faut être contre les résignés, contre les désespérés, contre les impuissants. Ne soyons pas de ceux qui doutent du soleil quand le temps est sombre, de ceux qui doutent de l'amour pour avoir connu la haine.*

Soyons nets, impeccables, élégants. L'élégance n'est pas seulement dans un pli bien fait du pantalon, elle est aussi dans l'allure, dans la démarche. Soyez contre tous les relâchements, haïssez le débraillé.

Il veut une unité impeccable et hausse les épaules lorsqu'on lui répète que des esprits malicieux chansonnent ces dragons « qui se promènent avec des pompons aux chaussettes et des plumets sur leur calot ».

La caserne, souillée par des milliers de démobilisés, a été nettoyée, les chambrées repeintes, un foyer créé de toutes pièces, l'instruction militaire intensifiée.

Chaque dimanche soir, le salut aux couleurs prend l'allure d'une manifestation à laquelle toute la ville est associée.

Cette armée, qui n'a pas pu protéger la France de l'invasion vient souvent au secours des Français malheureux. Les prisonniers font défaut pour la moisson et les vendanges. On s'efforcera de les remplacer par des démobilisés de zone occupée ou de zone interdite et qui ne peuvent, encore, rejoindre leurs foyers.

Au début de juillet 1940, 1 139 soldats encadrés de 129 sous-officiers, commandés par 34 officiers, sont mis à la disposition des cultivateurs de l'Indre, de l'Indre-et-Loire, de la Vienne et du Cher.

En 1941, cette action est intensifiée. Les détachements envoyés dans les villages ne se contentent pas de participer aux travaux des champs. A Levroux, dans l'Indre, les hommes de la 3ᵉ batterie du 72ᵉ R. A. et de la 1ʳᵉ section du 1ᵉʳ bataillon du 1ᵉʳ R. I., qui ont aidé à rentrer d'imposantes moissons, assistent le 3 août à une grande manifestation patriotique et, le 31 août, à la fête de la Légion.

La population se montre satisfaite du travail de ces garçons où il ne se trouve pourtant qu'un tiers de paysans. Les maires écrivent. Le maire d'Osmery signale qu'il a vu « *un petit aspirant... avec les mains toutes mutilées par les ampoules, alors on ne peut pas dire qu'il n'a pas travaillé* ». Celui de Poitieux remarque que tous les soldats « *se sont conduits d'une manière irréprochable, s'adaptant aux différents travaux que dictaient les intempéries. Tout cela est un honneur pour ceux qui les commandent et rentre dans le cadre des ordres donnés par notre chef, le maréchal Pétain* ».

★

Avant les hommes : les chefs.

Opme. Un village du plateau de Gergovie à demi abandonné depuis près d'un siècle. De la pierraille et des tuiles brûlées de soleil. De vieux paysans encagnardés dans des demeures fatiguées. Le vent. L'hiver, le grand froid. Pas de cafés, pas de cinémas, pas de filles.

Ce dénuement a tenté le général de Lattre de Tassigny qui commande la 13e division militaire. Il a le goût du faste et de l'effort. Quelques siècles plus tôt, il aurait été maître d'œuvre d'une cathédrale. 300 jeunes hommes — officiers et sous-officiers — se mettent au travail pour bâtir leur école militaire des cadres. Piscine, ateliers, maisons construites pour chaque groupe. De Lattre mène son monde rudement, imposant aux terrassiers-soldats des « pointes d'effort » allant jusqu'à quinze et même dix-huit heures de travail continu.

Opme possède sa section de maquettisme, sa section de décoration, de jardinage, son imprimerie d'où sortent les directives du général, coulées dans le moule de la Révolution nationale.

Le pays tout entier avait perdu le sens de l'effort ; réduction des heures de travail, préoccupation constante des loisirs traduisaient cet état d'esprit. La discipline disparaissait. Les chefs étaient critiqués, discutés, désobéis... Donner à nos jeunes cadres un esprit nouveau, leur donner une doctrine, des méthodes, en faire des chefs, tel est le but que se propose l'école d'Opme.

Sortant sans hésitation des sentiers battus, ne se laissant influencer par aucun esprit de routine, elle rénovera notre armée en lui donnant des cadres jeunes, non seulement par le cœur et l'esprit, des cadres ardents, durs mais compréhensifs [1].

Cette volonté de jeunesse totale — l'armée, prolongement du scoutisme, préfiguration parfois du maquis — les Saint-Cyriens, repliés à Aix-en-Provence, l'ont également [2].

Les 15, 16, 17 août 1941, les voici courant la campagne provençale. La 1re Compagnie gagne Lourmarin, la 2e Jonques, la 3e Rognes. Excursions, compétitions sportives, enquêtes auprès des paysans, feux de camp illuminant les façades des vieux châteaux, chant de la *Marche Lorraine* et les vieux réfugiés messins pleurent. Certes. Mais l'armée ne saurait oublier qu'elle est au service, sinon d'une politique, au moins d'un homme.

Généralement antiallemande, mais captive d'une discipline, dont elle cherche à renforcer plus qu'à atténuer les rigueurs, ayant foi en son imprécise mission, elle demeure l'un des refuges du pétainisme actif. Pour beaucoup d'officiers, qui ont médité les leçons du redressement prussien de 1813 et du redressement allemand après 1918, la temporisation, la collaboration politique doivent permettre de mieux « rouler » l'occupant en préparant une armée qui, l'heure venue, rentrera dans la guerre et sera peut-être même en mesure — fol espoir

1. Directive N° 5.

2. Trois promotions sortiront d'Aix-en-Provence. La promotion « Maréchal Pétain », 1940-1942, forte de 202 élèves ; la promotion « Charles de Foucauld », 213 élèves, et la promotion « Croix-de-Provence », 355 élèves.

mais espoir entretenu dans bien des popotes — d'arbitrer la situation.

Rares sont ceux qui, à l'exemple d'Henry Frenay, pensent que l'armée d'armistice n'est, en somme, qu'une grande illusion.

« Mon général, réplique-t-il au sous-chef d'état-major qui le presse de ne pas démissionner, je ne resterai pas, car je suis dans la situation d'un prêtre qui a perdu la foi et à qui son évêque propose de changer de paroisse ! »

Ses camarades n'ont pas perdu la foi.

Passionnés par le flux et le reflux des armées en Libye, discutant des chances soviétiques sans en donner bien cher, camouflant du matériel autant par jeu et par fronde que par volonté de s'en servir un jour, les officiers de l'armée de l'armistice entretiennent dans les villes où ils campent, dans les villages qu'ils parcourent, la flamme patriotique et la mystique du Maréchal. Associée à la Légion des combattants pour les cérémonies devant les drapeaux et les monuments, l'armée l'est aussi, bien souvent, aux curés des paroisses.

« *A l'église,* dit un récit sur l'excursion des Saint-Cyriens en Provence, *à l'église, la présence de nombreux aspirants a été d'un exemple salutaire pour certains Provençaux qui, d'ailleurs, religieux par tradition et par sentiment, n'osent pas prendre parti hardiment.* »

Les commandants d'unités n'hésitent pas à s'aventurer sur des chemins nouveaux et certaines initiatives, certaines allocutions témoignent d'autant de candeur que de foi patriotique.

★

Toute cette agitation déplaît d'ailleurs à la presse

parisienne qui en dénonce la naïveté et les périls. Au cours de l'été 1942, Marcel Déat consacre un article aux « *militaires camouflés en instructeurs et en moniteurs, voire en éducateurs, qui déversent sur* (des) *crânes adolescents un intarissable flot de balivernes.* »

Mais il s'inquiète également « *des propos funambulesques tenus par tel porteur d'étoiles, qui évoque ouvertement devant des officiers la reprise, à terme indéterminé mais proche, d'on ne sait quelles opérations offensives.* »

Car l'armée ne saurait se contenter de jouer les marieuses, de chanter *Là-haut sur la montagne l'était un beau chalet*... d'acheter des fermes, d'engraisser des cochons, d'élever des pigeons et des lapins, de fabriquer du charbon de bois [1]...

Son rôle est de préparer la rentrée dans la guerre [2]. Dans la plupart des garnisons, les officiers ne se privent pas d'exalter chez leurs hommes de furieux sentiments de revanche. Tous les moyens sont bons.

En octobre 1940, le colonel Malraison décide que son papier à lettre officiel sera marqué de la cathédrale de Strasbourg et de la devise : *Quand même.* Les hommes de sa demi-brigade de chasseurs chantent :

Vous n'aurez pas l'Alsace et la Lorraine
Et malgré vous nous resterons Français.

1. A Saint-Paul-lès-Durance, la 15ᵉ Région militaire avait créé, pour les démobilisés restant à sa charge, un centre rural dont le clapier et le pigeonnier pouvaient fournir de 500 à 1 000 kilos de viande mensuellement ; un jardin potager de 5 hectares ; des champs de 83 hectares fournissaient, d'autre part, légumes et pommes de terre.

2. Bouthillier, qui fut ministre des Finances, souligne que les crédits militaires de 1942 représentaient plus de 80 % des crédits du budget de 1939.

Aux autorités, qui protestent... parfois pour la forme, Malraison réplique :

1. — *Il est exact que les deux fanfares de ma demi-brigade présentes à Annecy ont, parmi* 20 *autres, sonné et chanté* Alsace-Lorraine.

2. — *Il s'agit d'une marche écrite il y a soixante-dix ans et qui, depuis lors, n'a cessé d'être sonnée par toutes les fanfares de Chasseurs.*

3. — *Cette marche ne saurait être « manifestement hostile aux puissances de l'Axe » puisque sa partition et ses paroles furent écrites trois quarts de siècle presque avant que l'Axe ne voie le jour.*

Lorsque le colonel Malraison apprend que des communistes ont été fusillés à Châteaubriant, il réunit sa troupe, fait sonner aux morts et réclame de ses officiers et de ses soldats un serment de vengeance.

Ces manifestations patriotiques, qui se répètent en de nombreuses villes, enflamment aisément une partie de l'opinion. Des incidents éclatent entre civils et soldats allemands des commissions de contrôle. Incidents mineurs, mais significatifs. Le 30 janvier 1941, à Montpellier, un civil arrache son calot à un soldat qui se rendait à l'hôtel du Midi. Le 8 février, à Mâcon, deux chauffeurs allemands, qui dînent à l'hôtel Bellevue, ont la surprise de retrouver leurs voitures sans roues de secours. Le chef d'état-major de la subdivision de Carcassonne refuse « dans une forme des plus inconvenantes », affirme la note de protestation allemande, des renseignements à l'officier de contrôle allemand.

A Montpellier encore, des manifestations anti-allemandes ont lieu devant les hôtels d'Hagurlone et d'Angleterre occupés par les militaires de la Commission de contrôle.

Une quinzaine de soldats allemands se sont mis au balcon au moment où une unité française du service d'honneur traversait la rue ; la foule qui les voit rire et prendre des photographies réagit immédiatement avec violence, crie, proteste et menace...

★

Cette armée sans importance intéresse cependant les Allemands. Comment pourraient-ils oublier que leur Wehrmacht, plus moderne et plus jeune que toutes les armées concurrentes, a surgi du désastre de Versailles ?

Aussi, leurs agents sont-ils nombreux en zone libre [1]. En 1941, la seule brigade de surveillance du territoire de Marseille en arrêtera plus de 150 ; une trentaine d'entre eux, dévoilés par le 2e Bureau, qui n'a jamais cessé de fonctionner malgré les prescriptions de l'armistice, seront jugés et exécutés, beaucoup d'autres verront leur peine commuée lorsque les Allemands interviendront brutalement. Que cherchent ces espions ? La preuve que l'armée de l'armistice camoufle des armes.

Et c'est vrai. Sur une assez vaste échelle, la nouvelle armée s'emploie à sauver tout ce qui peut être sauvé de ce matériel épars en pleine campagne — il y a 7 000 voitures à Picquecailloux en Dordogne — et dont les Allemands réclament le contrôle et la cession.

Dans les châteaux, les chantiers de jeunesse, les carrières, les brigades de gendarmerie, on dissimule des armes. Munitions dans les barriques, fusils mitrailleurs dans la paille des greniers,

1. « Il nous faut plus de 30 000 agents », répétait fréquemment le chef du contre-espionnage allemand en France. Cité par Pierre Nord : *Mes Camarades sont morts.*

autos-mitrailleuses protégées par une ou deux charrettes dans les granges.

Les chiffres ne sont pas aussi dérisoires que pourraient le laisser croire ces modes enfantins de dissimulation. Pendant l'hiver 1940-1941, 65 000 fusils, 9 500 mitrailleuses et fusils mitrailleurs, 200 mortiers, 55 canons de 75, des canons antichars et antiaériens sont ainsi « récupérés ». A la fin de l'année 1941, le général Picquendar évaluera à 15 ou 18 milliards la valeur des armes et munitions ainsi soustraites à l'ennemi. La nuit venue, des sous-officiers camouflés, eux aussi, sous le veston élimé du paysan ou le bleu du garagiste, vont surveiller et entretenir leur matériel [1].

Le service de conservation du matériel (C.D.M.), créé par le commandant Mollard, fait fabriquer des tourelles d'autos-mitrailleuses pour armer 250 châssis de camions américains radicalement modifiés. Mieux encore. Pour faciliter une future mobilisation, il dissimule « au grand jour » des milliers de camions militaires échoués, depuis la défaite, dans tous les ports de Méditerranée.

Le colonel du Tertre crée 18 sociétés de transport — la première s'appellera *Les Rapides du Littoral* — à qui l'on prêtera les camions de l'armée. Les sociétés doivent entretenir le matériel et le mettre à la disposition de l'autorité militaire sur simple préavis de six heures. Plus de 3 500 de ces camions et autocars sont ainsi provisoirement absorbés par des sociétés, dont le parc est parfois brutalement multiplié par 100. C'est le cas pour la société Eclair qui passe de 5 véhicules à 687.

1. Sur la position officielle de l'armée et du gouvernement en face du camouflage, on lira avec intérêt la déposition faite au procès du maréchal Pétain par le général Picquendar qui avait pris, le 20 octobre 1940, la direction du C.D.M.

★

Il faut connaître, recenser, organiser les hommes que ces véhicules transporteront un jour. Le travail que le C.D.M. réalise pour les armes, le Bureau des Statistiques va, sous la direction du contrôleur général Carmille, le réaliser pour le « matériel humain ».

Sous couvert de démographie, on prépare la mobilisation par dédoublement des unités existantes. Mais les hommes sont rentrés dans leurs foyers et il ne saurait être question d'une mobilisation par affiches blanches sur les murs. Qu'à cela ne tienne. On exploitera le goût de tous les anciens combattants pour les amicales régimentaires. Les œuvres d'entraide aux prisonniers fournissent également des noms, des grades, des adresses.

On a choisi, pour le rassemblement général des réservistes, des zones d'accès difficile : Jura, Massif Central, Montagne Noire, Pyrénées. Là, ils rejoindront l'armée échappée des villes et prête à reprendre le combat.

Quel combat ? Etant donné l'extrême disproportion des forces, la lutte sera sans doute de courte durée. Pour qu'elle soit efficace, il faudrait que les alliés débarquent sur les côtes méditerranéennes.

L'armée de l'armistice a-t-elle reçu l'assurance que ce débarquement aura lieu ou bien, prenant ses désirs pour des réalités, espère-t-elle retenir assez longtemps les Allemands pour donner aux Anglo-Saxons la possibilité de venir à son secours ? Recherche-t-elle un succès, une revanche ou seulement un baroud d'honneur ? En contradiction formelle avec la politique officielle de Vichy, contrariée par les événements qui, en Afrique et au

Levant, opposent constamment troupes françaises et anglaises, l'armée n'engrange-t-elle pas des armes, ne prépare-t-elle pas clandestinement la mobilisation par instinct et tradition, beaucoup plus que par vocation résistante [1] ? Autant de questions auxquelles il est difficile de répondre.

Le 11 novembre 1942, les plans, les recensements, les cachettes variées où l'on a entreposé des milliers d'armes, ne serviront de rien.

L'Allemagne soufflera sur l'armée de l'armistice. Elle l'écartera immédiatement de son chemin, mais en dispersera la semence dans le maquis.

★

Le 6 novembre, la police de Marseille arrête, sous l'inculpation de « gaullisme », le commandant Faye. Faye ne peut nier. Il a été pris à l'instant où il transmettait un message à Londres. Interrogé, il parle du prochain débarquement en Afrique du Nord ; c'est pour en prendre la tête que le général Giraud vient de quitter la France. Il ne semble pas que cette information — recoupée par les télégrammes d'agents, de même que par les dépêches de presse, annonçant la présence d'une flotte considérable à Gibraltar — émeuve René

1. « Cette tentative, à la fois méthodique et naïve, écrit le lieutenant-colonel Le Ray, relevait, elle aussi, de l'équivoque Vichy. Convaincu d'interpréter la pensée secrète du Maréchal (ou affectant une telle conviction), le groupe résistant de l'état-major transmettait ses directives sous cette caution et pensait neutraliser, de ce fait, une opposition conformiste toute prête à se manifester. Malheureusement, cette construction, qui reposait sur une garantie trompe-l'œil, avait la fragilité d'un château de cartes. Cadres pressentis pour le commandement des unités, personnes privées ayant assumé la responsabilité du recel des matériels étaient susceptibles de se retraiter si Vichy venait à leur retirer sa couverture. Et c'est ce qui survint en novembre 1942. » Actes du 70e Congrès des Sociétés Savantes, Grenoble 1952.

Bousquet, secrétaire général de la Police, qui a été immédiatement prévenu. Il n'alerte les militaires que le 7 en fin d'après-midi. Le 8, à 7 h 54, 18 appareils américains partis du porte-avions *Ranger* commencent à bombarder la base navale de Casablanca, tandis que les obus du *Massachusetts* tombent sur le cuirassé *Jean-Bart,* incendient les paquebots *Porthos* et *Lipari,* les contre-torpilleurs *Malin, Simoun, Tempête,* d'autres navires encore...

Pour la marine française, une nouvelle tragédie commence.

Mal préparé sur place, organisé avec l'aide d'hommes qui n'étaient maîtres ni de l'Afrique ni de l'armée, faisant inutilement couler le sang français, le débarquement en Afrique du Nord n'en constitue pas moins, pour l'armée de l'armistice, le signal d'alarme attendu depuis plusieurs mois, la preuve que le « vent » a définitivement tourné.

Va-t-elle enfin pouvoir rentrer dans la guerre ?

Les plus intrépides, les plus imaginatifs, ceux qui ont mis au point des plans chimériques prévoyant une action en direction des ports de l'Atlantique, ou même en direction de Metz [1], oui, tous ceux-là le croient...

Dans la nuit du 8 au 9 novembre, alors que Laval est en route pour Munich où il doit rencontrer Hitler, alors que nul ne sait encore quels seront les développements militaires du débarquement

1. Le 2e groupe de division dont le siège était à Royat avait établi, dans le courant de l'année 1941, un plan prévoyant, à l'aide de 48 000 hommes, une action visant à reconquérir les ports de l'Atlantique et, notamment, les ports en eau profonde de La Pallice. Cette action devait naturellement être combinée avec un débarquement allié. Quant à l'action immédiate vers Metz, la Lorraine et l'Alsace, elle était prévue dans un plan pour la libération du territoire dont le général Giraud, avant de quitter la France, avait remis un exemplaire au général de Lattre de Tassigny.

en Afrique, le général Verneau expédie, par le seul code inconnu des Allemands, un télégramme chiffré à tous les commandants de divisions militaires. Il n'y a pas à s'y tromper : c'est l'ordre d'entrer en campagne :

« *Dans le but éviter rencontre entre troupes françaises et étrangères, les commandants de Divisions Militaires devront se mettre en mesure, au cas où les troupes allemandes franchiraient la ligne de démarcation, de déplacer troupes et états-majors en dehors des casernements et des grands axes routiers. Toutes les munitions seront emportées.* »

Le message précise encore que les transmissions seront assurées par des voitures radio sorties de leurs cachettes. Réveillés, les généraux et leurs chefs d'état-major, qui peuvent seuls déchiffrer le télégramme 128 E. M. A. 3 B, alertent tout leur monde. La journée du 9 novembre est, pour presque toutes les unités, une journée de préparation et d'exaltation.

Le colonel Schlesser, commandant le 2e Dragons à Auch, partage le Gers en plusieurs zones de dispersion et hâte le départ de ses hommes. A Grenoble, le général Laffargue met sur pied un plan de repli sur l'Oisans. A Montpellier, le général de Lattre étudie avec le colonel Morel, le lieutenant-colonel Albord, les commandants Constans, de Camias, Tabouis, le repli de ses troupes dans le massif des Corbières. La nuit venue, devant tous les généraux et chefs de corps de la 16e Division, il annonce une reprise de la lutte, une lutte dont il sait, dont il dit, qu'elle est sans espoir.

« En nous sacrifiant, ajoute-t-il, nous justifierons notre existence, nous sauvegarderons l'avenir parce que la portée de notre témoignage sera immense. Les martyrs de Rome ont eu, contre eux, toute la puissance de l'Empire, qui donc oserait dire, aujourd'hui, qu'ils ne sont pas les vainqueurs ? »

Les officiers, dont beaucoup n'aiment pas de Lattre, dont beaucoup rêvent à leurs pantoufles, sont empoignés par l'enthousiasme de leur général. Aucune objection. Aucune réticence. De Lattre donne verbalement toutes ses instructions.

Lorsque la réunion est achevée, à une heure du matin, Mme de Lattre et le commandant Constans brûlent les papiers secrets et les autres.

Sur le manteau de la cheminée, une grande photo non encadrée de l'amiral Estèva semble contempler la scène ; lentement, sous l'action de la chaleur, elle se roule sur elle-même.

A l'aube, la photo de l'amiral rejoindra le brasier...

Cependant, l'état-major de l'armée a quitté Vichy de nuit pour se réfugier à une trentaine de kilomètres de là dans les bâtiments de la ferme de La Rapine. Pourquoi La Rapine ? Parce que, dans cette ancienne ferme modèle, fonctionne officiellement, depuis juillet 1940, le service radio de sécurité du territoire. Près d'une écrémeuse abandonnée, le capitaine Leschi a placé ses postes d'écoute ; il « prend » les radios étrangères, rédige un bulletin d'information que des motards portent, chaque matin, à Vichy et à Clermont-Ferrand.

Mais, à côté de cette activité officielle, Leschi camoufle essence et matériel, entraîne des opérateurs-radio qui serviront surtout à la résistance, organise enfin, sur instruction secrète du ministère de la Guerre, une station-radio sur véhicule dans chaque région militaire, ainsi qu'à La Rapine.

Lorsque les généraux Verneau, Picquendar, Paquin arrivent, avec une quarantaine d'officiers, chez Leschi, le 9 au soir, ils sont à la recherche de moyens de communication rapides. Ils s'intallent pour la nuit dans le bureau de Leschi. Etalent leurs cartes, sortent des crayons bleus, fument, fument jusqu'à rendre l'atmosphère irrespirable.

Nuit émouvante au cours de laquelle des officiers téléphonent sans arrêt à tous les postes de la ligne de démarcation.

« Si les Allemands bougent, prévenez le 162 à Thiers. »

Le général Verneau est prêt à lancer l'ordre de résistance. Les plus optimistes attendent l'arrivée du maréchal Pétain qui fera ainsi rentrer la légalité dans la résistance.

Les heures passent. Calmes et troublées.

A l'aube, Leschi entraîne tout son monde à la vacherie, offre à chaque officier un bol de lait chaud. Le général Verneau, avant de le quitter, lui dit :

« Leschi, tenez-vous prêt. Nous reviendrons ce soir [1]. »

Ils ne reviendront pas.

En retardant de quelques heures leur entrée en zone libre, les Allemands ont obligé l'armée de l'armistice à dévoiler ses intentions.

★

Sous le coup de la surprise et de l'émotion, un baroud d'honneur eût été possible, ici et là, le 9 ou le 10 novembre. Le 11, il s'agirait d'une action concertée, mais parfaitement inutile, sur laquelle, au fond, presque personne n'est plus d'accord.

On sait maintenant que les Américains ne

1. Témoignage inédit du général Leschi.

débarqueront pas en Provence leurs troupes sans expérience.

On sait que le maréchal Pétain ne rejoindra ni l'Algérie, ni le maquis, que tous les bruits de départ qui ont couru sont faux. Oui, le Maréchal a bien reçu le général Weygand. Il a écouté les conseils de l'ancien généralissime : rallier Alger, y signer la paix avec les Américains, déclarer la guerre à l'Allemagne qui vient de proposer à Laval une alliance « pour le meilleur et pour le pire ». Il a écouté Hering, Bouthillier, Trochu, Gibrat, Serrigny, son chef d'état-major de Verdun qui accourt, valise bouclée.

Passant par des alternatives de somnolence et d'excitation, ravi à la pensée de cet avion qui l'attend, mais prisonnier de son rôle de défenseur de la patrie, de ce « don » qu'il a fait de sa personne, le maréchal Pétain renonce à un départ dont il sait qu'il lui apporterait une gloire nouvelle ainsi qu'un regain d'affection, mais dont il redoute les conséquences pour les Français.

« Je ne peux pas partir parce que j'ai promis aux Français de rester avec eux quoi qu'il arrive », réplique-t-il à Serrigny.

Et à d'autres :

« Un pilote doit rester à la barre pendant la tempête. Il n'abandonne pas la barre. Si j'étais parti, c'eût été pour la France le régime de la Pologne... Vous ne savez pas ce que c'est que le régime de la Pologne. La France en serait morte. »

Que Pétain reste, en voilà assez pour immobiliser l'armée qui ne comprend rien à ces démentis, à ces menaces, à ces démissions, à ces excommunications, une maille à l'endroit, une maille à l'envers, qui se croisent entre Alger et Vichy.

Ouvertement répudié, très secrètement approuvé, si secrètement que nul, à l'exception de deux ou trois initiés, n'en saura rien, l'amiral Darlan, qui continue à parler au nom du Maréchal, faute de pouvoir parler au nom de l'Amiral, n'a aucune audience auprès de l'armée.

La parole est maintenant à ceux qui sont opposés à toute résistance, la parole est à Pierre Laval qui, depuis Berchtesgaden, a téléphoné pour supplier qu'on l'attende avant de décider « quelque chose », la parole est au général Bridoux, dont la nomination au poste de secrétaire d'Etat à la guerre a été appuyée par Abetz.

Le 11 au matin, à 8 h 30, deux heures après que les unités allemandes aient franchi les postes frontières qui séparent la zone libre de la zone occupée, Bridoux annule téléphoniquement les ordres du général Verneau.

Il n'est plus question de quitter les casernes, plus question de prendre la campagne, plus question surtout de résister. Tous les mouvements commencés sont annulés, les troupes sont consignées dans leurs bâtiments. On lance des estafettes à la poursuite de ceux qui sont déjà partis sur le sentier de la guerre.

« Qu'est-ce qu'on va leur mettre aux Boches ! »

Allons donc, il faut regagner les cantonnements.

L'adjudant Grattard rattrape un escadron motorisé du 2e Dragons qui est déjà à 20 kilomètres d'Auch. Le général Laffargue et le général Mer s'empoignent téléphoniquement. Laffargue désobéit et lance ses unités vers l'Oisans, mais, suspendu de son commandement, solitaire, il finit par s'incliner.

A Montpellier, de Lattre, qui vient de recevoir l'ordre du général Bridoux, dit au commandant Constans, en froissant le papier sur lequel la communication a été recopiée :

« Eh bien, il n'y a plus qu'une solution, ne pas

exécuter. Je n'exécute pas. Je désobéis au ministre. C'est nous qui maintiendrons l'armée française en agissant ainsi, Les ordres sont donnés, le coup joué, il faut partir. »

L'idée de désobéissance est une idée neuve encore dans l'armée française !

Enthousiastes et décidés à l'action dans la nuit du 9 au 10 novembre, la plupart des colonels de de Lattre ont sensiblement changé d'avis lorsqu'il les réunit, une dernière fois, dans la soirée du 10 novembre. Le 11, coupés de leur chef, loin de son regard, de son magnétisme, de ses insolences, ils s'effondreront, trahiront, invoqueront mille et une raisons de commodité et de loyauté.

Oui, le geste qu'on leur demande est beau. Mais pourquoi le maréchal Pétain n'a-t-il pas rallié Alger, ce qui résoudrait bien des crises de conscience ? Pourquoi faut-il s'enfoncer en pleine campagne puisque les Allemands n'ont pas bougé un seul motocycliste ? Pourquoi, lorsqu'ils franchissent enfin la ligne de démarcation, aller chercher querelle à la plus forte armée du monde ? C'est la lutte du pot de fer et du pot de terre. Ne vaut-il pas mieux, suivant les ordres de Bridoux, qui n'a pas le sens du ridicule, essayer « de maintenir l'armée française ».

De Lattre lui-même est touché par ces scrupules. Pendant la matinée du 11, alors que les avant-gardes allemandes s'avancent déjà vers Carcassonne, il visite les différents quartiers, inspecte, se confesse, perd du temps, revient embrasser sa femme et ne peut s'empêcher de la questionner sur la valeur de son choix.

« Tu crois vraiment que je suis dans le vrai ?

— C'est ton devoir... réplique Mme de Lattre qui a mis ses deux mains sur les épaules de son mari... Pars... Mais pars donc ! »

Il part avec quelques officiers, mais, à peine a-t-il quitté Montpellier, que le général Langlois, commandant le 2e groupe de divisions militaires, fait son entrée dans la ville.

Entre les deux hommes, l'opposition était ancienne. Langlois croit trouver dans les événements extérieurs une occasion de revanche personnelle. Servi par des officiers que la « folie » de leur chef inquiète et qui ne veulent à aucun prix « entrer en dissidence », Langlois annule en quelques minutes les ordres du général de Lattre. On ferme les grilles des casernes, on dételle les locomotives qui devaient entraîner les wagons du 8e d'infanterie ; plus tard, à Perpignan, on arrête brutalement le colonel Morel, le commandant Constans et le lieutenant Perpère, qui refusent de trahir de Lattre.

Cent cinquante hommes de l'école des cadres de Carnon et une section d'artillerie ont cependant pris le large sous le commandement du capitaine Quinche. Ils sont arrêtés à Saint-Pons par quelques gendarmes. Une fois de plus, la loi et la raison l'emportent sur l'intransigeance patriotique et l'esprit d'aventure.

De Lattre est arrivé à son P. C. clandestin de Saint-Paul-de-Fenouillet à la nuit tombée. Jugeant le village trop exposé, sur une route de grande communication, il part pour Cucugnan et soupe chez un paysan tout éberlué de recevoir à sa table un général de corps d'armée en si maigre équipage. Nul ne rejoint de Lattre dans la nuit.

L'un de ses officiers envoyé en reconnaissance se heurte à un barrage de gendarmerie. Au lever du jour, de Lattre, qui, plus rudement que l'échec militaire, éprouve l'amertume d'avoir été abandonné, reprend la route de Montpellier, mais se heurte, à Saint-Pons, à un colonel de gendarmerie qui lui notifie les ordres de Vichy.

Quarante-huit heures après l'arrestation du général, les journaux et la radio publient un communiqué du ministre de l'Information qui s'efforce de ridiculiser de Lattre, mais a je ne sais quelle ressemblance intime avec ces bulletins dont le gouvernement de Louis XVIII saluait le retour de Napoléon [1].

Comme devait le dire ironiquement M. Hontebeyrie, préfet régional de Montpellier :

« En cette journée du 11 novembre, on m'a beaucoup parlé d'arrêter le général de Lattre et pas du tout les Allemands ! »

★

Sans tirer un seul coup de fusil, ne se souciant ni de l'armée de l'armistice, qui est revenue dans ses casernes, ni de la protestation du maréchal Pétain, dont la diffusion est d'ailleurs rapidement arrêtée, les Allemands, des Allemands différents de ceux de 1940, marqués par la campagne de Russie, entrent en zone libre.

Précédés d'une voiture dont l'avant est recouvert d'un drapeau à croix gammée, ils traversent vivement Montauban. Ils défilent à Lyon, place Bellecour. Ils arrivent à Marseille, où le couvre-feu a été établi à partir de 8 heures du soir.

Le 12 au matin, tous les journaux de Z. N. O. annoncent l'événement sous le titre suivant :

1. « ... Après avoir erré dans la campagne, inquiet des mesures qui avaient été prises pour assurer l'ordre, il s'est rendu au premier officier de gendarmerie qu'il a rencontré. Ses partisans se sont dispersés. Il a été arrêté. La personnalité du général n'est pas inconnue. Son ambition était de devenir le chef d'état-major des forces rebelles. Sa carrière de factieux aura été courte. Il appartient maintenant à la justice militaire. »

« Les troupes allemandes traversent la zone libre pour rejoindre des positions de défense sur les côtes de la Méditerranée. » La consigne 960 est responsable de cette pitoyable hypocrisie !

Saisie au nid, mais toujours incertaine de son sort, l'armée de l'armistice demeure enfermée dans ses casernes. Des optimistes, qui n'ont pas bougé le 10 novembre, persistent à croire qu'ils pourront encore engager le combat. D'autres esquissent les modalités d'une cohabitation.

Le 27 novembre prouvera aux uns et aux autres qu'en dehors de la clandestinité, rien, désormais, n'est plus possible.

Pour le Français moyen, le 27 novembre est un jour comme les autres, avec son lot de batailles en Afrique, de batailles en Russie, de restrictions.

Les quotidiens annoncent que le gouvernement vient de renoncer à éditer la plaque cartonnée qui servait à encaisser « l'impôt sur les vélocipèdes ». Economie de papier.

Les femmes de prisonniers apprennent qu'elles pourront rejoindre leur mari en Allemagne, à condition de souscrire un contrat de travail. Le numéro 005 407 gagne 50 000 francs au tirage de la 21e tranche de la Loterie Nationale. Pour décembre, les Français toucheront moins de matières grasses et moins de chocolat.

La Luftwaffe a attaqué les navires de ravitaillement dans le port d'Alger.

Destremeau est classé premier tennisman français.

On se bat furieusement au nord de Stalingrad. Dans le camp retranché de Toulon, seule partie du territoire qui n'ait pas été occupée par les troupes de l'Axe, « *le vice-amiral, préfet maritime, gouverneur de Toulon, invite toutes les personnes qui n'ont rien à faire dans cette ville et qui peuvent avoir ou trouver ailleurs les moyens de vivre à quitter la place* ».

Un jour comme les autres. Mais, depuis l'aube, la France n'a plus ni marine ni armée.

Les autorités de Vichy ont été prévenues en pleine nuit. Il est 3 heures du matin, en effet, lorsque Rochat, secrétaire général aux Affaires Etrangères, est réveillé par un coup de téléphone de Krug von Nidda.

Le représentant du Führer exige d'être reçu immédiatement.

Lorsqu'il arrive à l'hôtel du Parc, c'est pour demander à Rochat de le conduire auprès de Pierre Laval. Le Français cherche à gagner du temps. Ne pourrait-on pas attendre jusqu'à l'aube ? D'ailleurs, Laval couche, comme chaque nuit, dans sa propriété de Châteldon, à une vingtaine de kilomètres de Vichy. Qu'à cela ne tienne, réplique Krug von Nidda, les voitures allemandes sont là et ce qu'il a à dire ne saurait attendre le matin.

Il sait, lui, que les troupes allemandes sont déjà en marche.

Les deux hommes prennent place dans une voiture. A 4 h 25, les voilà à Châteldon. Dans le froid de ce matin de novembre, Krug von Nidda retient quelques minutes encore Rochat qui veut entrer immédiatement. Le message ne doit pas être délivré avant 4 h 30.

Le message, c'est une longue lettre au cours de laquelle Hitler revient sur les origines de la guerre, rappelle sa magnanimité à l'égard du peuple français vaincu, promet de nous aider à reconquérir nos colonies, dénonce les « trahisons » répétées des généraux et amiraux français, trahisons commises non seulement vis-à-vis de l'Allemagne, mais également du maréchal Pétain.

En conclusion de tant de promesses d'amitié

pour l'avenir et de tant de méfiance pour le présent, Hitler annonce qu'il a donné l'ordre d'occuper immédiatement Toulon, d'empêcher le départ des navires ou de les détruire et de démobiliser « *toutes les unités de l'armée française qui, à l'encontre des ordres de leur propre Gouvernement, sont excitées par les officiers à une résistance active contre l'Allemagne* ».

Laval proteste. A quoi bon ? Les Allemands sont déjà en action.

La réunion qui a lieu trois quarts d'heure plus tard, à Vichy, dans le bureau du Président du Conseil, ressemble, en plus bavard, en plus agité, à ces assemblées de médecins qui se tiennent auprès d'un mourant célèbre.

Déjà, le malade est mort. On discute encore pour savoir quel remède choisir.

Alors que le sabordage de la flotte est en cours, que l'armée allemande saisit les casernes, Laval songe à une négociation avec les Allemands, à une ultime confrontation qui laisserait à Vichy quelques mètres carrés de souveraineté.

Peine perdue. Déjà, la France n'a plus de marine. Dans quelques heures, elle n'aura plus d'armée [1].

★

A Auch, vers 15 heures, une trentaine de camions allemands stoppent près du Gers. Les soldats bondissent l'arme au poing, ils encerclent

1. Dans le bureau de Pierre Laval, se trouvaient réunis, à partir de 5 h 20, les amiraux Abrial, Le Duc et Platon, les généraux Bridoux, ministre de la Guerre, Jannekein, ministre de l'Air, Campet, MM. Rochat et Jardel.

Sur cette matinée tragique, comme sur le sabordage de la flotte, on lira avec profit le livre de Pierre Varillon : *Le Sabordage de la flotte*, et celui d'Henri Noguères : *Le Suicide de la flotte française à Toulon*.

la caserne du 2e Dragons, fracturent une porte des cuisines, désarment la sentinelle, envahissent la cour d'honneur, se présentent devant le bureau du chef de corps qui refuse de les recevoir, mais obtient quarante-huit heures de sursis pour son unité.

Le colonel Schlesser met à profit ce délai pour proposer à ses officiers et à ses hommes de se camoufler dans la région : ils deviendront forestiers, agriculteurs, fonctionnaires auxiliaires.

Puis, dans la nuit du 29 au 30 novembre, il organise la cérémonie des adieux à l'étendard ; une cérémonie qui tient de la veillée funèbre et de la veillée d'armes [1]. Les hommes vont se séparer. Déjà, les voici en civil. Encore rangés par escadrons, ils se raidissent lorsque les trompettes sonnent à l'étendard. Un projecteur illumine le drapeau auprès duquel, dans la galerie du premier étage, se tient le colonel Schlesser.

Officiers, sous-officiers,

Et vous tous mes amis...

Amplifiée par le silence, la voix roule dans la nuit :

Nous communions aujourd'hui dans la même indicible souffrance. Notre régiment, que j'ai eu l'honneur de reformer, ce régiment que j'avais ressuscité, à qui j'avais donné la vie, vient d'être lâchement assassiné. Vous, mes petits, dont j'étais si fier, vous qui étiez ma raison de vivre, vous n'avez plus d'uniforme — on vous l'a arraché — vous n'avez plus d'armes — on les a brisées.

Malgré ma volonté de résister, je suis, à cette heure, contraint d'exécuter l'ordre qui m'est imposé et qui nous oblige à nous séparer. Des

1. Le chef d'escadron Sauzey a raconté cette cérémonie dans sa plaquette : *L'Epopée d'un régiment.* Cf. également Daniel Devilliers : *L'Etendard évadé.*

larmes dans les yeux, le cœur plein d'amertume, j'obéis !

Mais rien n'est fini...

Dans un élan de voix et d'imagination, Schlesser propose à tous ses hommes de venir embrasser l'étendard.

« En le faisant, je veux que vous juriez de vous regrouper autour de lui, demain, à l'appel de la Patrie. Je veux que vous répétiez le serment de donner votre vie pour que vive la France. »

Les hommes montent les marches. Un à un, bouleversés, les yeux souvent pleins de larmes, ils s'agenouillent et se penchent sur l'étoffe tricolore qui ne sera jamais abandonnée.

Un an plus tard, en effet, le capitaine de Neuchèze, qui s'est évadé de Compiègne, prend le train à Lyon. Il porte une canadienne, de grosses chaussures, un sac sur le dos. Il a l'air mal à l'aise dans des vêtements trop étroits. Il souffle à son compagnon de voyage d'une minute (le colonel Zeller, alias M. Martin) :

« J'ai eu le temps, avant de partir pour Alger, de passer chez moi pour y prendre l'étendard du 2e Dragons. Le colonel Schlesser m'a donné l'ordre de le transporter en Afrique. J'ai cet étendard roulé autour de mon corps, la cravate et le fer de lance se trouvent dans mon sac... »

Ainsi « porté » par de Neuchèze, qui en fait son armure et qui s'en fait le chevalier, l'étendard rejoindra l'Algérie où le régiment se reforme.

★

Un peu partout, dans ce qui fut la France non occupée, des cérémonies, identiques à celles d'Auch, ont lieu.

A Grenoble, le capitaine Ferres, qui commande le 14e groupe de transmissions, réunit ses télégraphistes dans la cour de la caserne, autour du mât du drapeau. La chorale du groupe chante *Flotte petit drapeau* (!), puis un couplet de *La Marseillaise.*

« Vive la France ! » crie un sous-officier.

Le cri est repris trois fois par les hommes tandis que descendent lentement, très lentement les couleurs. Dans les plis du drapeau, quatre soldats font une quête. On recueille 1 900 francs, puis le mât des couleurs est scié, abattu.

C'est fini.

A Saint-Amand, le 3e bataillon du 1er régiment d'infanterie entend l'ordre du jour n° 85 du colonel Bertrand :

Pour la première fois, après quatre siècles d'existence, sous le coup d'un sort injuste et indépendant de la fortune de ses armes, le Premier de ligne doit cesser d'exister.

Officiers, sous-officiers, caporaux et soldats qui aviez juré de servir jusqu'au bout sous un drapeau entre tous chargé de gloire, le colonel partage votre émotion et votre amertume. Il s'incline devant ses plis. Autour de lui, nous nous rallierons tous au jour de la résurrection que nous savons certain.

Dernière *Marseillaise.* C'est fini.

A Hyères, où les troupes italiennes se présentent aux grilles du quartier du 24e bataillon de chasseurs alpins, le commandant peut faire évacuer quelques armes, tandis que les percuteurs des fusils 1936 sont détruits, les pistolets jetés dans les W.-C., les mitrailleuses sabotées.

La *Sidi-Brahim* jaillit de toutes les poitrines. Le drapeau descend. C'est fini.

A Grenoble, l'abbé Pierre, à l'annonce de la démobilisation, se précipite vers la caserne. Avec lui, quelques jeunes tirant des charrettes, des remorques. Par les fenêtres, voltigent couvertures, lainages, chaussures.

« C'est pitié, a dit l'abbé Pierre, d'abandonner toutes ces richesses à l'ennemi, alors que, dans le quartier, tant de pauvres gens souffrent de froid. »

L'armée de l'armistice a vécu.

« Pas d'incident », annonce le ministère de l'Information, le 28 novembre.

★

En liquidant l'armée de l'armistice, Hitler avait cependant exprimé son intention de rendre à l'Etat français une force militaire « aveuglément dévouée au Maréchal ».

Ce sera — après que les Allemands auront repoussé l'idée d'une armée de 47 000 hommes — le premier régiment de France.

82 officiers, 2 657 sous-officiers et hommes de troupe. Trois bataillons qui stationnent à Saint-Amand, Le Blanc, Dun-sur-Auron. « *Indépendamment du prestige moral dont jouiront les recrues du premier régiment de France,* écrivent les journaux, *de substantiels avantages matériels leur seront acquis.* » Ces promesses n'aident guère au recrutement. Et les comptes rendus du premier défilé qui a lieu au Blanc : « *Venaient en tête les motocyclistes, leur mitrailleuses pointées, le chef debout dans le side-car, puis les cyclistes. La musique suivait, jouant « Sambre-et-Meuse »,* rendent un son pitoyable.

De l'armée de Verdun au premier régiment de France, quelle déchéance [1] !

1. En février 1943, l'Allemagne autorisa la formation de groupes de défense contre avions comprenant 44 batteries lourdes de 4 canons de 75 et 2 de 25, 12 batteries légères à 12 canons de 25. L'instruction devait être faite par la Luftwaffe. A partir de juillet 1943, quelques batteries furent dirigées sur la Normandie et la Bretagne d'où les Allemands les renvoyèrent sur le centre d'Issoudun où elles furent d'ailleurs dissoutes en novembre.

★

Le 1er décembre 1942, Vichy ne dispose plus d'aucune force militaire. Les armes qui, avec mille précautions, avaient été camouflées sont, un peu partout, tirées de leurs cachettes par les Allemands.

Les dépositaires de matériel militaire, pris de panique, téléphonent à la Préfecture ou à la Subdivision militaire pour supplier qu'on les débarrasse de ces armes compromettantes. Lorsqu'un fusil caché peut conduire au poteau d'exécution, que dire d'un canon antichar ou d'un mortier ?

Il faut compter également avec les délations, les vengeances citadines ou paysannes, cette fureur de mettre l'étranger dans le jeu français, qui saisit parfois nos compatriotes.

Un bon résistant, Bergeret, qui voulait armer ses troupes avec les dépouilles de Vichy, note que le 6 juin 1944, il ne subsistait, dans son secteur, que 15 mitrailleuses, 25 mitraillettes et quelques armes individuelles, alors qu'il y avait eu 200 000 fusils à la Poudrerie de Bergerac.

Les Allemands, que la campagne de Russie épuise, réquisitionnent ou prennent tout le matériel qui leur tombe sous la main : celui qu'ils déterrent, celui qu'ils trouvent dans les casernes.

Nul ne les en empêche. Au contraire. Le 15 janvier 1943, le général Bridoux interdit à ses services tout détournement des biens des forces armées qui vont être recensés par les Allemands !

32 Morane, 50 Potez, déjà vendus à la Finlande et à la Roumanie, sont purement et simplement saisis. 5 000 camions sont prélevés en janvier 1943 et le général Mohr informe enfin le gouvernement français, à la fin de l'année 1943, que son gouvernement a décidé de faire prendre en charge par la

Wehrmacht « *l'ensemble des armes et des engins de guerre, la totalité de l'équipement, ainsi que les installations immobilières des forces armées françaises, en vue de leur contribution à la défense de l'Europe* ».

Ce faire-part hypocrite met un point final à l'aventure de l'armée de l'armistice.

Car il faut compter pour rien ces tristes épisodes de guerre civile où l'on remet 3 000 francs à l'adjudant-chef Raymond P..., appartenant à la garde, pour avoir arrêté et désarmé trois guetteurs du maquis ; 1 000 francs à l'adjudant Régis P... qui a permis l'arrestation de treize réfractaires au S. T. O. !

Pour se battre désormais sur le sol métropolitain, il faudra renoncer à l'uniforme, aux gants blancs, aux traditions, à la hiérarchie solide et consolante, il faudra accepter les risques matériels et les périls moraux de la clandestinité et de la politique...

TABLE

IMPRIMÉ EN FRANCE PAR BRODARD ET TAUPIN
Usine de La Flèche (Sarthe).
LIBRAIRIE GÉNÉRALE FRANÇAISE - 6, rue Pierre-Sarrazin - 75006 Paris.
ISBN : 2 - 253 - 02453 - 8

30/3242/2